KB087370

영재 사고력수학 필즈

베이직 중

CONTENTS

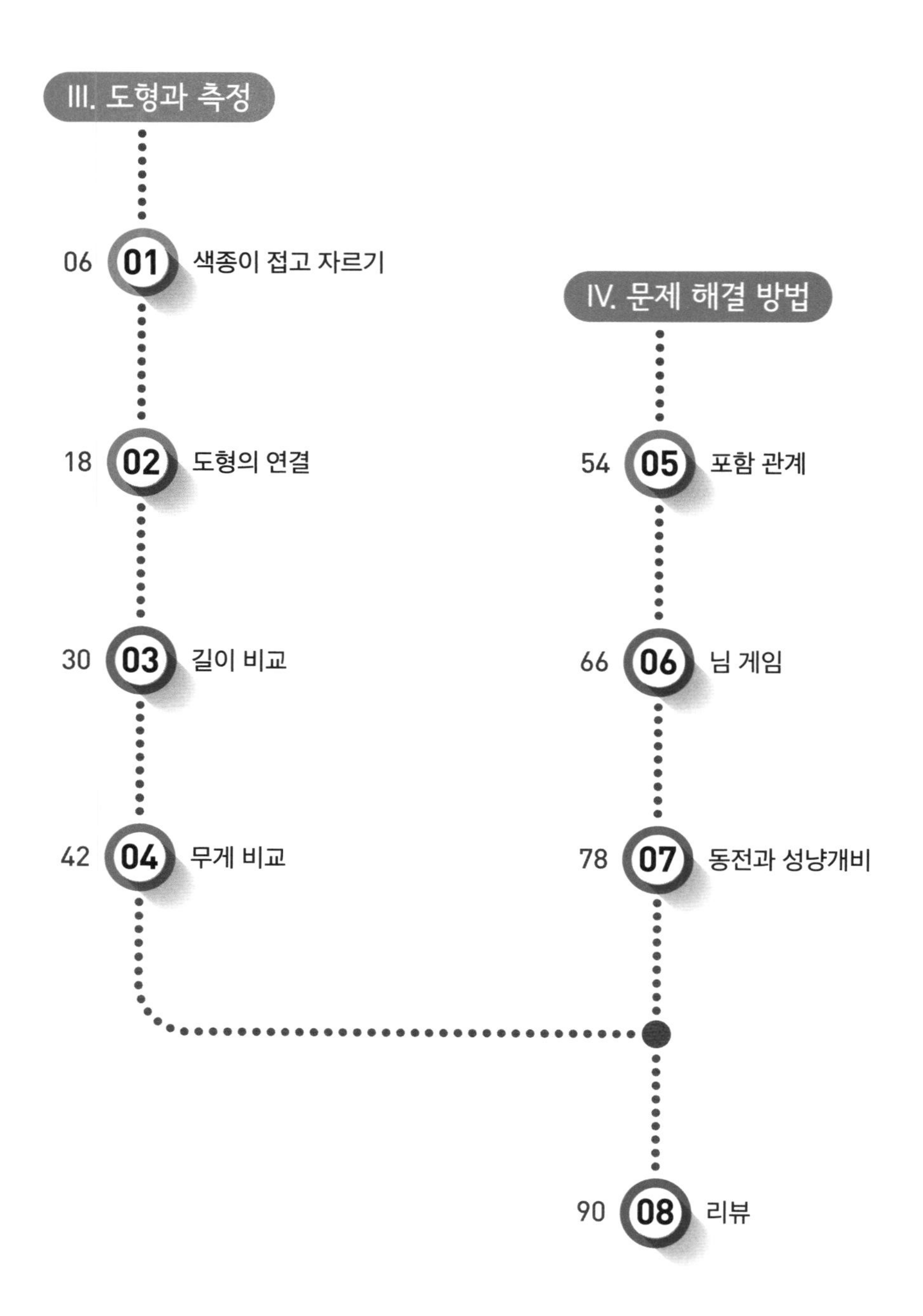

서문

이 책을 공부하게 될 친구들에게

저자는 영재교육원 관찰추천제를 대비하기 위한 「필즈수학」 시리즈를 출판하였고, 창의적 문제해결력을 기르고, 영재교육원 대비에 도움이 될 수 있도록 관찰추천제 가이드 북을 제시하였습니다.

「필즈수학」 시리즈는 수학에 대한 호기심이 있는 학생들이라면 도전해 보고 싶은 주제들로 구성되어 있고, 교재의 수준과 깊이에서 일정 수준 이상의 개념과 수학적 경험을 갖춘 학생들이라면 접근해 볼 수 있는 면이 있어 영재교육원을 준비하지 않더라도 상위권 학생들을 중심으로 꾸준한 사랑을 받고 있습니다.

이러한 이유로 많은 학생들과 학부모들이 기존 「필즈수학」 시리즈로 공부할 수 있는 학생들보다 좀 더 어린 학생들을 대상으로 하는 교재의 출판을 바라왔습니다. 이러한 요구를 반영해 수와 연산, 패턴, 도형, 측정, 문제 해결 방법 등을 주제로 하는 유년기 또는 초등 저학년 학생들을 위한 「필즈 베이직」 시리즈를 내놓게 되었습니다.

수학은 위계의 학문입니다. 하위 개념에 대한 정확한 이해 없이 상위 개념을 접하게 되면 언제든지 무너질 수 있는 학문이라는 뜻입니다. 이 문제는 유사 문항을 단순 반복하여 여러 번 풀어본다고 해결되지 않으며, 무의미한 반복과 과도한 학습량은 오히려 수학에 대한 흥미를 떨어뜨려 수학 공부에 방해가 될 수 있습니다. 또한, 수학적 사고력은 개념 ➡ 기본 ➡ 응용 ➡ 심화와 같이 선형적으로 발전하지도 않습니다. 스스로 부딪쳐서 해결하는 과정에서 개념을 더 완벽히 이해할 수 있고, 깊이 있는 문제를 접하며 논리적 도약을 이뤄낼 수 있을 때 수학적 사고력이 발전하는 것입니다. 수학은 많은 학부모들이 오해하듯이 '선천적 재능을 타고나야 잘할 수 있는 과목'이 아닙니다. 아이들에게 환경과 기회를 어떻게 제공했는지에 따라 아이들의 수학 실력은 달라질 수 있습니다.

「필즈 베이직」 시리즈는 유년기와 초등 저학년 학생들이 무엇을 가지고 어떻게 수학을 시작해야 하는지를 제시하고, 수학적 사고력을 길러 상위 개념으로, 다음 과정으로 진입할 수 있게 하는 마중물이 될 것입니다.

강신흥

이 책의 구성과 특징

유형 제시

어떤 문제를 공부하게 될까?

단원의 대표적인 사고력 문제 유형을 아이들의 대화를 통해 딱딱하지 않게 제시함으로써 학생들이 좀 더 재미있고 쉽게 이해할 수 있도록 도와줍니다.

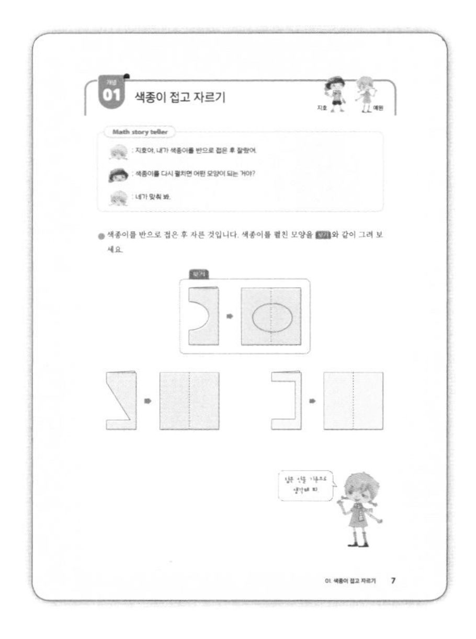

01 색종이 접고 자르기

지호 예원

Math story teller

: 지호야, 내가 색종이를 반으로 접은 후 잘랐어.

: 색종이를 다시 펼치면 어떤 모양이 되는 거야?

: 네가 맞춰 봐.

● 색종이를 반으로 접은 후 자른 것입니다. 색종이를 펼친 모양을 보기와 같이 그려 보세요.

01. 색종이 접고 자르기 7

대표 문제

문제를 어떻게 접근해야 할까?

문제 해결의 핵심을 알려줌으로써 어려워 보이는 문제를 편하게 접근할 수 있는 친절한 선생님의 역할을 합니다.

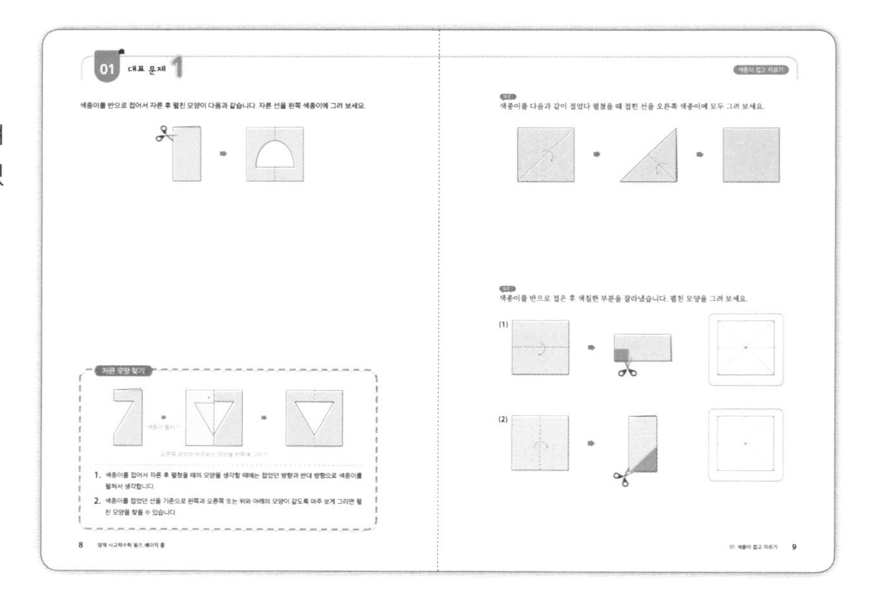

01 대표 문제 1

색종이를 반으로 접어서 자른 후 펼친 모양이 다음과 같습니다. 자른 선을 왼쪽 색종이에 그려 보세요.

1. 색종이를 접어서 자른 후 펼쳤을 때의 모양을 생각할 때에는 접었던 방향과 반대 방향으로 색종이를 펼쳐서 생각합니다.
2. 색종이를 접었던 선을 기준으로 왼쪽과 오른쪽 또는 위와 아래의 모양이 같도록 마주 보게 그리면 펼친 모양을 찾을 수 있습니다.

8 영재 사고력수학 필즈_베이직 중

색종이 접고 자르기

색종이를 다음과 같이 접었다 펼쳤을 때 접힌 선을 오른쪽 색종이에 모두 그려 보세요.

색종이를 반으로 접은 후 색칠한 부분을 잘라냈습니다. 펼친 모양을 그려 보세요.

(1)

(2)

01. 색종이 접고 자르기 9

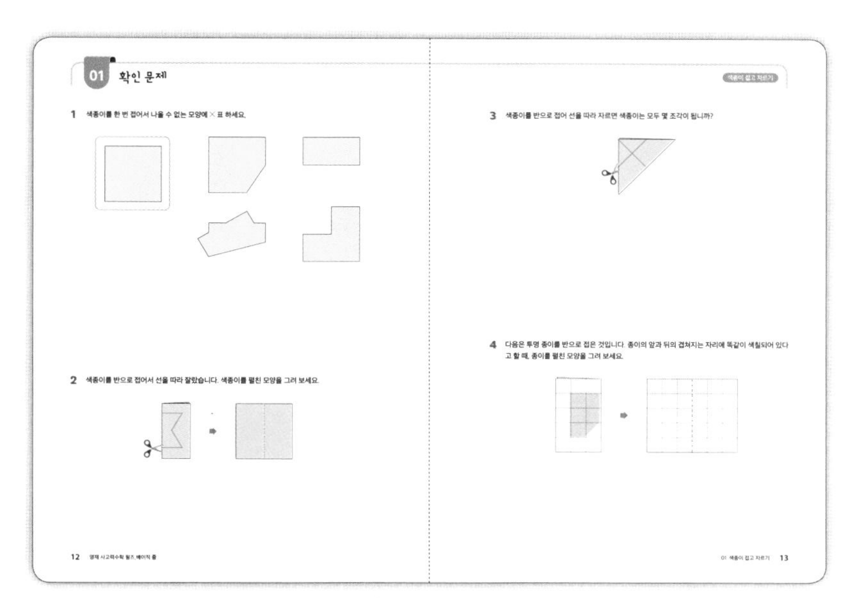

01 확인 문제

색종이 접고 자르기

1 색종이를 한 번 접어서 나올 수 없는 모양에 × 표 하세요.

2 색종이를 반으로 접어서 선을 따라 잘랐습니다. 색종이를 펼친 모양을 그려 보세요.

3 색종이를 반으로 접어 선을 따라 자르면 색종이는 모두 몇 조각이 됩니까?

4 다음은 투명 종이를 반으로 접은 것입니다. 종이의 앞과 뒤의 겹쳐지는 자리에 똑같이 색칠되어 있다고 할 때, 종이를 펼친 모양을 그려 보세요.

확인 문제

혼자서 해결하자!

유형 제시와 대표 문제에서 만난 문제들이 다양한 형태로 변형되어 나옵니다. 변형된 여러 문제들을 학생이 혼자 해결해봄으로써 해당 문제 유형의 이해를 높입니다.

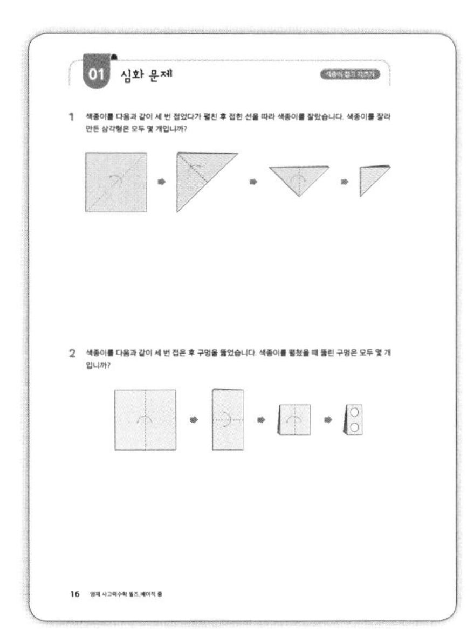

01 심화 문제

색종이 접고 자르기

1 색종이를 다음과 같이 세 번 접었다가 펼친 후 접힌 선을 따라 색종이를 잘랐습니다. 색종이를 잘라 만든 삼각형은 모두 몇 개입니까?

2 색종이를 다음과 같이 세 번 접은 후 구멍을 뚫었습니다. 색종이를 펼쳤을 때 뚫린 구멍은 모두 몇 개입니까?

심화 문제

실력을 높이자!

기존 학습 문항들보다 난이도가 높은 문항에 도전하고 해결하는 과정에서 학생의 과제집착력을 기르고, 성취감을 맛볼 수 있게 합니다.

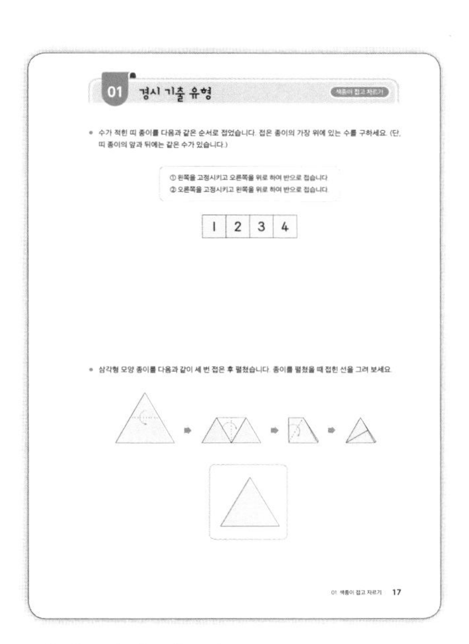

01 경시 기출 유형

색종이 접고 자르기

• 수가 적힌 띠 종이를 다음과 같은 순서로 접었습니다. 접은 종이의 가장 위에 있는 수를 구하세요. (단, 띠 종이의 앞과 뒤에는 같은 수가 있습니다.)

① 왼쪽을 고정시키고 오른쪽을 위로 하여 반으로 접습니다.
② 오른쪽을 고정시키고 왼쪽을 위로 하여 반으로 접습니다.

1	2	3	4

• 삼각형 모양 종이를 다음과 같이 세 번 접은 후 펼쳤습니다. 종이를 펼쳤을 때 접힌 선을 그려 보세요.

경시 기출 유형

도전!!

기존 경시대회 문제들과 유사한 형태의 문제를 해결하는 과정에서 다양한 각도에서 문제를 접근하고 수학적 해결 전략을 구사하는 능력을 향상시킵니다.

영재사고력수학 필즈 로드맵

예비 초등학생과 초등학교 저학년을 위한 [필즈수학] 시리즈

교재	예비 초등학생, 초등학교 1학년을 위한 킨더	초등학교 1, 2학년을 위한 베이직	초등학교 2, 3학년을 위한 입문
상	모으기와 가르기	고대의 수	마방진
	덧셈식과 뺄셈식	수와 숫자	조건에 맞는 수
	목표수 만들기	카드로 만든 수	복면산과 도형이 나타내는 수
	줄서기	수 퍼즐	곱셈구구
	모양 패턴	여러 가지 패턴	수열
	증감 패턴	이중패턴과 □번째 모양	수 배열의 규칙
	수 배열표	유비추론	도형 패턴
중	전체와 부분	색종이 접고 자르기	도형의 개수
	모양 겹치기	도형의 연결	도형 붙이기
	길이와 들이 비교	길이 비교	쌓기나무
	달력	무게 비교	잴 수 있는 길이
	선 잇기 퍼즐	포함 관계	간격과 개수
	이동 경로	님 게임	여러 가지 방법으로 해결하기
	가위바위보	동전과 성냥개비	재치있게 해결하기
하	□가 있는 식	성냥개비 연산	어떤 수 구하기1
	가로세로 수 퍼즐	홀수와 짝수	연속수의 합
	주고 받기	연산 퍼즐	수 만들기
	연산 규칙	약속 연산	어떤 수 구하기2
	속성	표와 그래프	길의 가짓수
	위치와 순서	가능성	리그와 토너먼트
	색칠하기	방법의 가짓수	논리 추리

초등학교 고학년을 위한 [필즈수학] 시리즈

교재	초등학교 3, 4학년을 위한 초급	초등학교 4, 5학년을 위한 중급	초등학교 5, 6학년을 위한 고급
상	연속수	대칭수	연속수의 성질
	숫자 카드	수와 숫자의 개수	수와 숫자의 합
	가장 큰 곱 만들기	연속수의 합으로 나타내기	배수판정법
	도형이 나타내는 수	포포즈	약수의 개수
	벌레 먹은 셈	크기가 같은 분수	끝수와 0의 개수
	숫자의 개수	복면산	수와 식 만들기
	마방진	여러 가지 마방진	진법 활용
	도형 붙이기	도형 나누기와 맞추기	타일 붙이기
	주사위	도형의 개수	직육면체
	거울에 비친 모양	점을 이어 만든 도형의 개수	입체도형
	원	정육면체	쌓기나무
	가로수와 통나무	나이	뉴튼산
	가정하여 풀기	포함과 배제	거꾸로 생각하기
	저울을 이용하여 풀기	나머지	작업 능률
	재치있게 풀기	속력	극단적으로 생각하기
하	쌓기나무	붙여 만든 도형의 둘레	단위넓이의 활용
	덮기와 넓이	달력	겹쳐진 부분의 넓이
	색종이 자르기와 접기	평행과 도형의 내각	도형의 둘레와 넓이
	눈금없는 길이와 무게	바닥깔기	등적 분활
	모래시계	접기와 각	삼각형을 이용한 각도 구하기
	도형 유추	시계와 각	고장난 시계
	패턴	규칙 찾아 도형의 개수 세기	피보나치 수열
	간단한 수열	교점과 영역의 개수	여러 가지 수열의 활용
	간단한 규칙 찾기	수의 배열의 규칙	복잡한 규칙
	규칙 찾아 간단하게 계산하기	약속	그래프 읽기
	리그와 토너먼트	지불할 수 없는 동전	색칠하기
	최단거리	무게가 다른 금화 찾기	여러 가지 경우의 수
	논리 추리	연역적 논리	입체에서의 최단거리
	한붓그리기	비둘기 집	홀수 짝수
	성냥개비	님 게임	참말족과 거짓말족

01

색종이 접고 자르기

개념 01 색종이 접고 자르기

Math storyteller

 : 지호야, 내가 색종이를 반으로 접은 후 잘랐어.

 : 색종이를 다시 펼치면 어떤 모양이 되는 거야?

 : 네가 맞혀 봐.

● 색종이를 반으로 접은 후 자른 것입니다. 색종이를 펼친 모양을 보기 와 같이 그려 보세요.

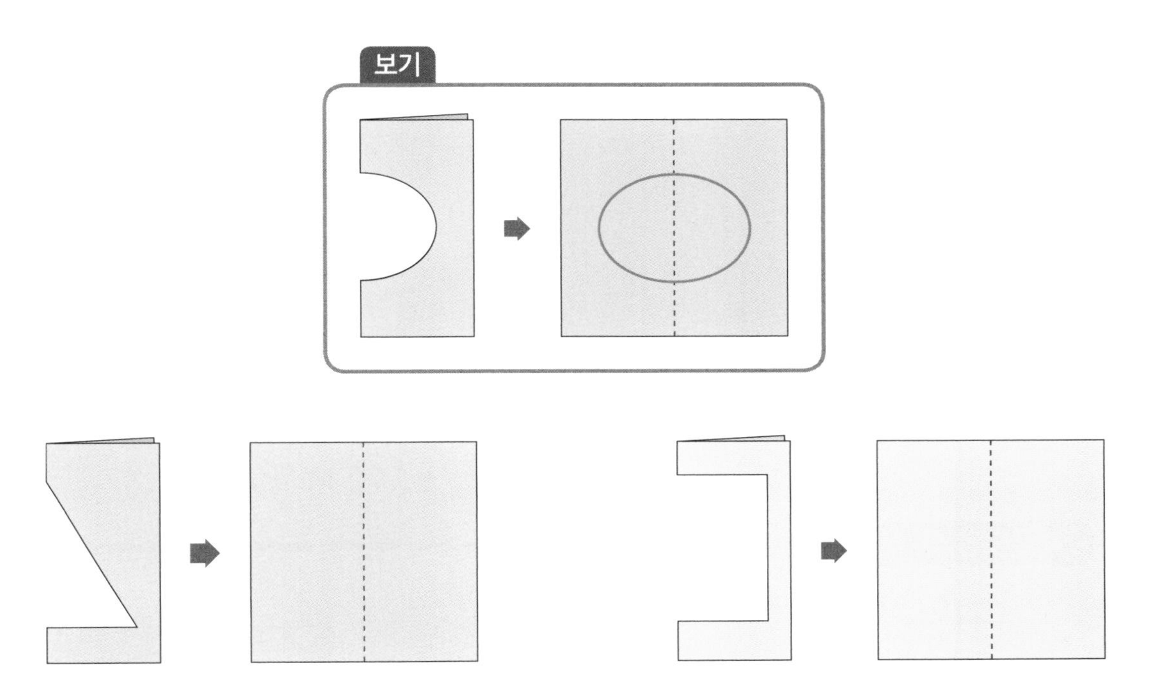

01 대표 문제 1

색종이를 반으로 접어서 자른 후 펼친 모양이 다음과 같습니다. 자른 선을 왼쪽 색종이에 그려 보세요.

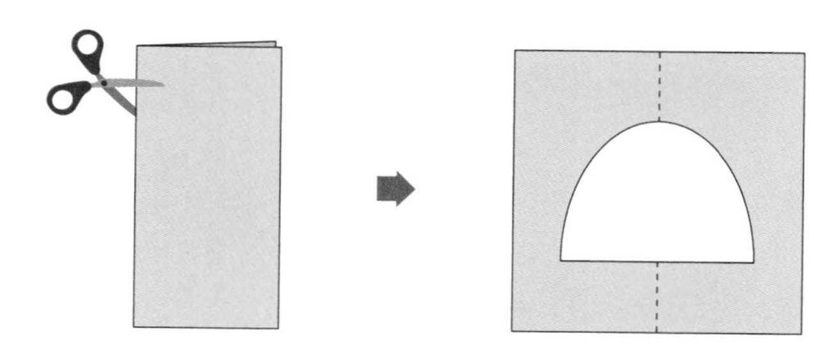

자른 모양 찾기

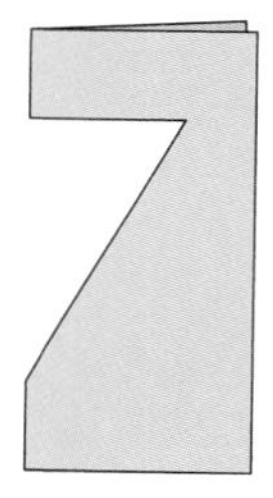

색종이 펼치기

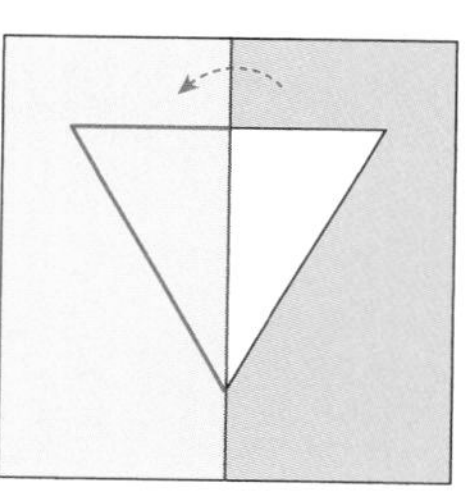

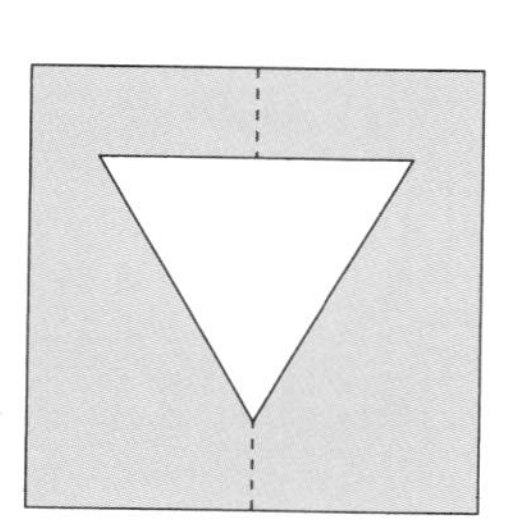

오른쪽 모양과 마주 보는 모양을 왼쪽에 그리기

1. 색종이를 접어서 자른 후 펼쳤을 때의 모양을 생각할 때에는 접었던 방향과 반대 방향으로 색종이를 펼쳐서 생각합니다.
2. 색종이를 접었던 선을 기준으로 왼쪽과 오른쪽 또는 위와 아래의 모양이 같도록 마주 보게 그리면 펼친 모양을 찾을 수 있습니다.

예제 1

색종이를 다음과 같이 접었다 펼쳤을 때 접힌 선을 오른쪽 색종이에 모두 그려 보세요.

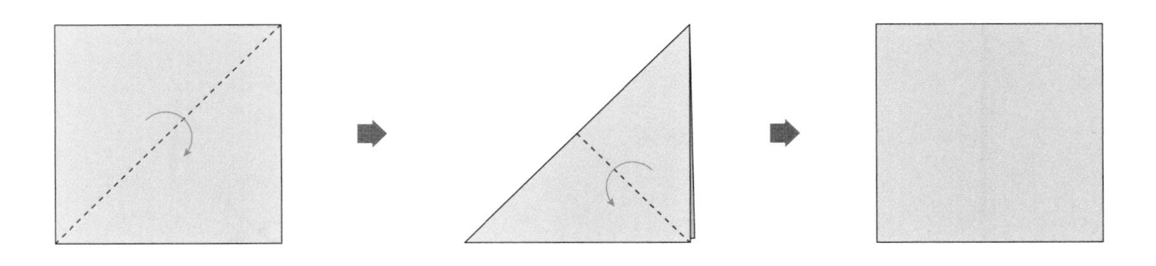

예제 2

색종이를 반으로 접은 후 색칠한 부분을 잘라냈습니다. 펼친 모양을 그려 보세요.

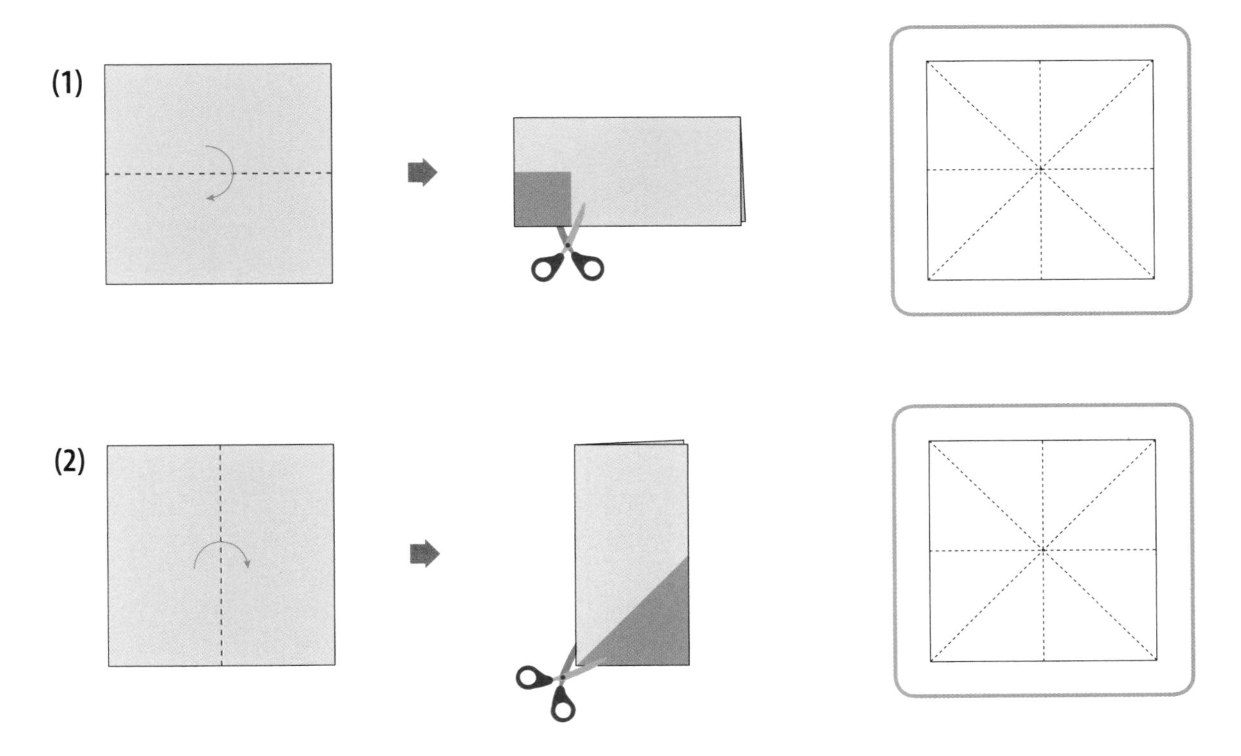

색종이를 두 번 접은 후 선을 따라 자르면 색종이는 모두 몇 조각이 됩니까?

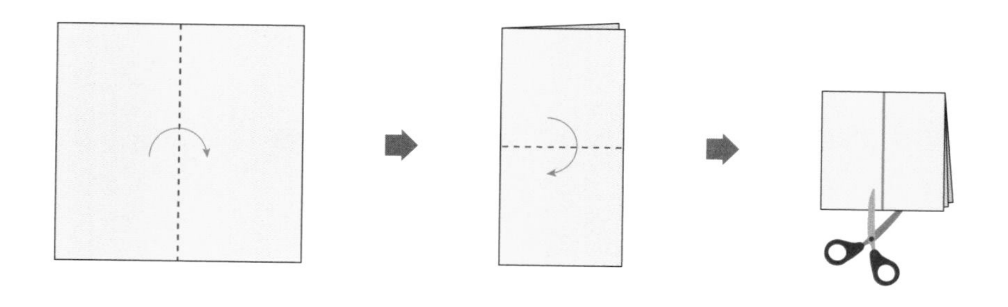

색종이 접고 잘라서 만든 도형

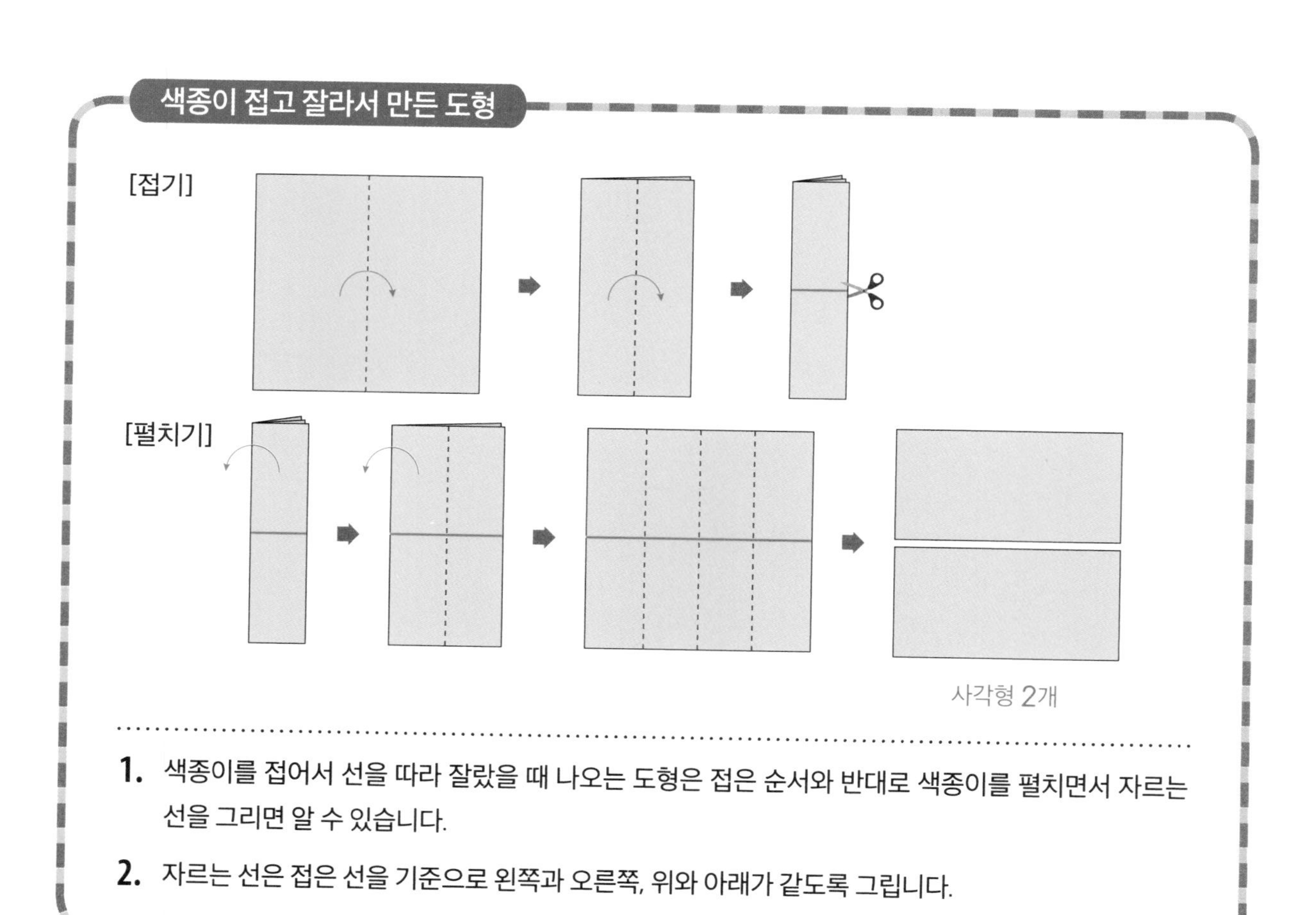

1. 색종이를 접어서 선을 따라 잘랐을 때 나오는 도형은 접은 순서와 반대로 색종이를 펼치면서 자르는 선을 그리면 알 수 있습니다.
2. 자르는 선은 접은 선을 기준으로 왼쪽과 오른쪽, 위와 아래가 같도록 그립니다.

예제 1

색종이를 두 번 접은 후 선을 따라 잘랐습니다. 색종이를 자른 선을 그려 보세요.

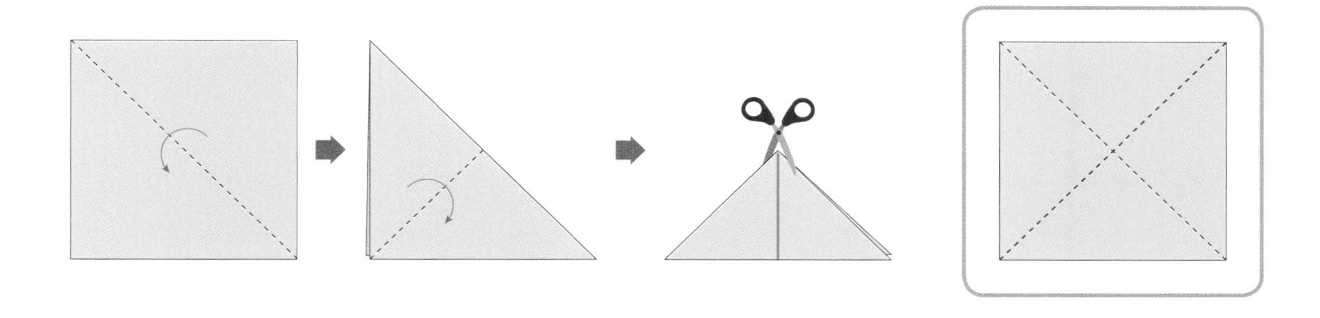

예제 2

색종이를 다음과 같이 두 번 접어서 선을 따라 잘랐을 때 나오는 도형의 종류와 개수를 쓰세요.

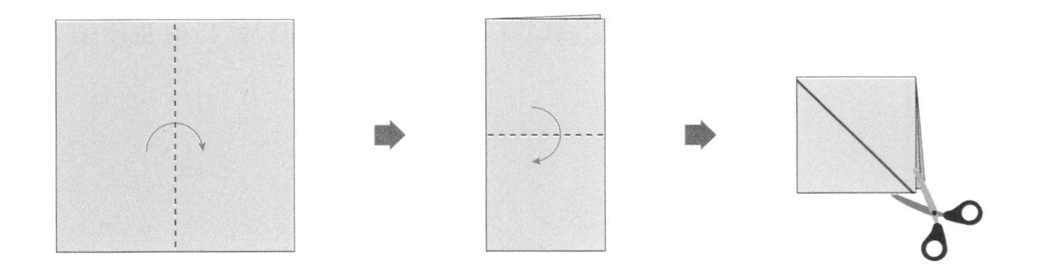

01 확인 문제

1 색종이를 한 번 접어서 나올 수 없는 모양에 ×표 하세요.

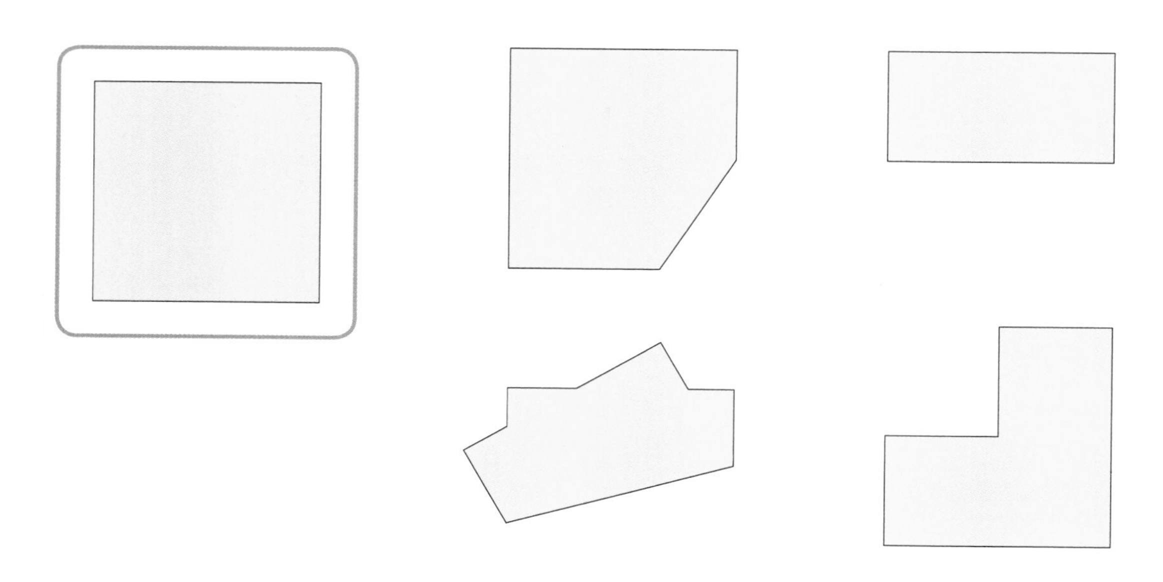

2 색종이를 반으로 접어서 선을 따라 잘랐습니다. 색종이를 펼친 모양을 그려 보세요.

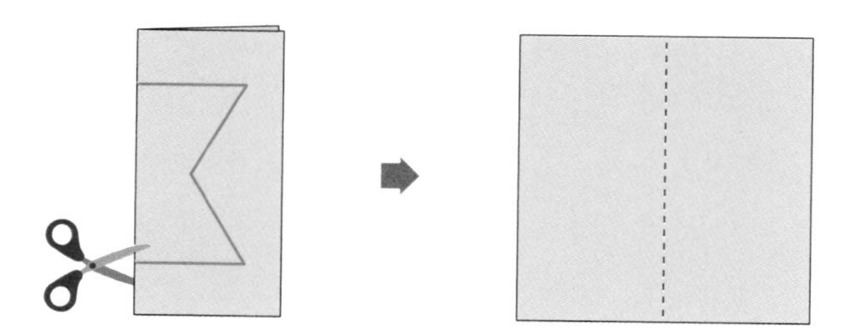

3 색종이를 반으로 접어 선을 따라 자르면 색종이는 모두 몇 조각이 됩니까?

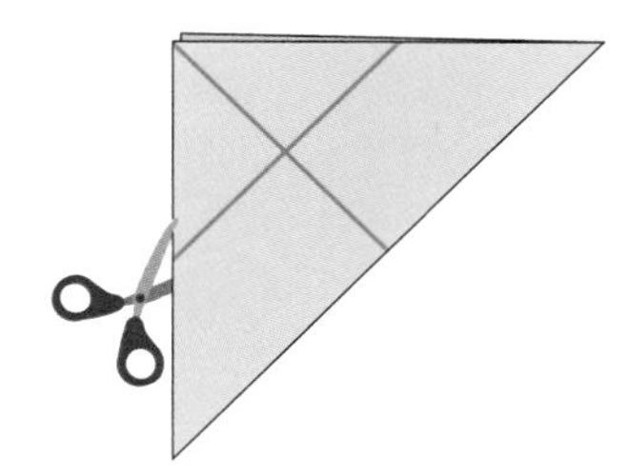

4 다음은 투명 종이를 반으로 접은 것입니다. 종이의 앞, 뒤의 겹쳐지는 자리에 똑같이 색칠되어 있다고 할 때, 종이를 펼친 모양을 그려 보세요.

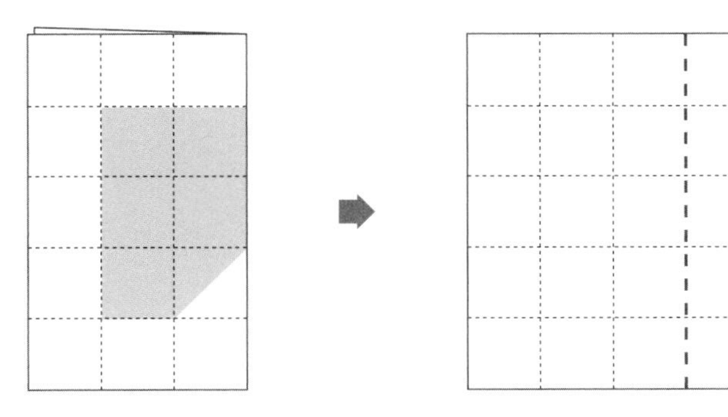

5 색종이를 다음과 같이 두 번 접은 후 색칠한 부분을 잘랐습니다. 색종이의 펼친 모양을 그려 보세요.

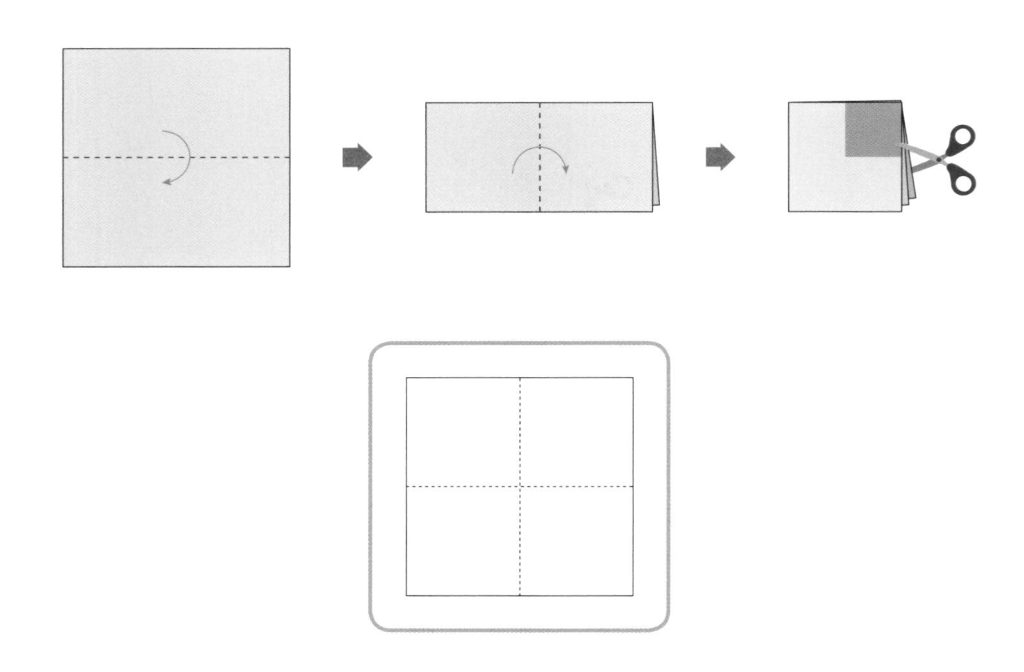

6 색종이를 다음과 같이 두 번 접은 후 구멍을 뚫었습니다. 색종이의 펼친 모양을 그려 보세요.

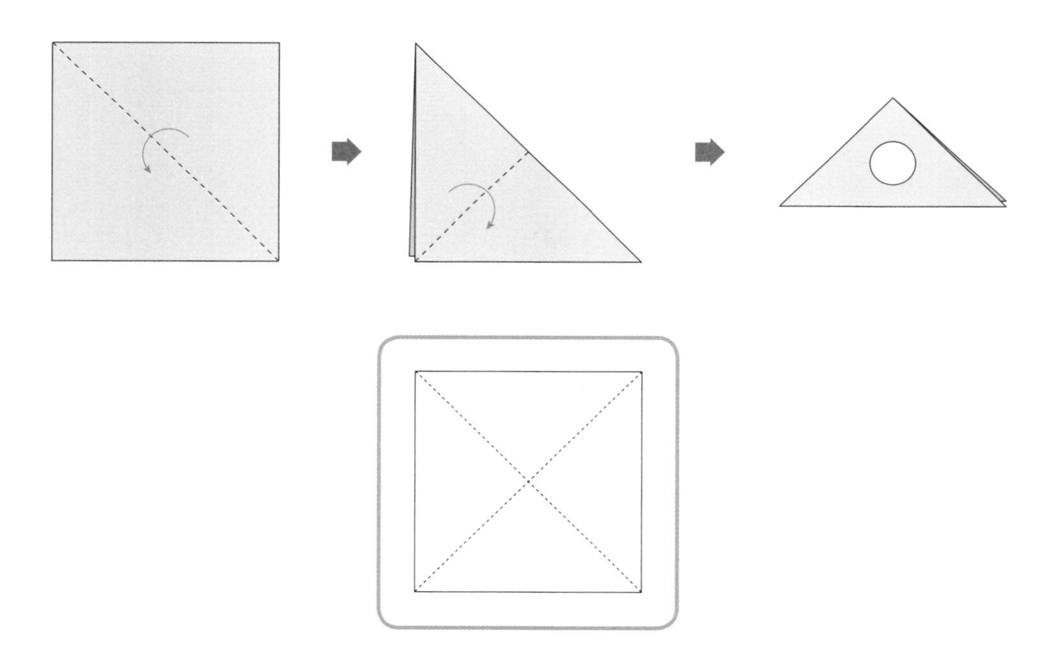

7 색종이를 다음과 같이 두 번 접은 후 선을 따라 잘랐습니다. 색종이를 펼친 모양을 잘못 짝지은 것의 기호를 쓰세요.

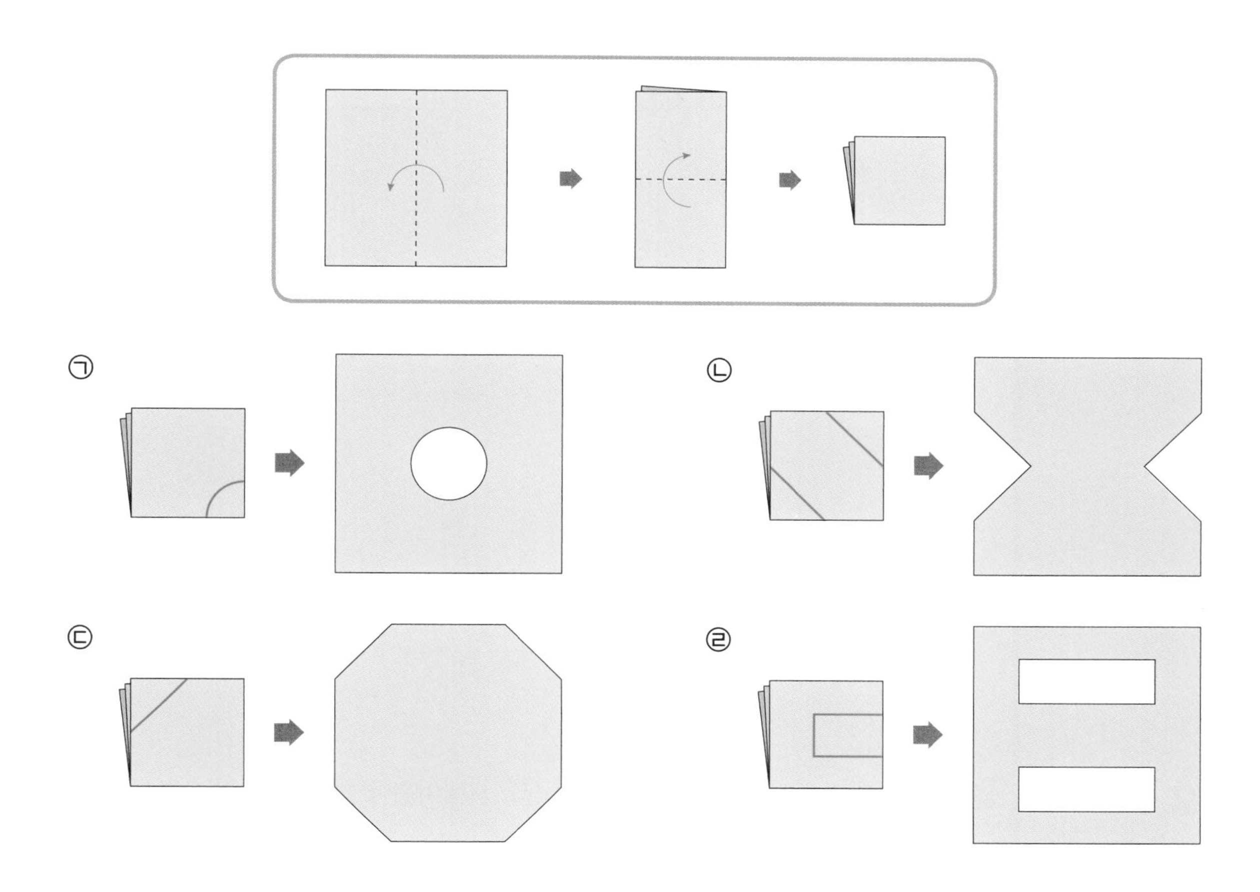

8 색종이를 다음과 같이 두 번 접어서 선을 따라 자르면 어떤 도형이 몇 개씩 나옵니까?

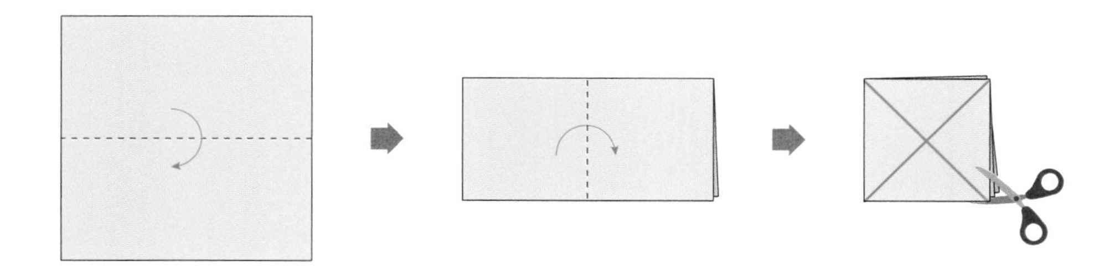

01 심화 문제

1 색종이를 다음과 같이 세 번 접었다가 펼친 후 접힌 선을 따라 색종이를 잘랐습니다. 색종이를 잘라 만든 삼각형은 모두 몇 개입니까?

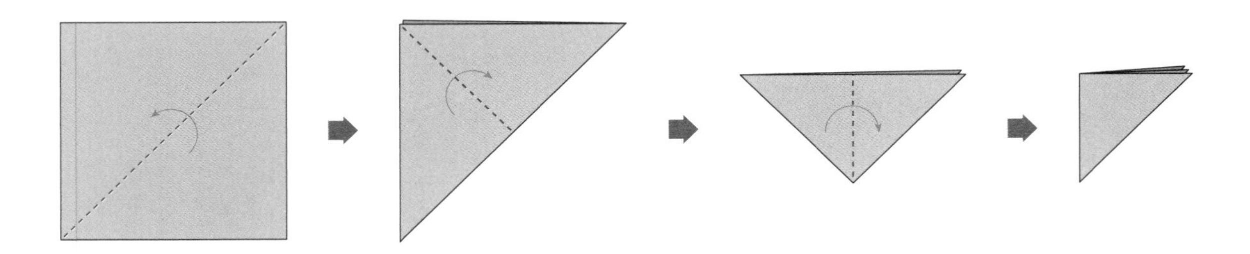

2 색종이를 다음과 같이 세 번 접은 후 구멍을 뚫었습니다. 색종이를 펼쳤을 때 뚫린 구멍은 모두 몇 개입니까?

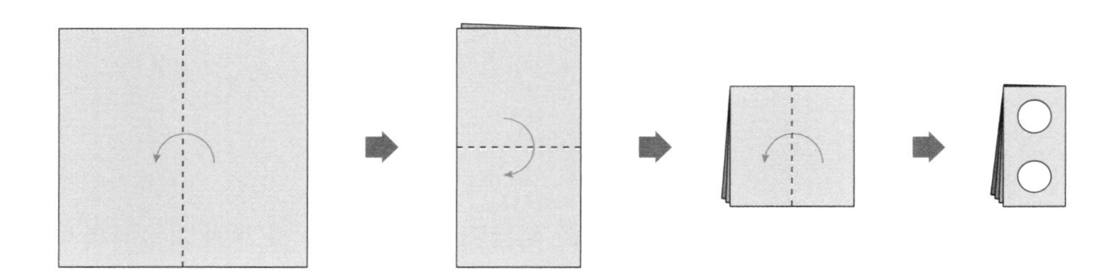

● 수가 적힌 띠 종이를 다음과 같은 순서로 접었습니다. 접은 종이의 가장 위에 있는 수를 구하세요. (단, 띠 종이의 앞과 뒤에는 같은 수가 있습니다.)

① 왼쪽을 고정시키고 오른쪽을 위로 하여 반으로 접습니다.
② 오른쪽을 고정시키고 왼쪽을 위로 하여 반으로 접습니다.

1	2	3	4

● 삼각형 모양 종이를 다음과 같이 세 번 접은 후 펼쳤습니다. 종이를 펼쳤을 때 접힌 선을 그려 보세요.

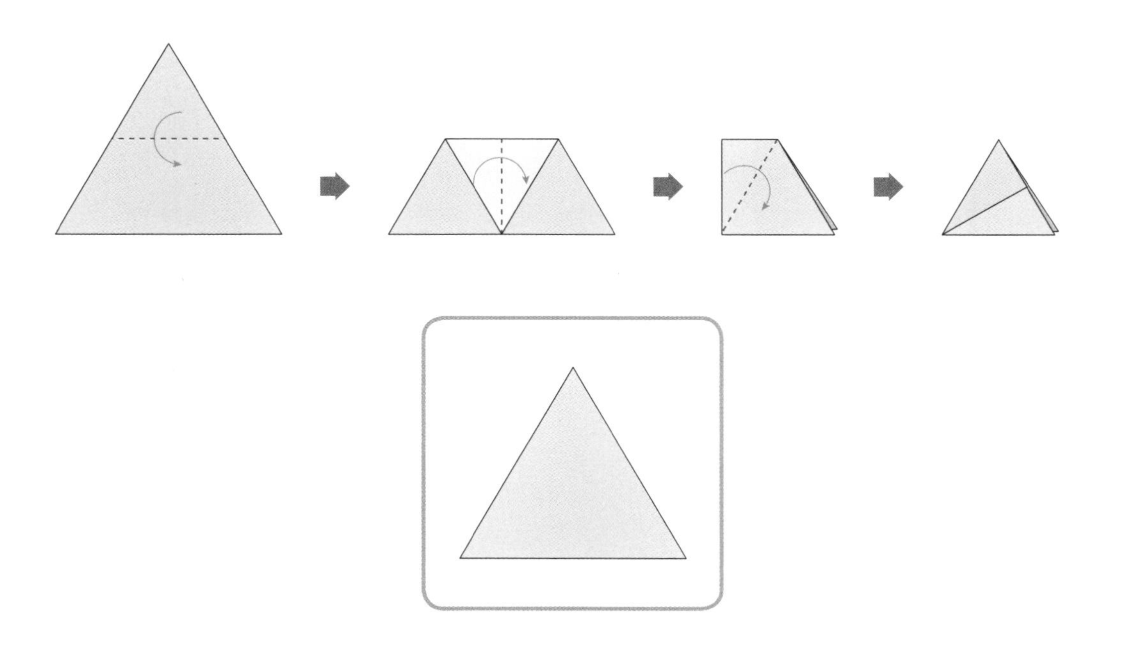

02

도형의 연결

도형의 연결

Math storyteller

 : 예원아, 우리 연필을 떼지 않고 한 번에 다음 모양을 그려보자.

 : 한 번에 그리기? 어렵지 않아. 연필을 왔다 갔다 하면 되잖아.

 : 선을 한 번만 지나야 하는거야. 왔던 길을 다시 가면 안 되는 거지.

 : 어려울까?

● 보기 와 같이 종이에서 연필을 떼지 않고 모든 선을 한 번만 지나도록 그릴 수 있는 모양에 모두 ○표 하세요.

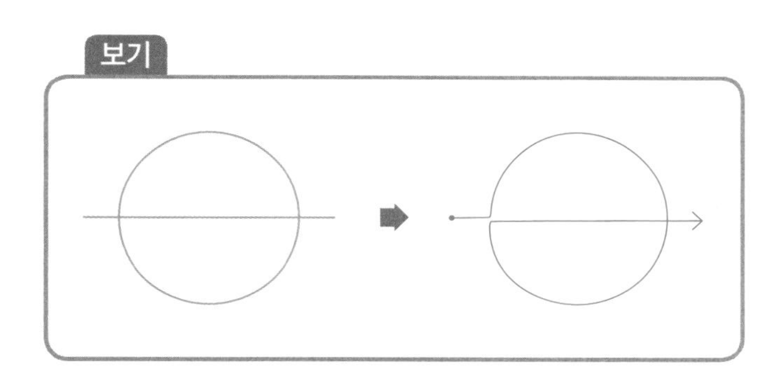

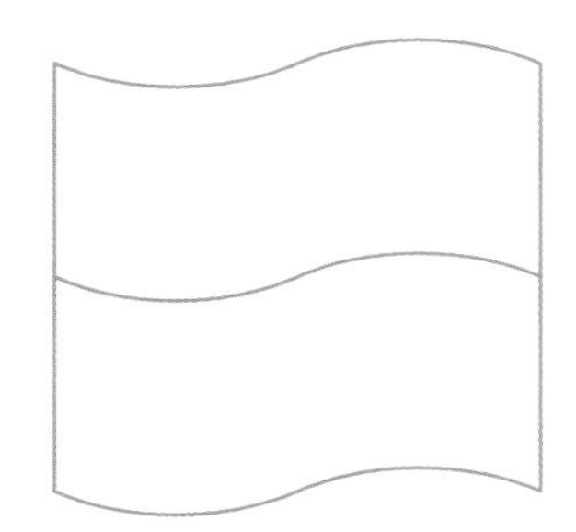

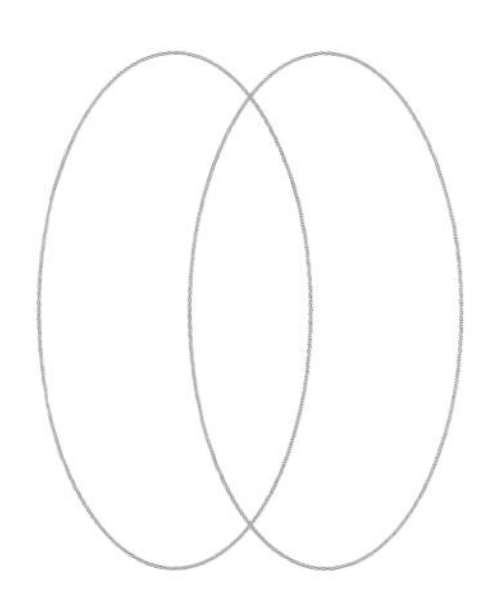

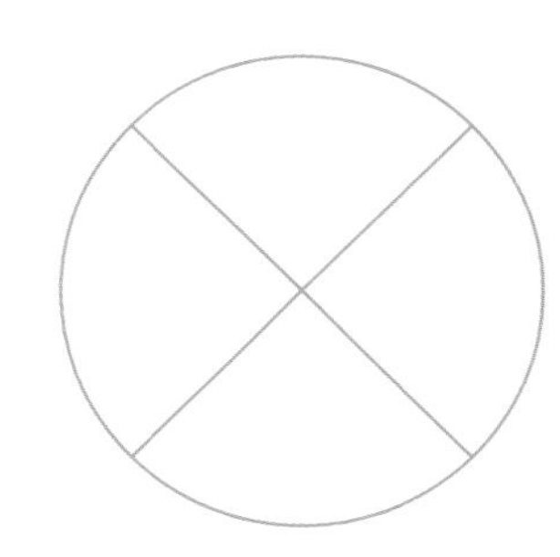

그리기를 시작하는 위치에 따라 한 번에 그릴 수도 있고 아닐 수도 있어. 여러 번 시도해 봐.

02 대표 문제 1

주어진 모양과 연결 상태가 같은 자음 또는 모음을 찾아 표의 빈칸에 쓰세요.

ㄱ, ㄷ, ㄹ, ㅁ, ㅋ, ㅏ, ㅗ, ㅜ, ㅡ

연결 상태가 같은 도형

양끝을 잡아 당기면 선 하나가 되는 모양	시작과 끝이 연결된 모양
, ,	, ,
선 중간에 선이 연결된 모양	**시작과 끝이 연결된 모양에 선 2개가 연결된 모양**
, ,	,

1. 도형을 잘라내거나 이어 붙이지 않고, 늘이거나 줄이거나 구부려서 같은 도형을 만들 수 있는 것을 연결 상태가 같은 도형이라고 합니다.

2. 시작과 끝이 연결된 도형은 삼각형, 사각형, 원과 같은 도형입니다.

예제 1

다음은 막대를 나사로 연결한 것입니다. 연결된 부분을 떼어내지 않고 움직여서 같은 모양을 만들 수 없는 모양에 ×표 하세요.

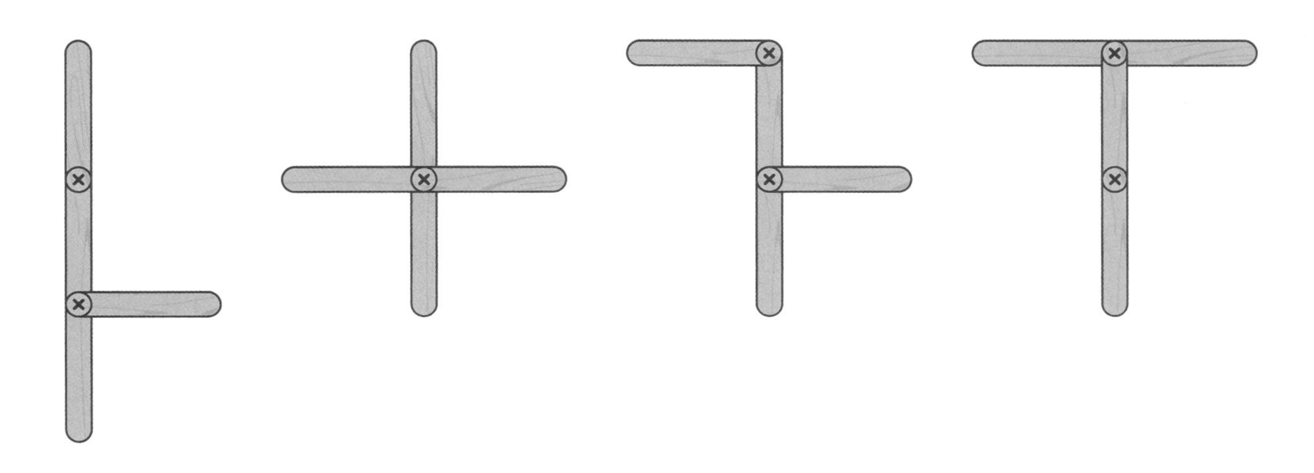

예제 2

알파벳 카드와 그림 카드입니다. 연결 상태가 같은 카드끼리 선으로 이으세요.

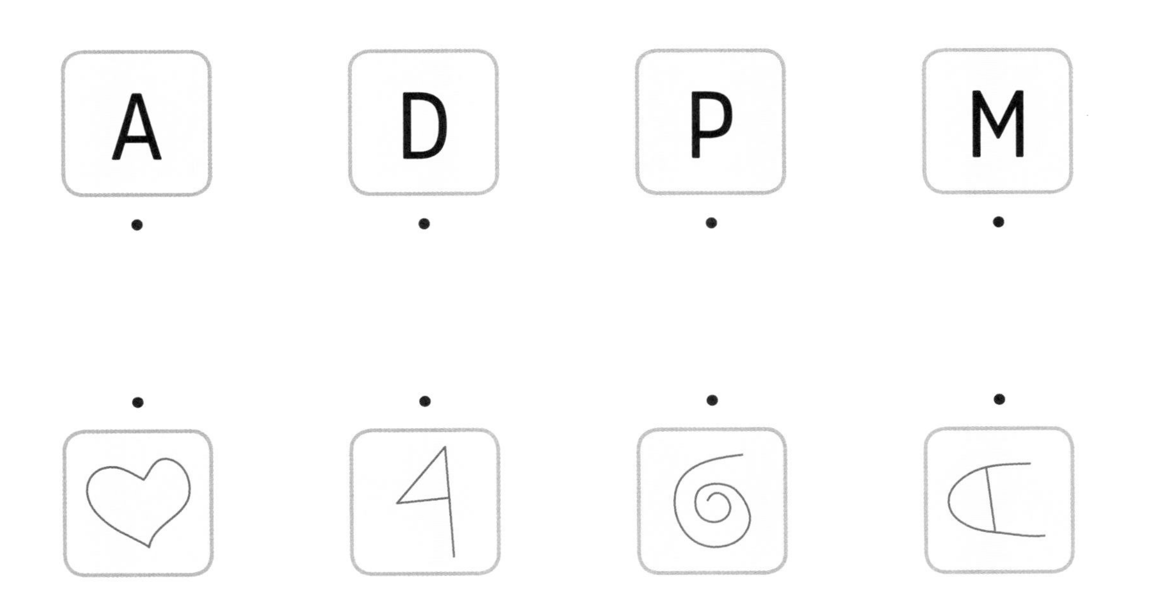

대표 문제 2

각 도형의 홀수점, 짝수점의 개수를 쓰고, 한붓그리기가 가능한 도형에 ○표, 가능하지 않은 도형에 ×표 하세요.

모양				
홀수점의 개수	0			
짝수점의 개수	5			
한붓그리기	○			

한붓그리기

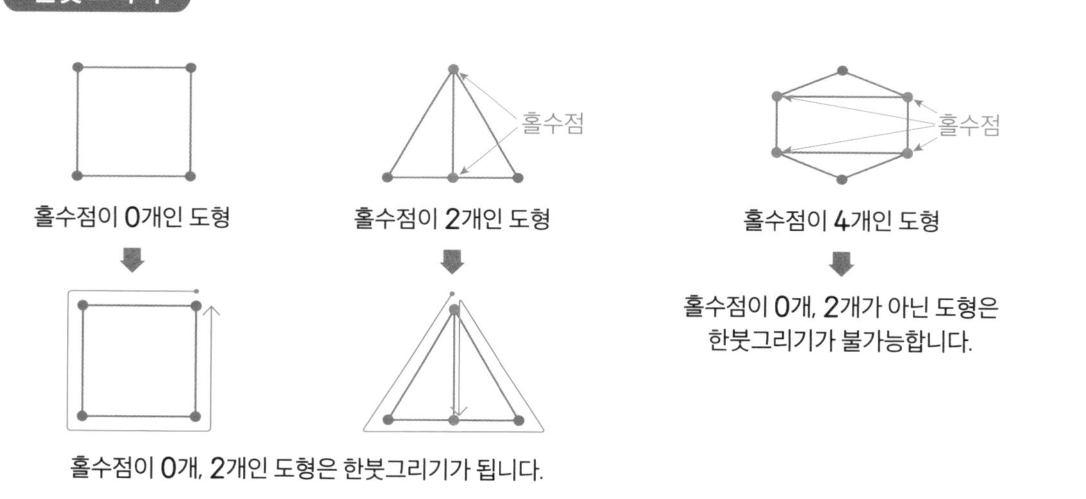

1. 종이에서 연필을 떼지 않고 모든 선을 한 번만 지나도록 도형을 그리는 것을 한붓그리기라고 합니다.
2. 홀수점이 0개 또는 2개인 도형은 한붓그리기가 가능합니다.
   (홀수점은 한 점에 연결된 선의 수가 홀수 개, 짝수점은 한 점에 연결된 선의 수가 짝수 개입니다.)
3. 홀수점이 0개이면 도형을 그리기 시작한 점과 끝나는 점이 같습니다.
4. 홀수점이 2개이면 하나의 홀수점에서 도형을 그리기 시작하여 다른 홀수점에서 그리기가 끝납니다.

예제 1

점 ●에서 출발하여 한붓그리기를 하려고 합니다. 끝나는 점에 ○표 하세요.

(1)

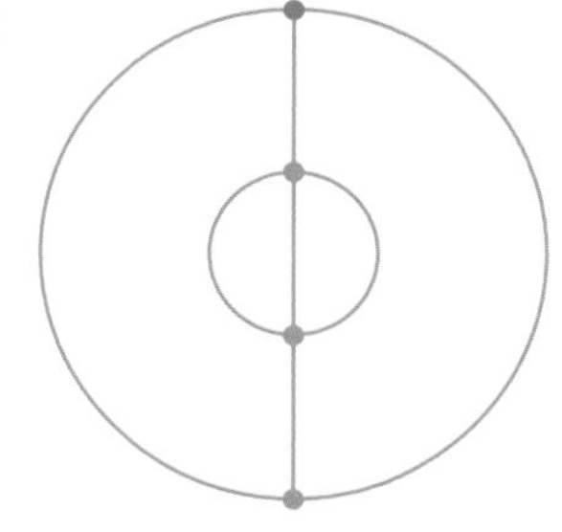

(2)

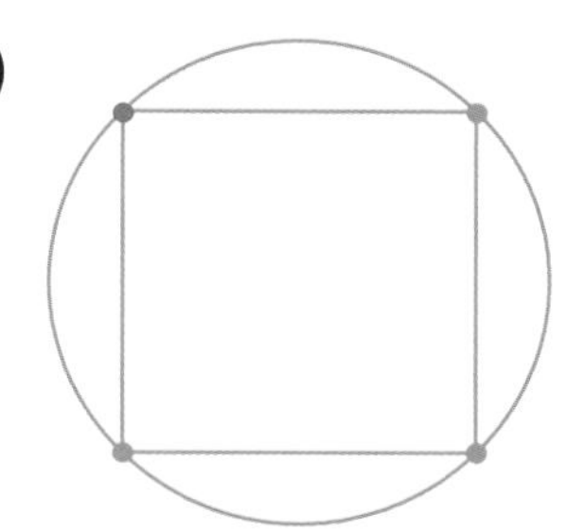

예제 2

다음 중 한붓그리기가 가능하지 않은 모양의 기호를 쓰세요.

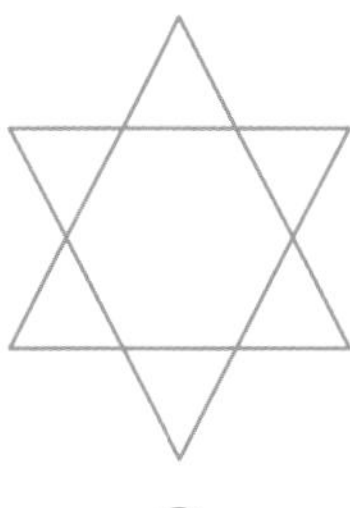

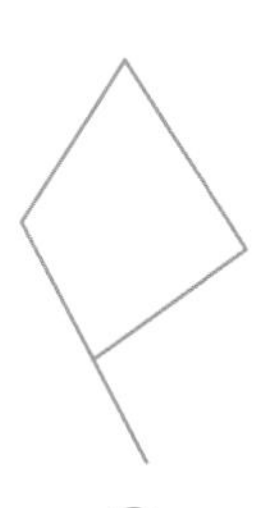

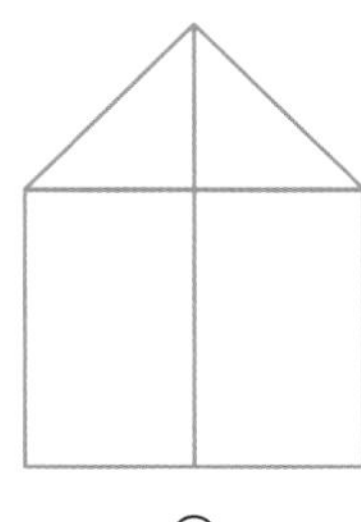

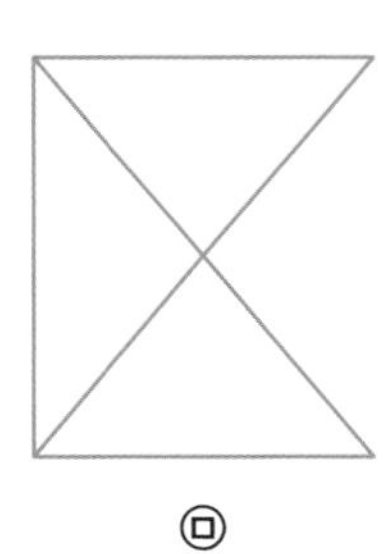

㉠ ㉡ ㉢ ㉣ ㉤

02 확인 문제

1 고무줄로 왼쪽 모양을 만들었습니다. 왼쪽 모양의 고무줄을 자르지 않고 구부리거나 펴서 만들 수 있는 모양에 ◯표 하세요.

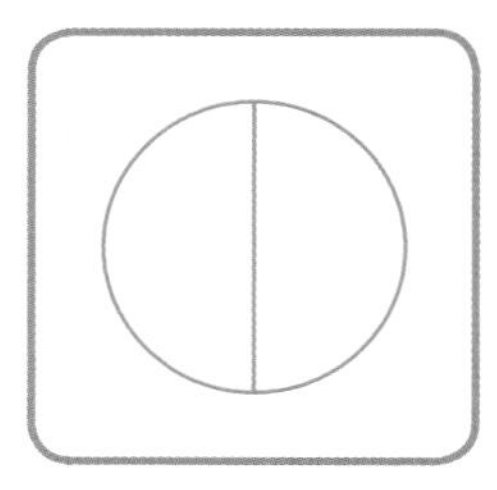  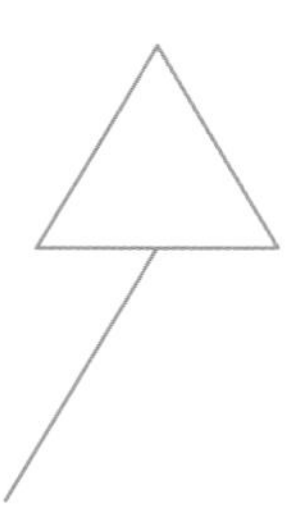 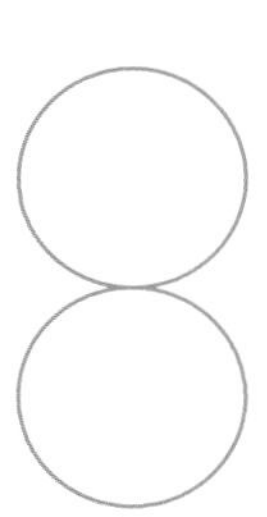 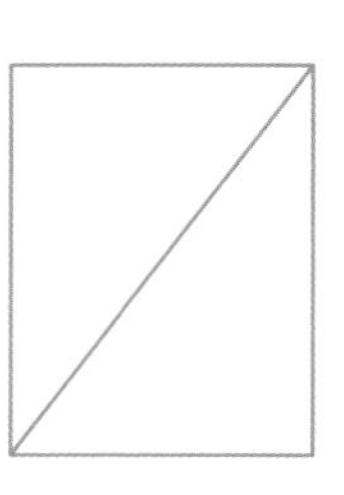

2 한붓그리기가 가능한 도형을 모두 고르세요.

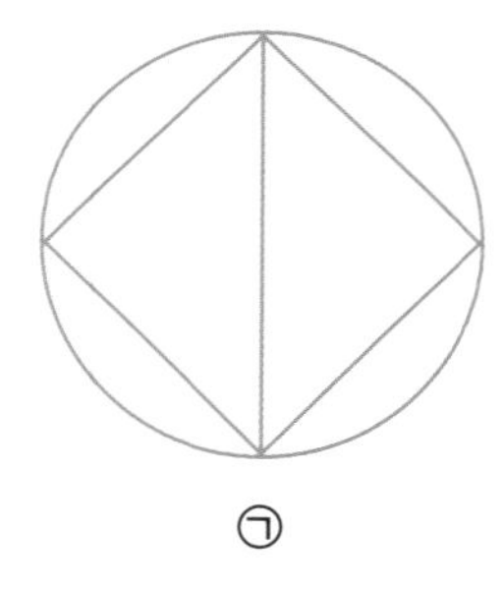
㉠

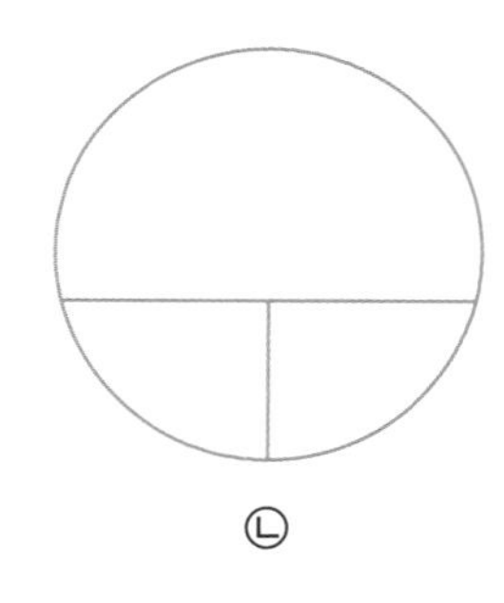
㉡

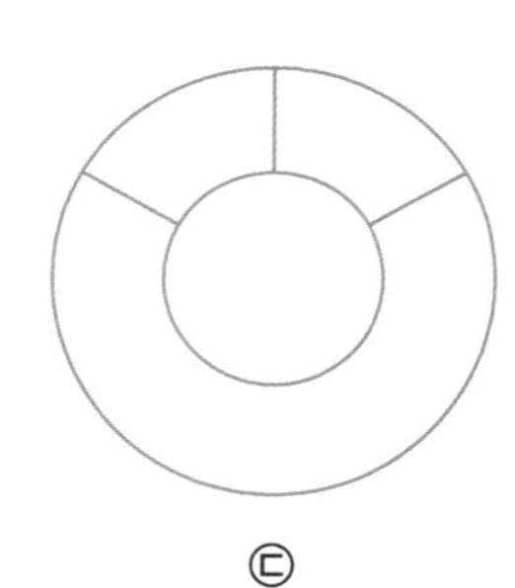
㉢

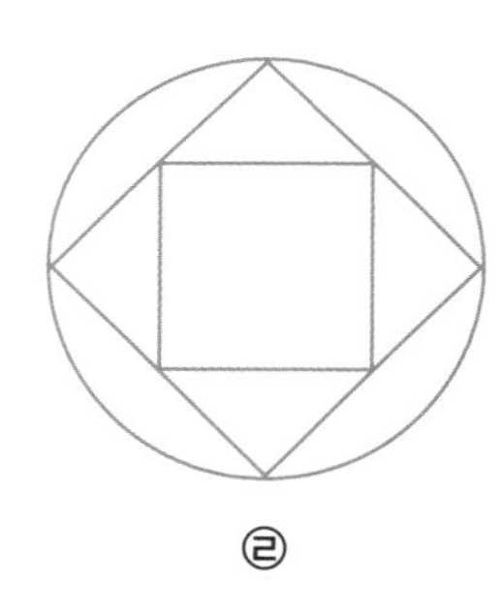
㉣

3 다음 모양은 모두 한붓그리기가 가능합니다. 시작점과 끝점이 같은 모양에 ○표 하세요.

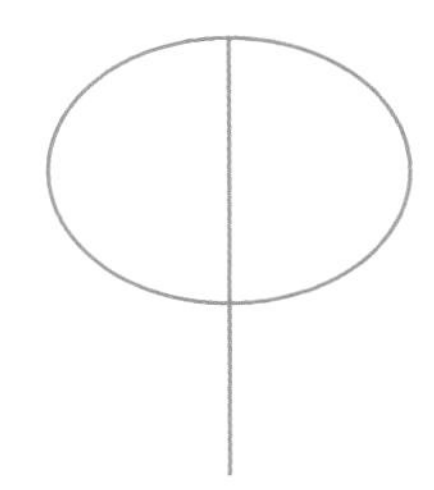
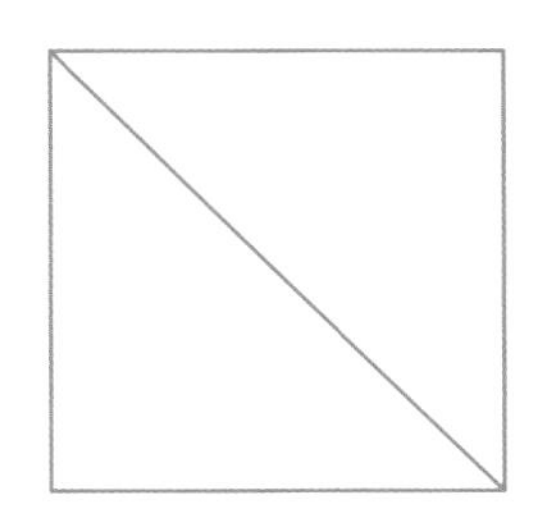
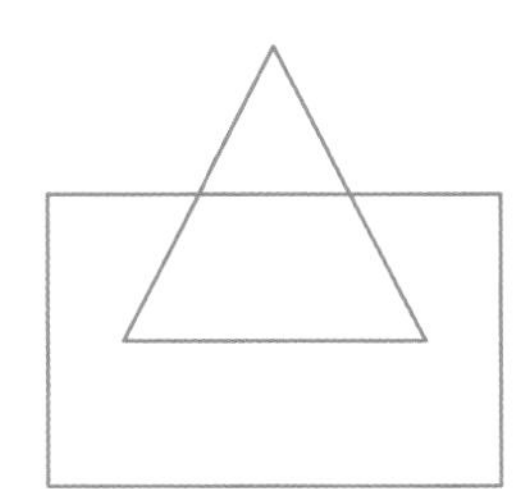
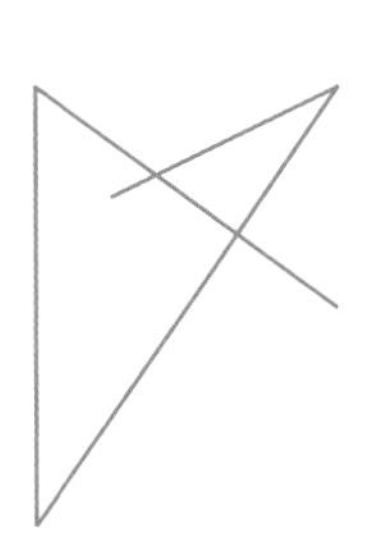

4 다음 모양은 모두 한붓그리기가 가능합니다. 시작점이 될 수 있는 점에 모두 ○표 하세요.

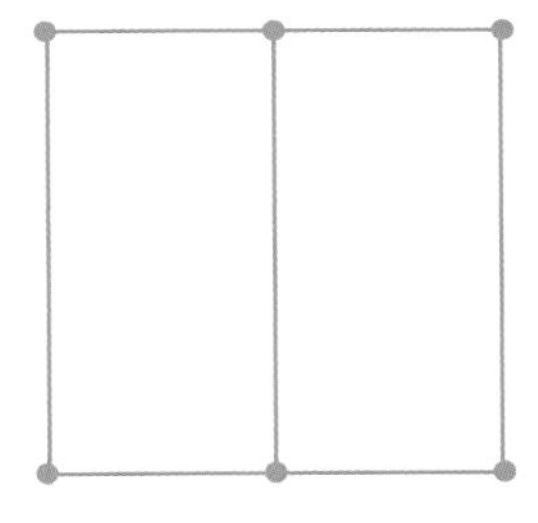
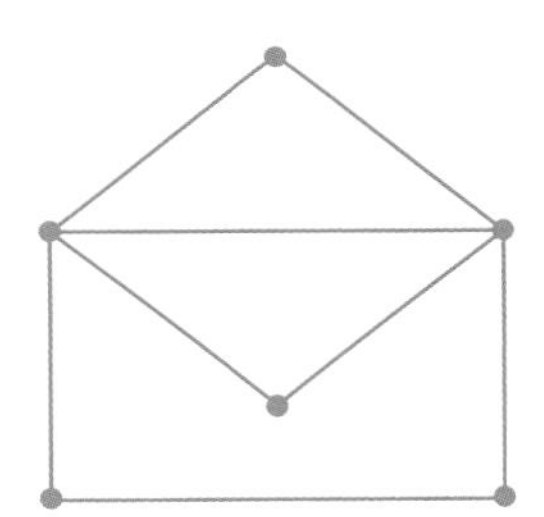

5 다음 중 연결 상태가 다른 알파벳에 ×표 하세요.

6 다음 모양은 한붓그리기가 가능합니다. 보기 와 같이 선 하나를 그어 시작점과 끝점을 다르게 만드세요.

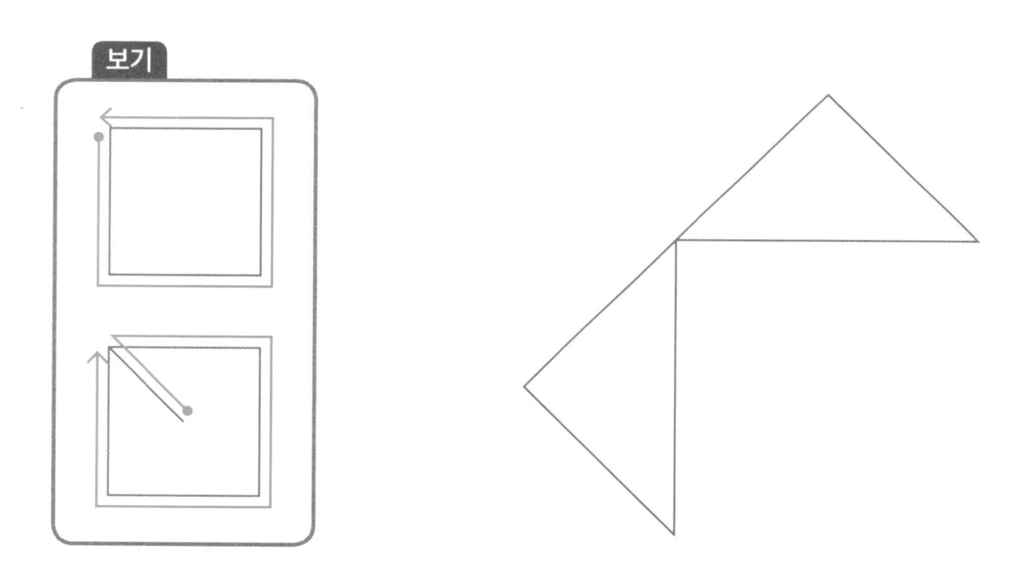

7 다음 모양이 한붓그리기가 되도록 선 하나를 그으세요.

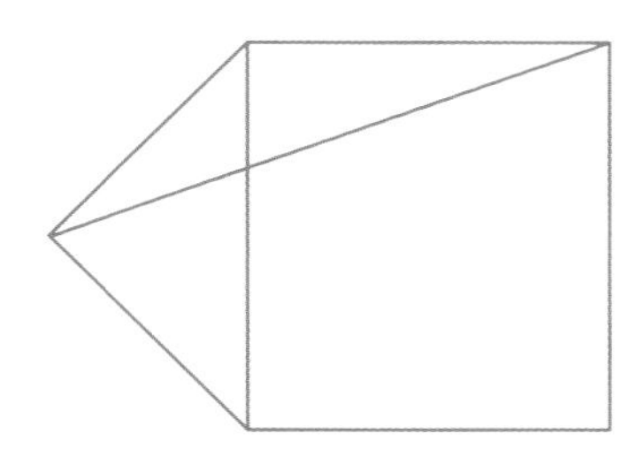

8 다음은 어느 놀이 동산의 지도입니다. 지한이는 입구 1번부터 5번까지 중 하나로 들어가 모든 길을 한 번씩 지나 놀이기구를 타려고 합니다. 지한이가 입장하기에 알맞은 입구의 번호를 모두 쓰세요.

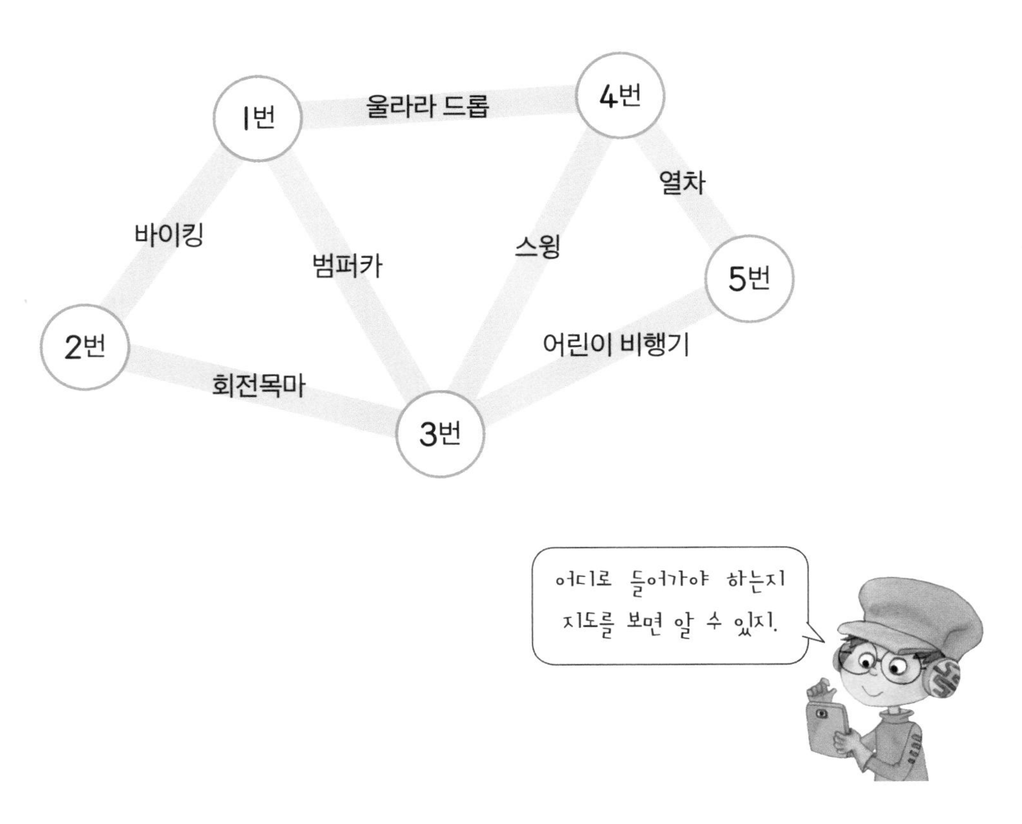

1 다음 그림은 민서네 집 구조를 나타낸 것입니다. 민서가 모든 문을 한 번씩만 통과하여 자신의 방에 도착하려면 어느 곳에서 출발해야 할까요?

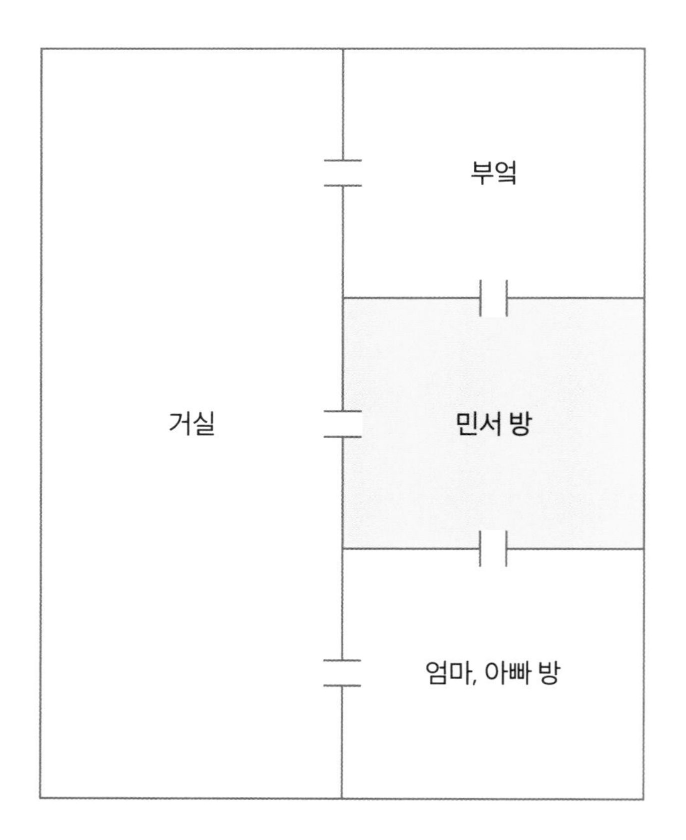

방과 방을 연결하여
도형처럼 그려보면 어떨까?

● 보기 와 같이 점 4개와 곧은 선 3개를 이용하여 한붓그리기가 가능한 모양을 그리려고 합니다. 보기 의 방법 외의 방법으로 한붓그리기가 가능한 모양을 그리세요.

보기

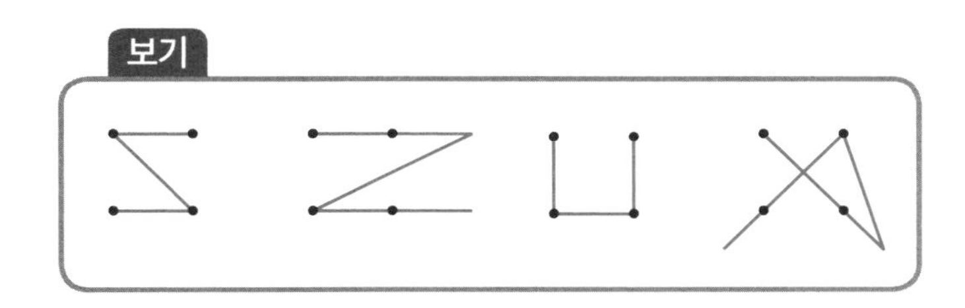

● 다음 점 9개와 곧은 선 4개를 이용하여 한붓그리기가 가능한 모양을 그리세요.

길이 비교

개념 03 길이 비교

지호
예원

Math storyteller
: 예원아, 너구리, 곰, 원숭이, 생쥐 중에서 누구 키가 가장 클까?
: 이상하네. 키가 다 똑같아 보이는데...
: 똑같지 않아. 서있는 계단의 높이가 다르잖아.

● 키가 가장 큰 동물에 ◯표, 가장 작은 동물에 △표 하세요.

03 대표 문제 1

지호네 집에서 사탕 가게까지 가는 길 ㉠, ㉡, ㉢이 있습니다. 세 가지 길 중 어느 길이 가장 가까운 길입니까?

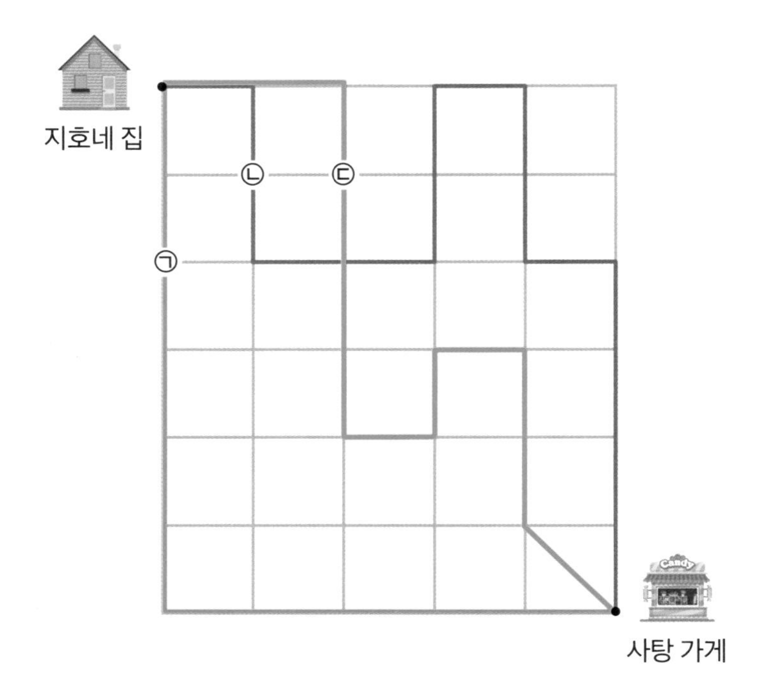

칸의 개수로 길이 비교하기

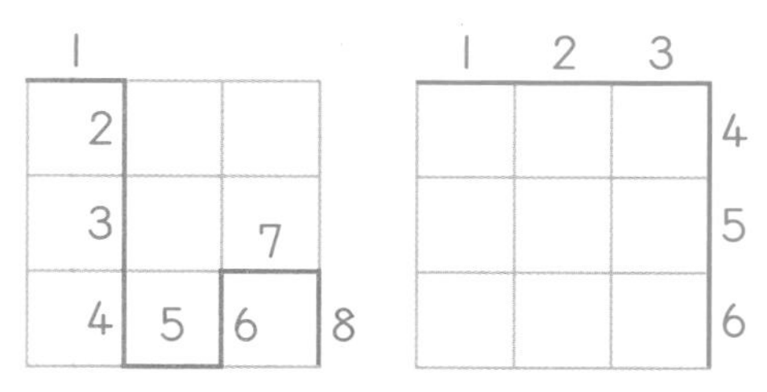

파란색 선이 빨간색 선보다 더 깁니다.

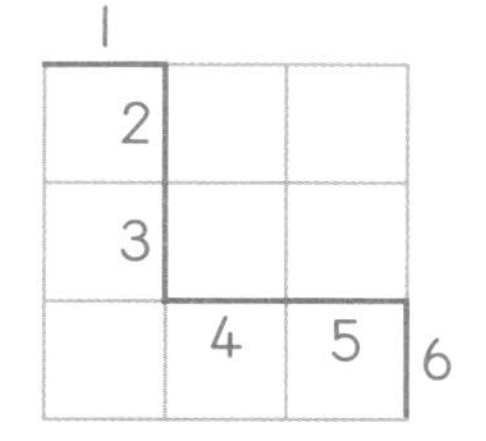

1 2 3
4
6 5

빨간색 선이 파란색 선보다 더 깁니다.

1. □의 길이는 □와 길이가 같고, ⧅의 길이보다 짧습니다.

2. 길이를 직접 비교할 수 없는 경우 칸의 개수를 세어 비교합니다.

예제 1

길이가 긴 것부터 차례로 1, 2, 3을 쓰세요.

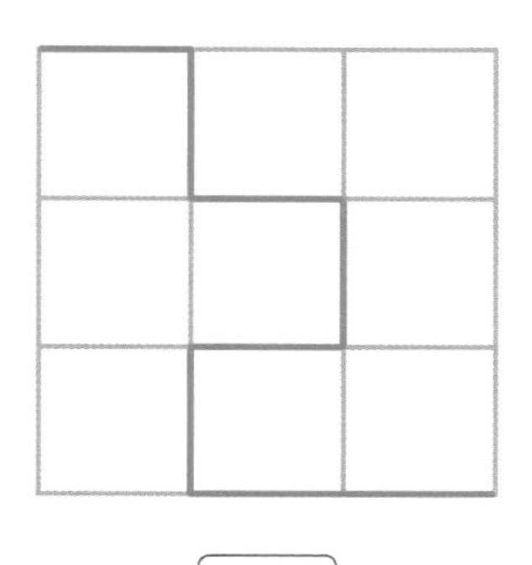

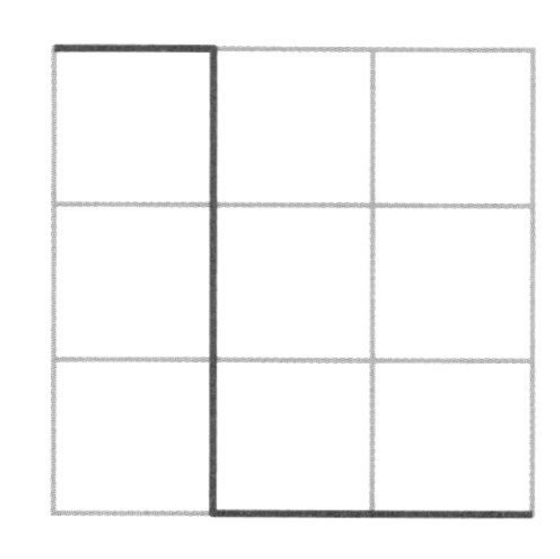

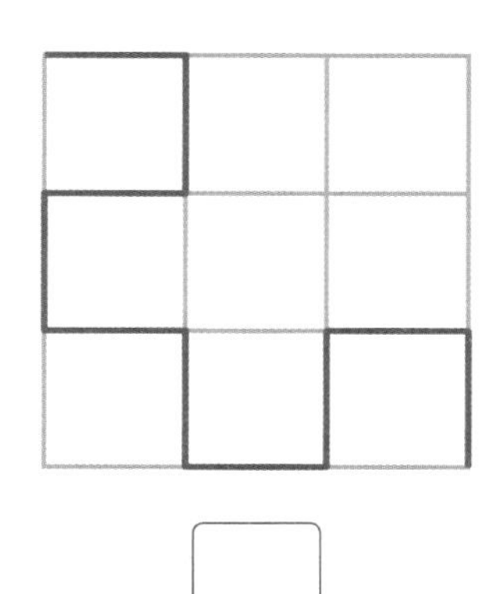

예제 2

두 번째로 긴 선의 기호를 쓰세요.

㉠ 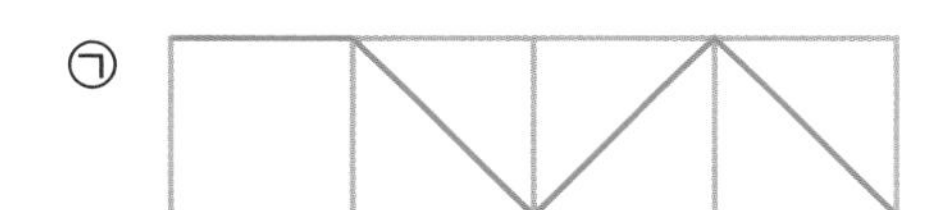

㉡ 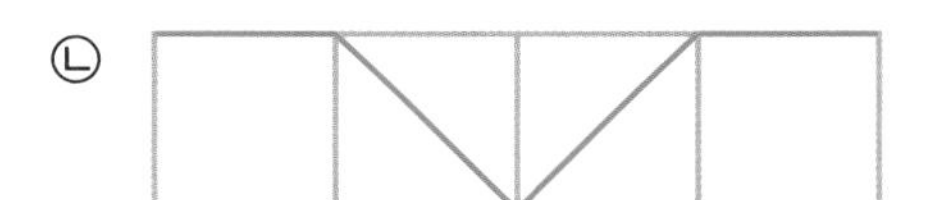

㉢ 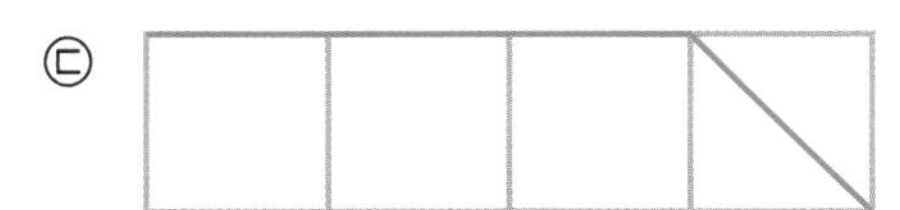

㉣ 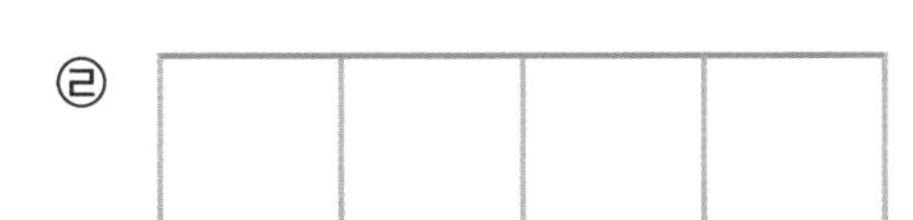

03 대표 문제 2

가위의 길이는 클립 몇 개의 길이와 같습니까?

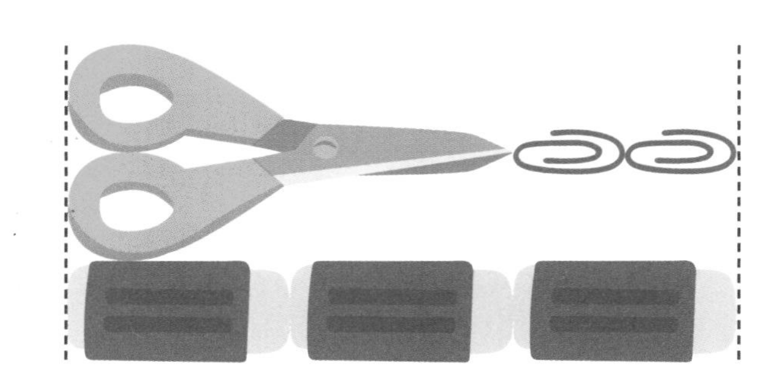

단위길이로 비교하기

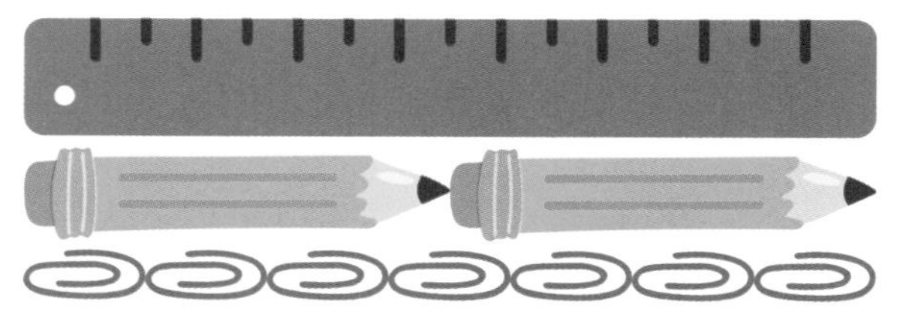

(자의 길이) = (연필 [ ] 자루의 길이) = (클립 [ ] 개의 길이)

1. 길이를 재는 데 기준이 되는 길이를 단위길이라고 합니다.

2. 단위길이가 짧을수록 재는 횟수가 많아지고, 단위길이가 길수록 재는 횟수가 적어집니다.

예제 1

우산의 길이를 단위길이 가, 나, 다로 재려고 합니다. 각각 몇 번씩 재야 하는지 □ 안에 알맞은 수를 쓰세요.

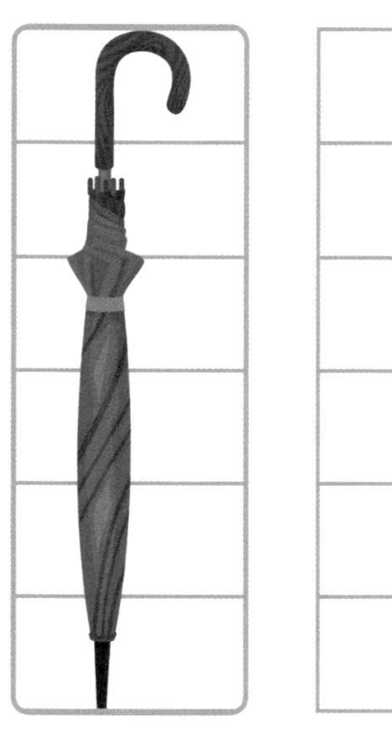

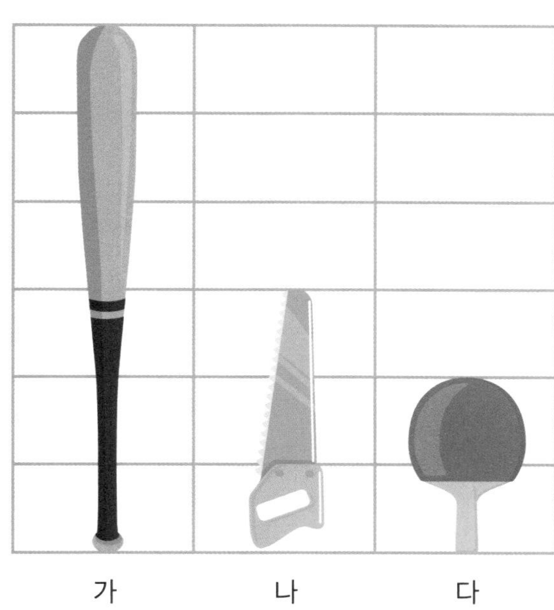

가: □ 번

나: □ 번

다: □ 번

예제 2

다음은 동전과 말굽자석을 이용하여 휴대전화의 길이를 잰 것입니다. 휴대전화는 동전 몇 개의 길이와 같습니까?

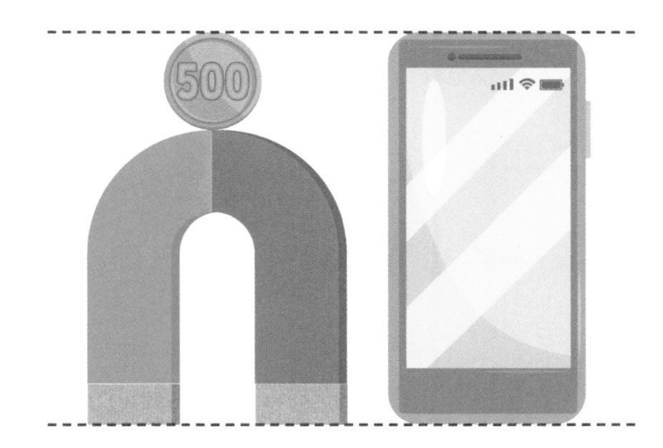

03 확인 문제

1 동물들이 철봉 놀이를 하고 있습니다. 두 번째로 키가 큰 동물은 무엇입니까?

2 주어진 길이를 1이라고 할 때, 다음 중 길이가 6인 선을 찾아 모두 ○표 하세요.

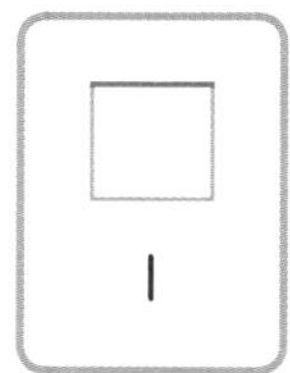

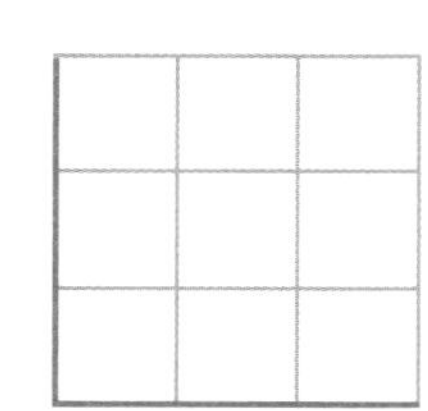

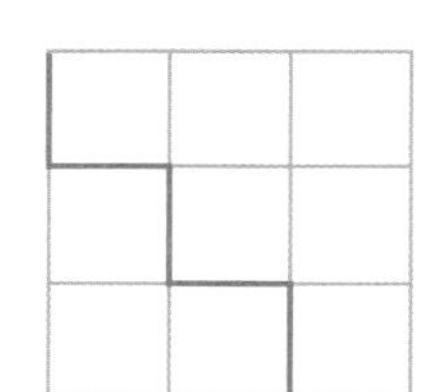

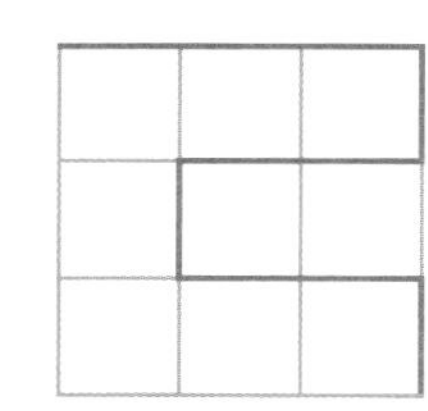

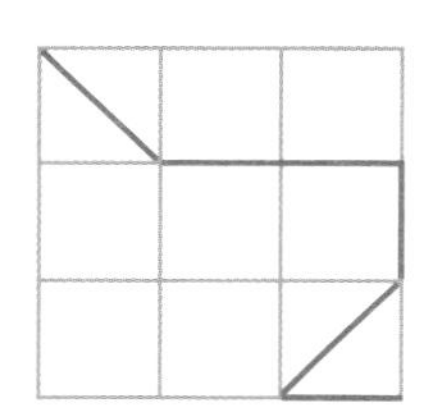

3 도넛, 아이스크림, 솜사탕을 다음과 같이 놓았습니다. 솜사탕은 도넛 몇 개의 길이와 같습니까?

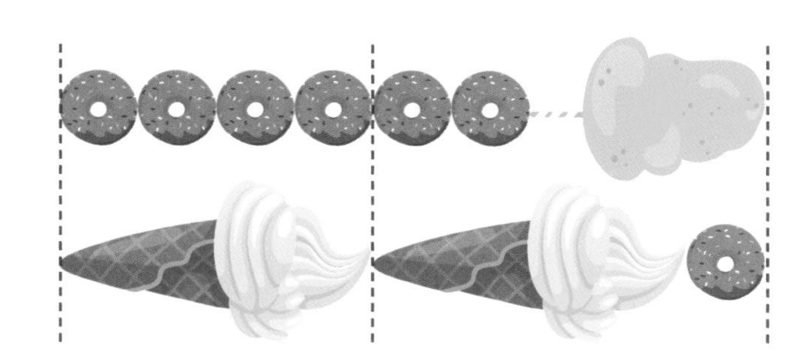

4 민서가 책상의 가로 길이를 지우개, 숟가락, 운동화, 책으로 재려고 합니다. 가장 여러 번 재야 하는 것은 무엇입니까?

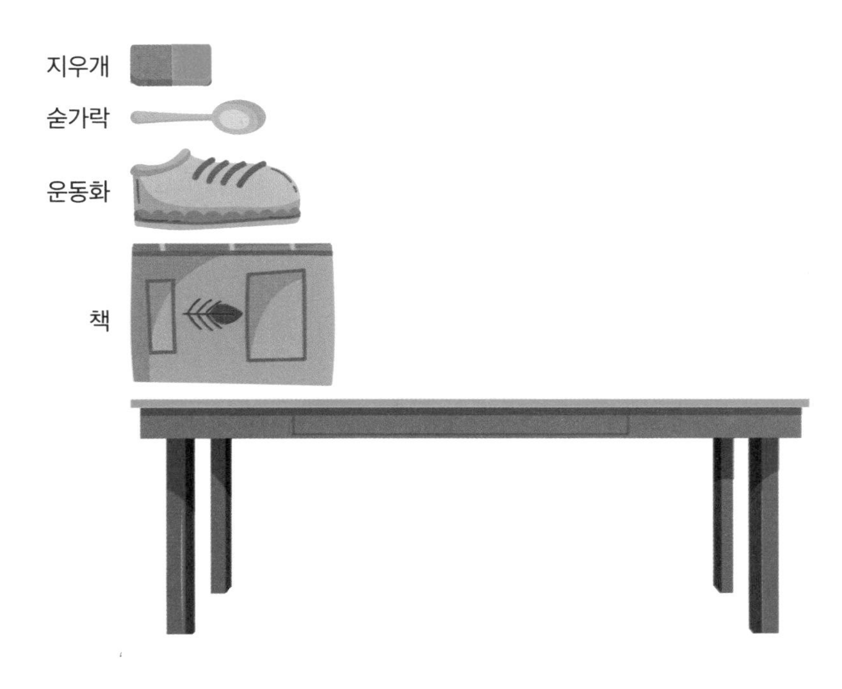

5 길이가 같은 초 4개를 케이크에 꽂았습니다. 보이지 않는 부분의 길이가 가장 긴 초의 기호를 쓰세요.

6 예원, 민서, 지호가 각각 선을 이용하여 다음과 같은 모양을 만들었습니다. 가장 긴 선을 이용한 친구는 누구입니까?

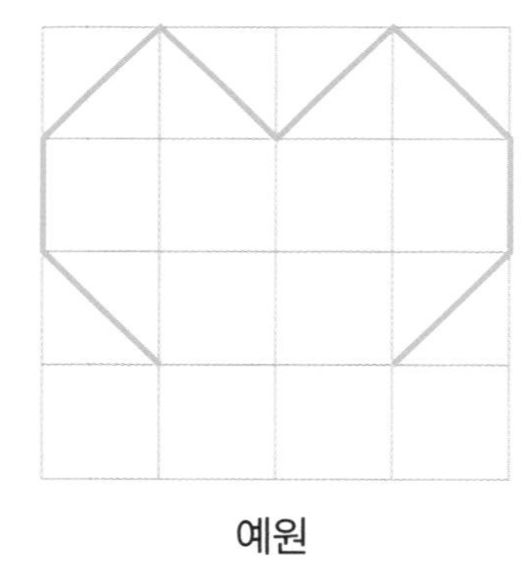
예원

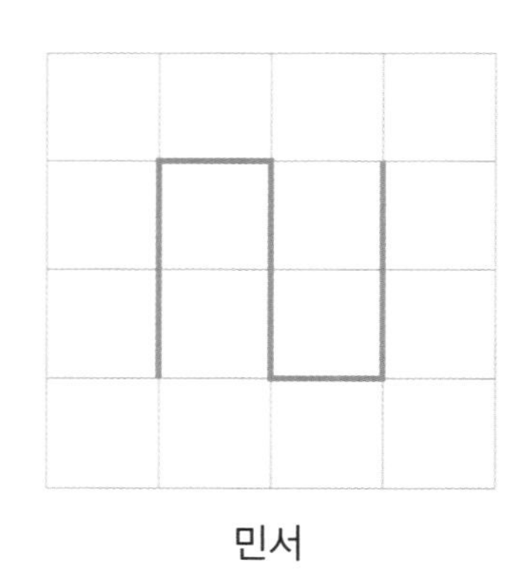
민서

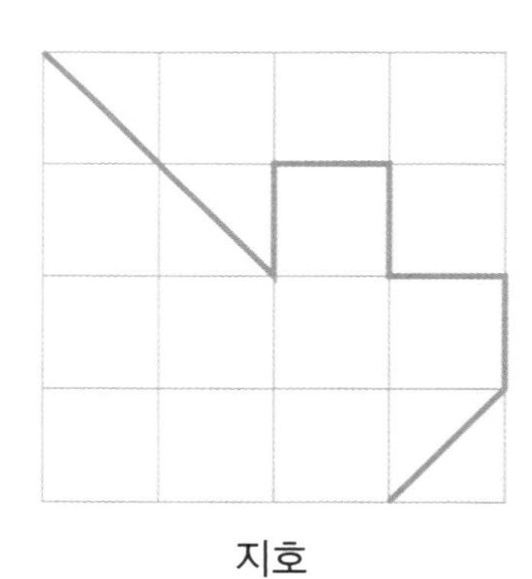
지호

7 지호의 5걸음과 한결이의 4걸음이 같습니다. 보폭이 더 긴 사람은 누구입니까?

지호

8 수아, 지한, 예원이가 칠판의 가로의 길이를 뼘으로 재어 보고 있습니다. 한 뼘의 길이가 가장 긴 사람은 누구입니까?

수아 지한 예원

1 개미가 가장 짧은 길을 따라 쿠키, 케이크, 사탕, 초콜릿, 카라멜까지 가려고 합니다. 두 번째로 가까운 곳에 있는 간식은 무엇입니까?

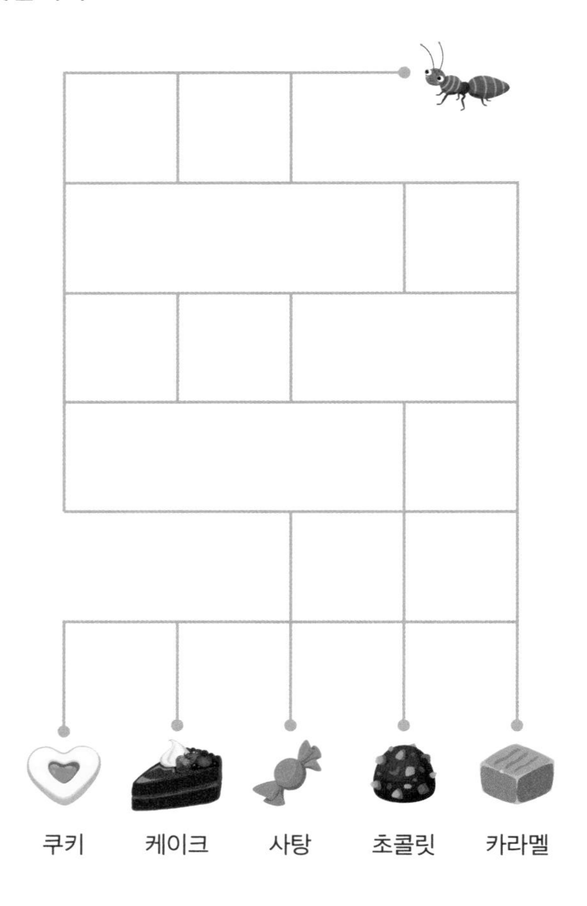

2 점 종이에 그려진 선 중 길이가 같은 선 2개의 기호를 쓰세요.

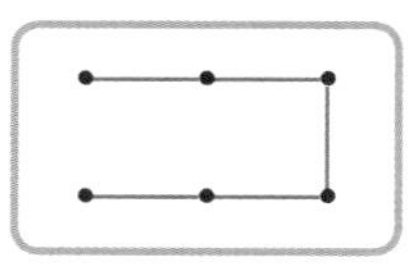

㉡ 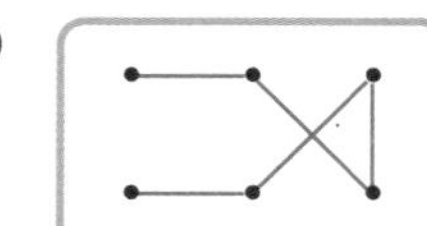

㉢ 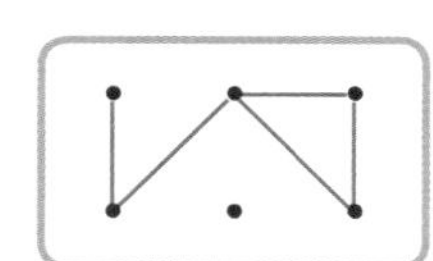

㉣ 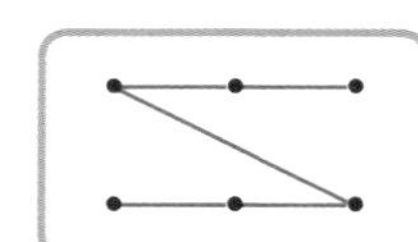

03 경시 기출 유형

● 보기 는 한 칸의 길이가 1 cm인 모눈 위에 길이가 3 cm인 색 테이프를 접어서 놓은 것입니다. 한 번 접은 모양과 세 번 접은 모양을 보고 각 색 테이프의 길이를 구하세요.

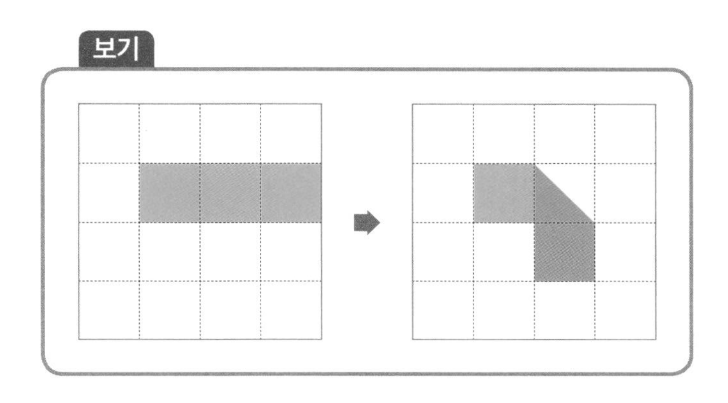

(1)

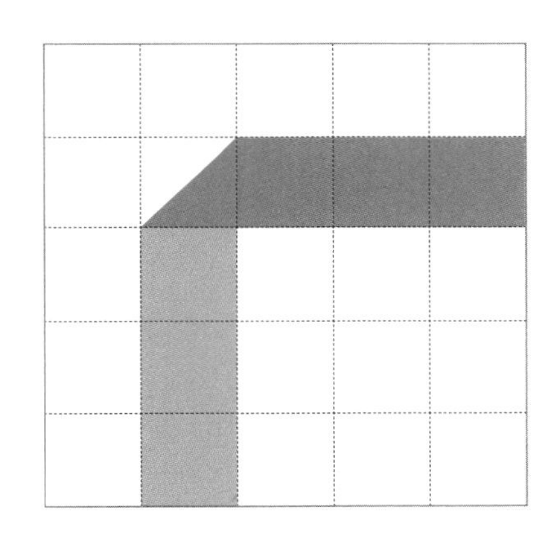

☐ cm

(2)

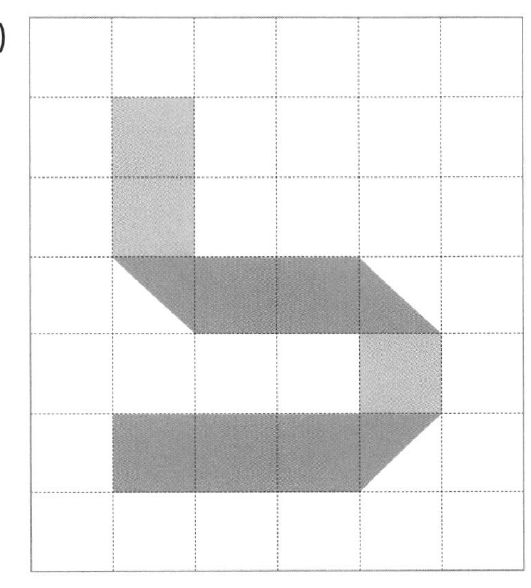

☐ cm

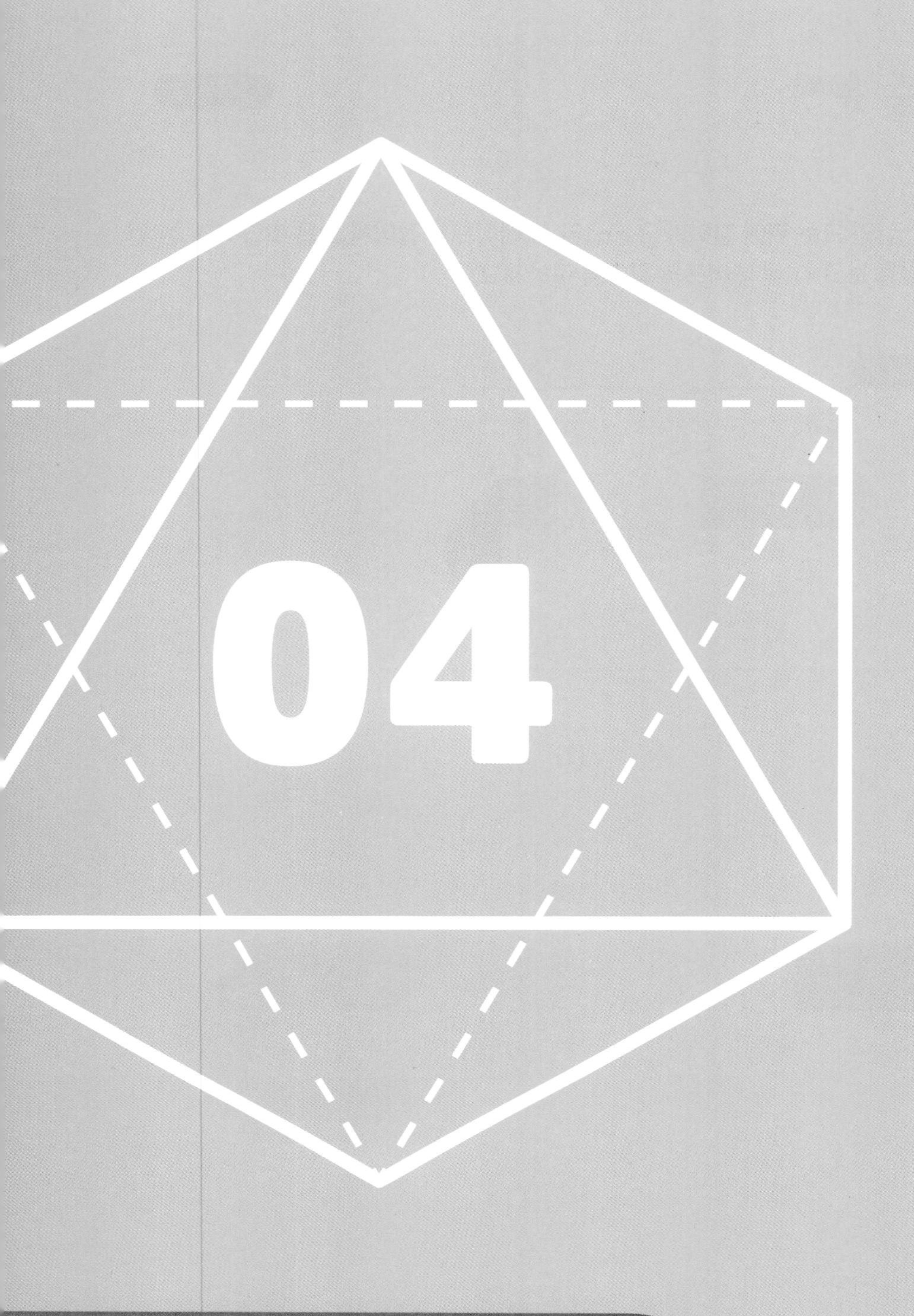

무게 비교

무게 비교

Math storyteller

: 저울은 더 무거운 쪽으로 내려간대. 지호야, 더 무거운 과일을 찾아봐.

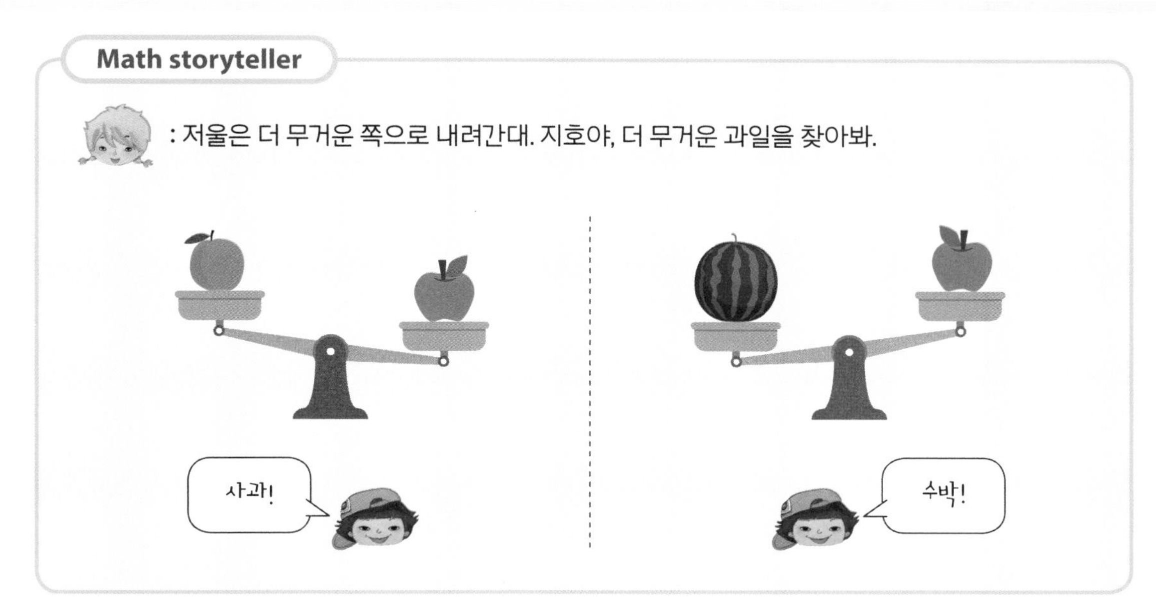

● 더 무거운 물건에 ◯표 하세요.

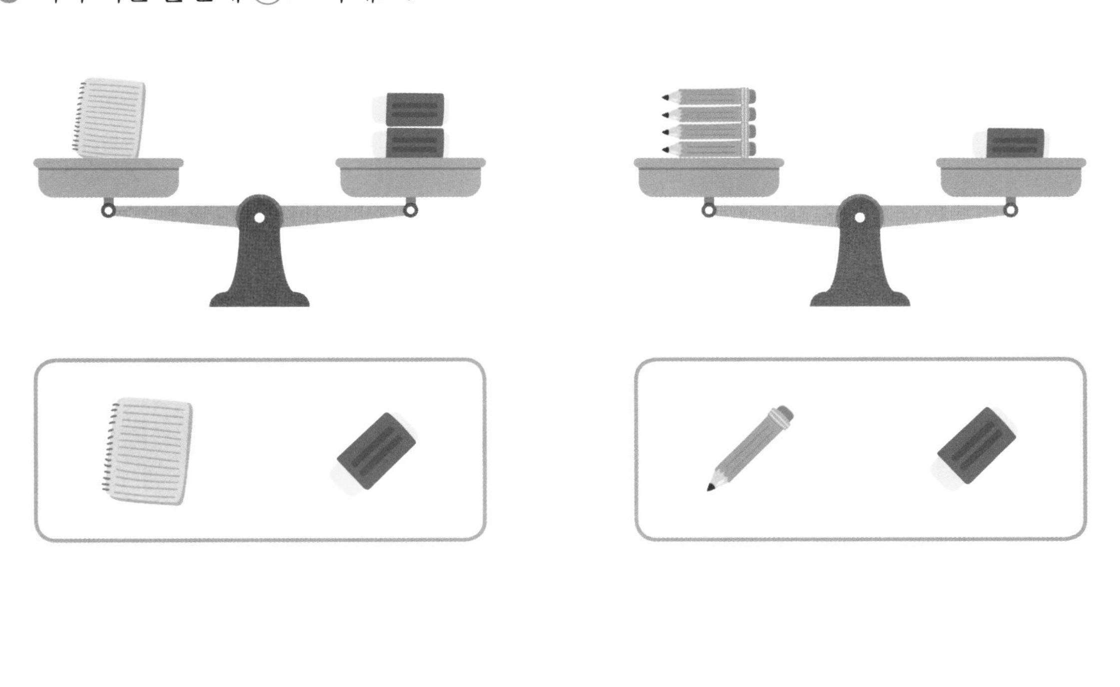

04 대표 문제 1

가장 무거운 외계인에 ◯표 하세요.

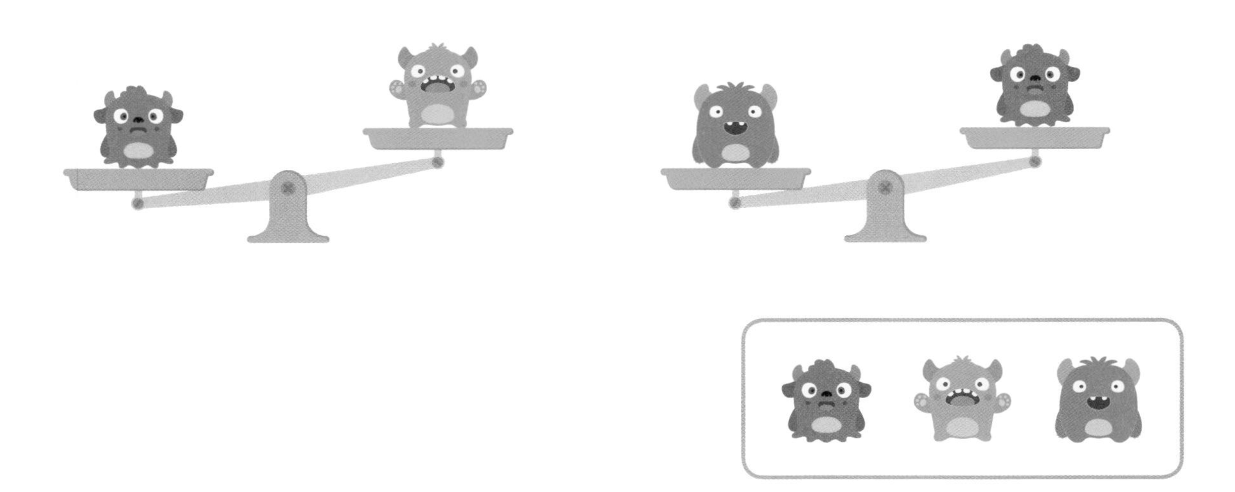

무게 비교하기

1. 다른 물건으로 무게 비교하기

2. 무게의 순서 찾기

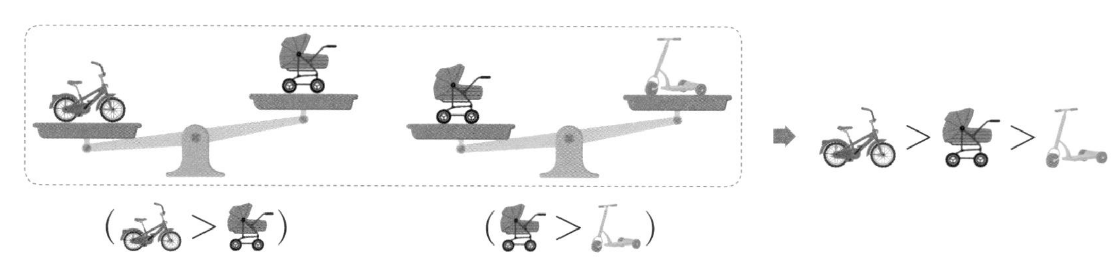

1. 양팔 저울은 양쪽의 무게가 같을 때 평형을 이룹니다.

2. 양팔 저울이 평형을 이룰 때 필요한 추의 개수를 이용하여 물건의 무게를 비교할 수 있습니다.

3. 물건 3개의 무게 순서는 양팔 저울에 물건을 2개씩 비교하여 알 수 있습니다.

예제 1

돼지, 여우, 강아지 중 가장 가벼운 동물을 쓰세요.

예제 2

가벼운 구슬부터 차례로 기호를 쓰세요.

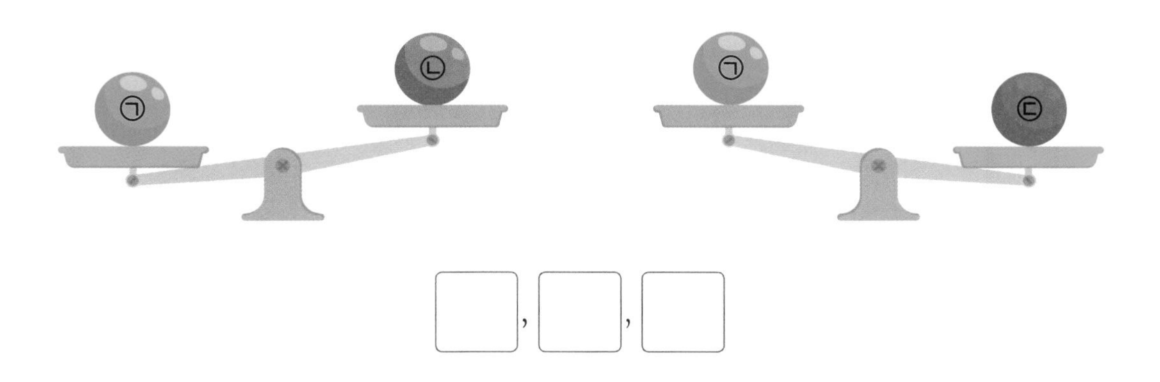

04 대표 문제 2

양팔 저울이 모두 평형을 이루고 있습니다. ●의 무게는 ♥ 몇 개의 무게와 같습니까?

저울산

1. 양쪽에서 같은 물건 빼기

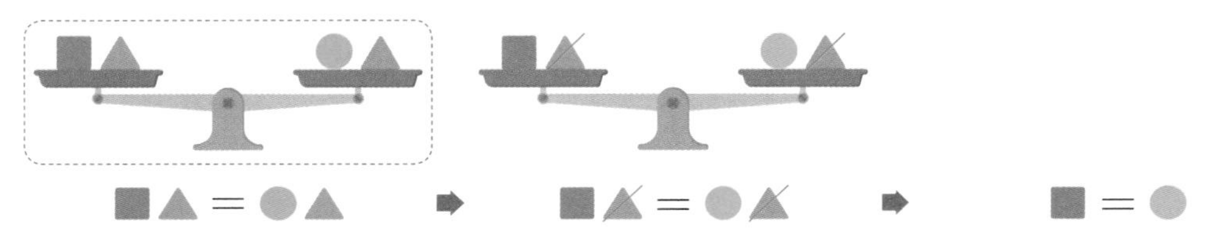

2. 양쪽에 같은 물건 더하기

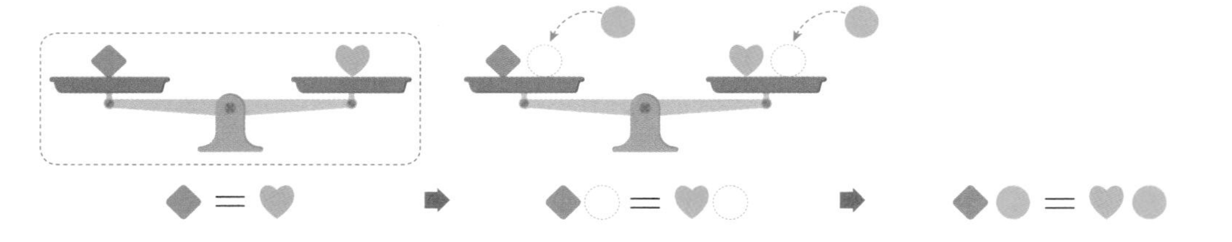

3. 물건 바꾸어 평형 이루기

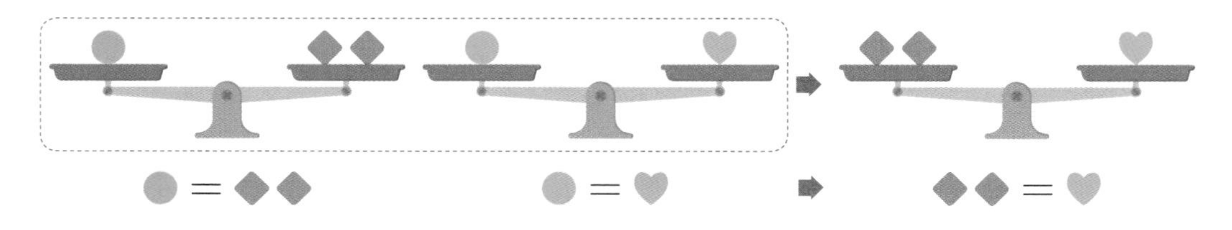

1. 저울이 평형을 이룰 때 저울의 양쪽에서 같은 물건을 빼도 저울은 평형을 이룹니다.
2. 저울이 평형을 이룰 때 저울의 양쪽에 같은 물건을 더해도 저울은 평형을 이룹니다.
3. 저울이 평형을 이룰 때 무게가 같은 것으로 바꾸어도 저울은 평형을 이룹니다.

예제 1

양팔 저울이 모두 평형을 이루고 있습니다. 냄비는 접시 몇 개의 무게와 같습니까?

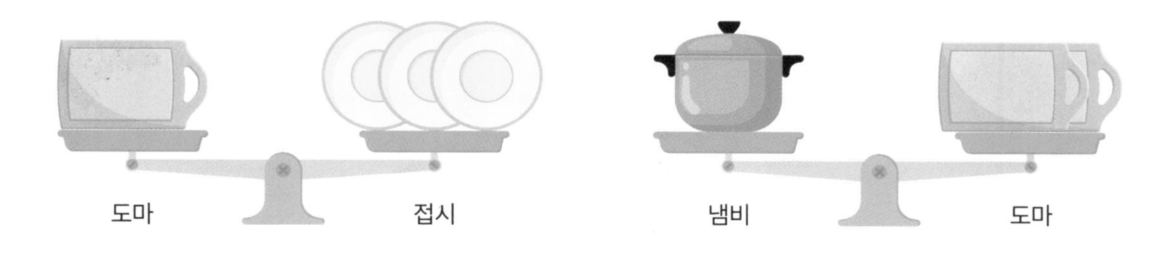

예제 2

밤, 당근, 호박의 무게를 비교한 것입니다. 저울이 평형을 이루려면 빈 접시에 밤 몇 개를 놓아야 합니까?

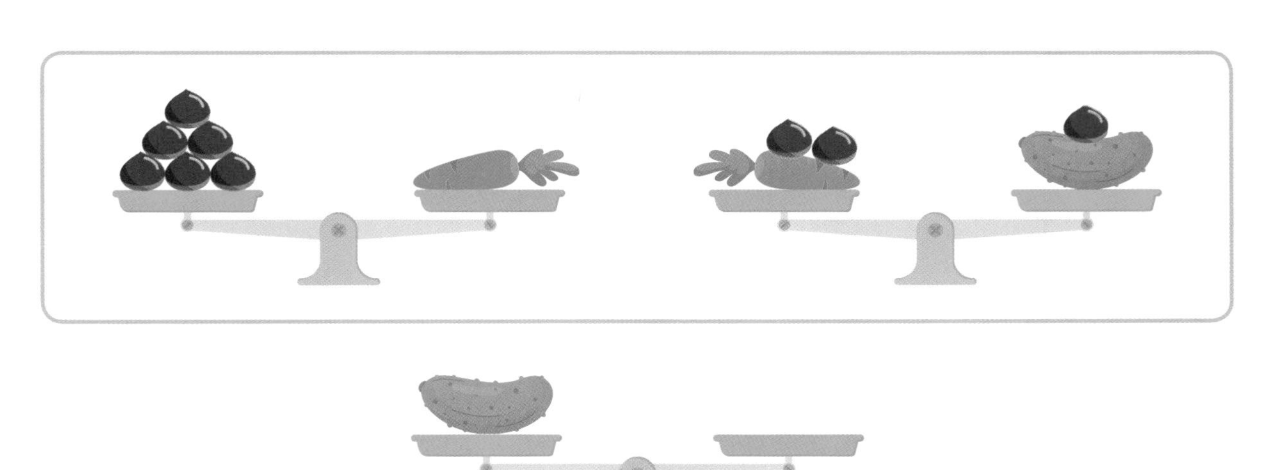

04 확인 문제

1 선우, 윤주, 재한이가 시소를 타고 있습니다. 가장 가벼운 친구는 누구입니까?

2 양팔 저울이 모두 평형을 이루고 있습니다. 빈 접시에 ● 몇 개를 올려야 하는지 구하세요.

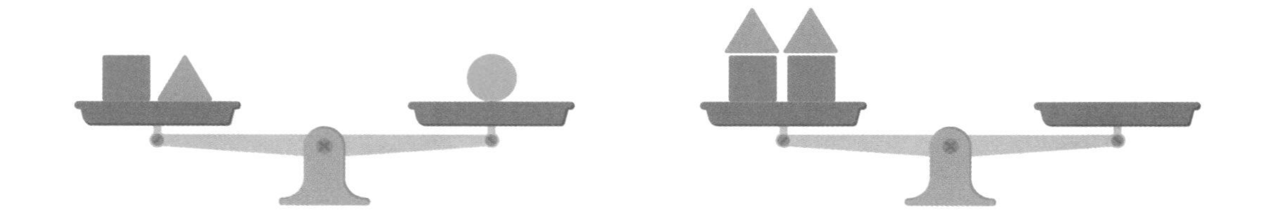

3 다음 모빌을 보고 두 번째로 무거운 인형의 이름을 쓰세요.

4 양팔 저울이 평형을 이룰 때 초콜릿의 무게를 구하세요.

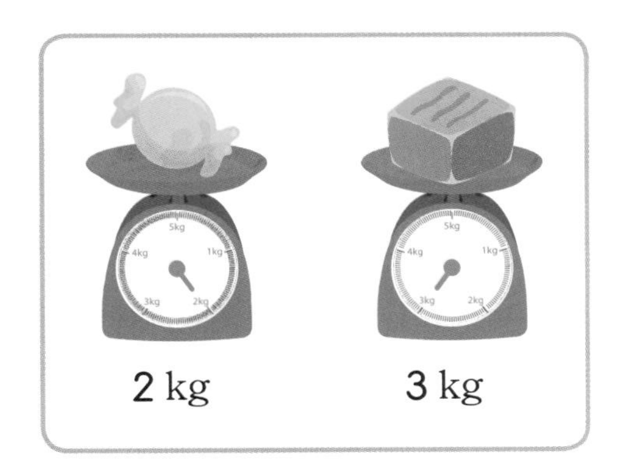

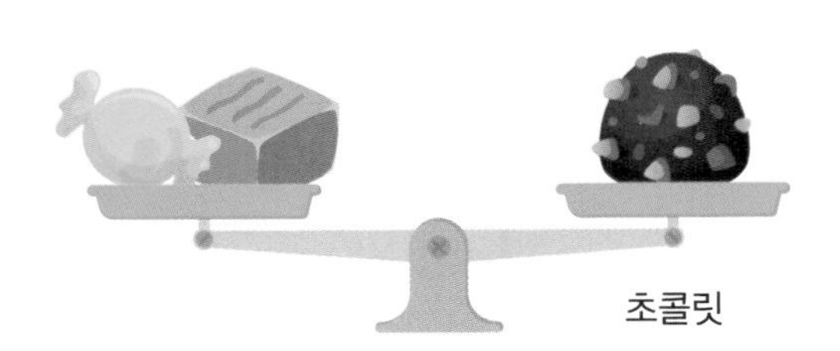

5 양팔 저울을 이용하여 구슬 ㉠, ㉡, ㉢의 무게를 비교하였습니다. 가장 가벼운 것부터 차례로 기호를 쓰세요.

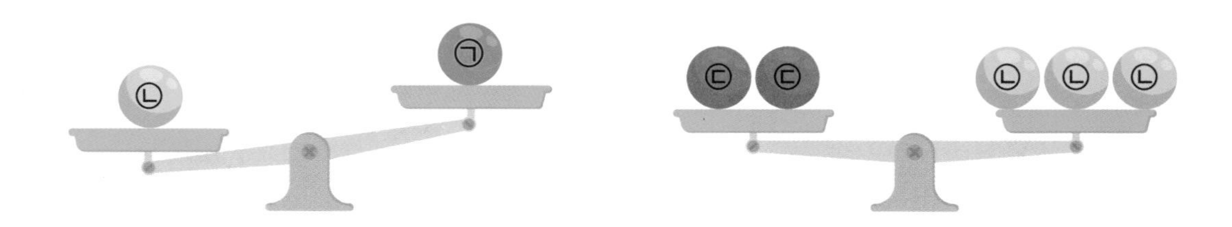

6 여러 가지 과일의 무게를 비교하고 있습니다. 빈 접시에 딸기를 몇 개 놓아야 평형이 됩니까?

7 다음을 보고 다리미와 선풍기 중 더 무거운 것의 이름을 쓰세요.

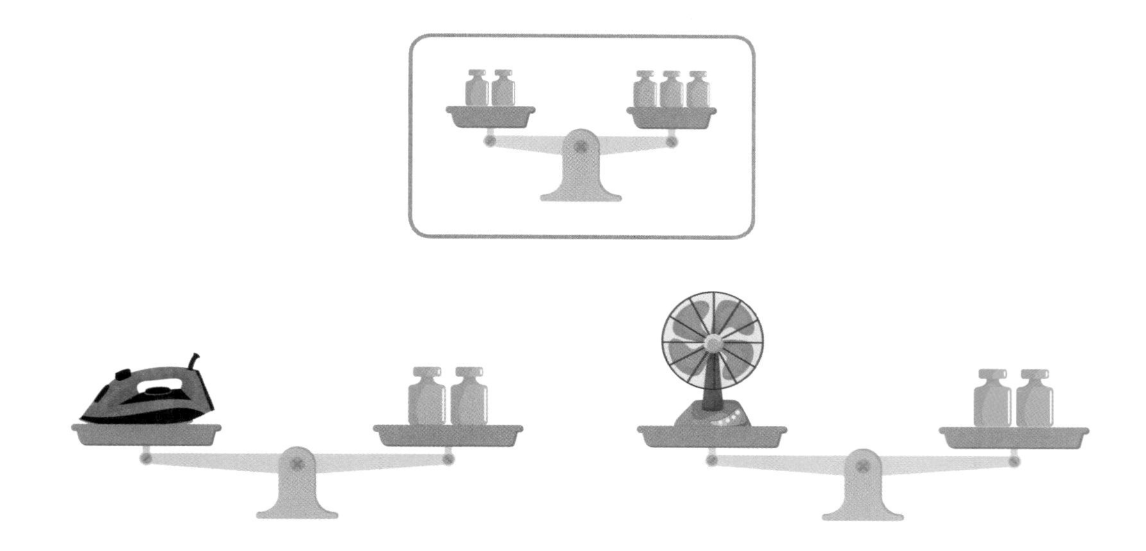

8 양팔 저울을 이용하여 귤, 체리, 수박의 무게를 비교한 것입니다. 마지막 저울이 평형을 이루려면 가벼운 쪽에 체리를 몇 개 더 올려야 할까요?

04 심화 문제

1 다음 세 가지 도형의 무게는 각각 2, 4, 6 중 하나입니다. 각 도형의 무게를 구하세요.

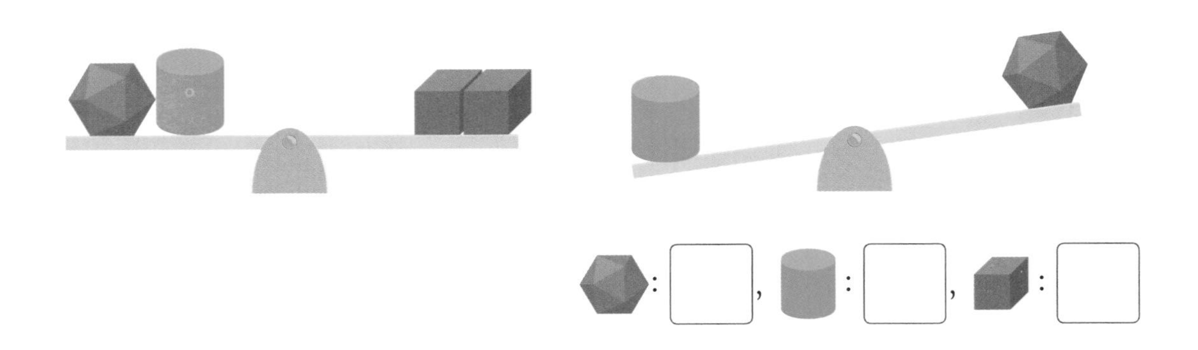

2 양팔 저울을 이용하여 구슬의 무게를 비교하였습니다. 가장 가벼운 것부터 차례로 1, 2, 3, 4를 쓰세요.

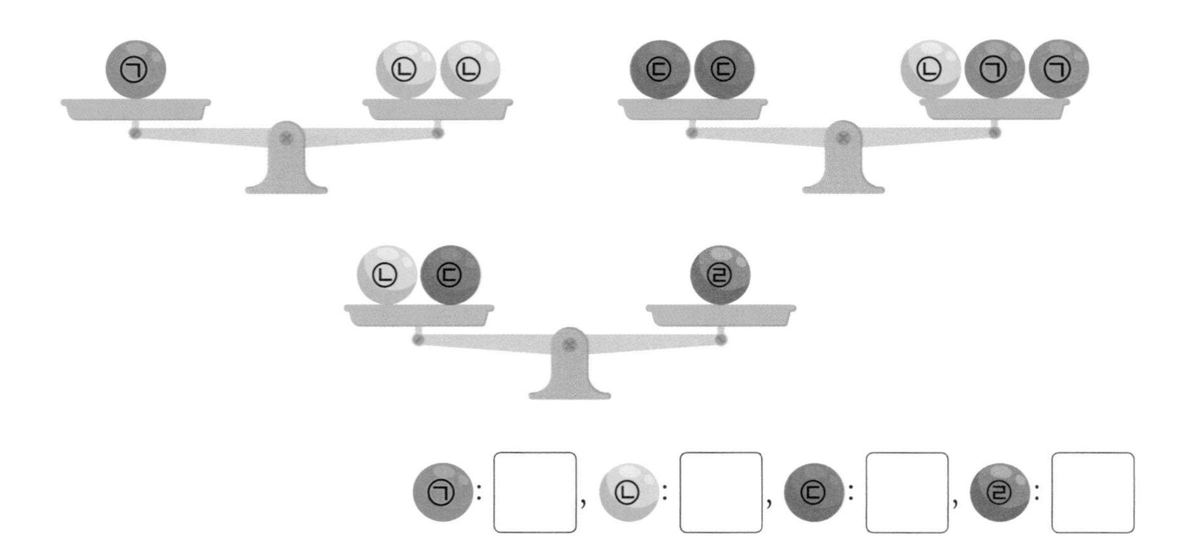

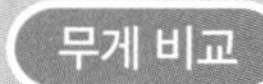

● 다음과 같이 접시에 물체를 올리고 다른 쪽 고리에 추를 걸어 물체의 무게를 재는 저울을 대저울이라고 합니다. 접시에 있는 금화의 무게가 8일 때 저울이 평형을 이룹니다. 다음 물음에 답하세요. (단, 색깔이 같은 추끼리는 무게가 같습니다.)

(1) 파란색 추의 무게를 구하세요.

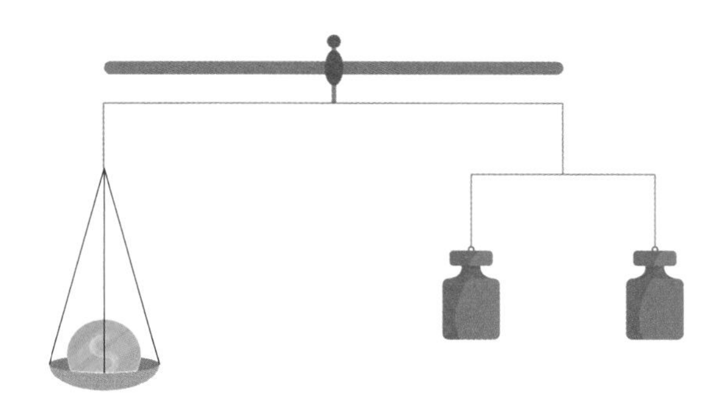

(2) 빨간색 추의 무게를 구하세요.

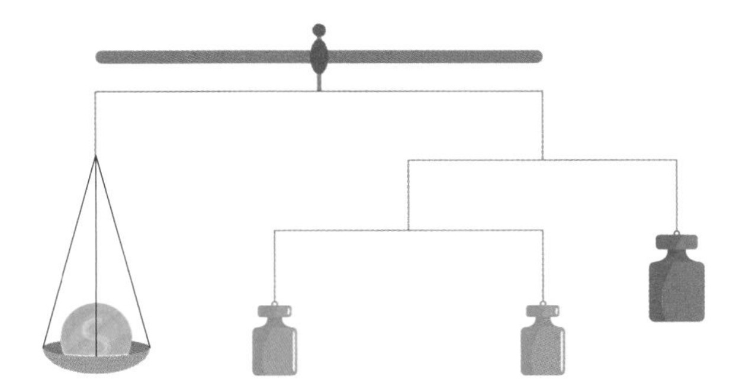

05

포함 관계

개념 05

포함 관계

지호 예원

Math storyteller

 : 수학을 좋아하는 친구와 체육을 좋아하는 친구를 적어 봤어.

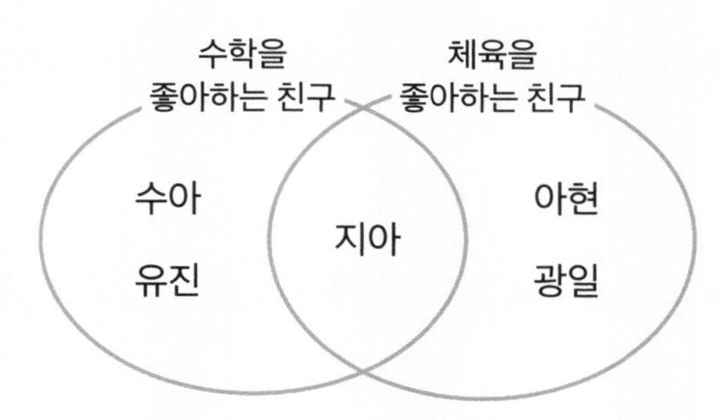

 : 같은 동그라미 안에 있으면 같은 과목을 좋아하는 거야?

 : 맞아. 이렇게 나타내는 것을 벤다이어그램이라고 해.

● 위 벤다이어그램을 보고 다음 물음에 답하세요.

(1)

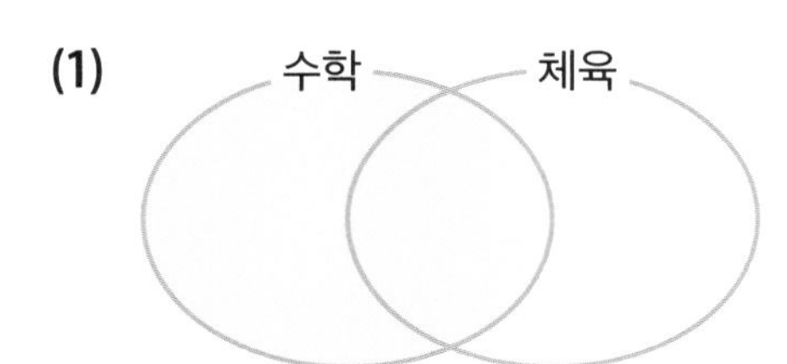

수학을 좋아하는 친구:

(2)

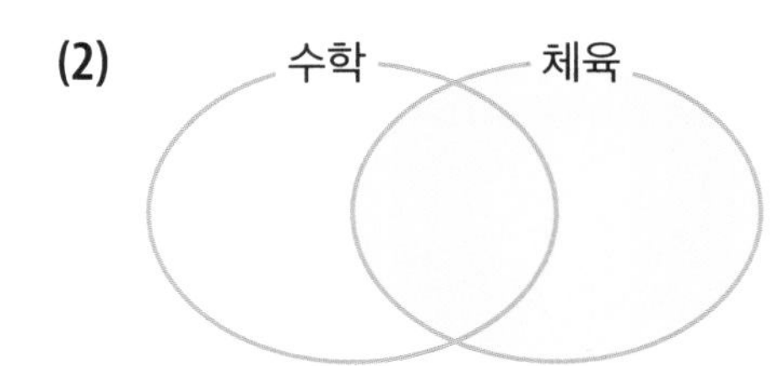

체육을 좋아하는 친구:

(3)

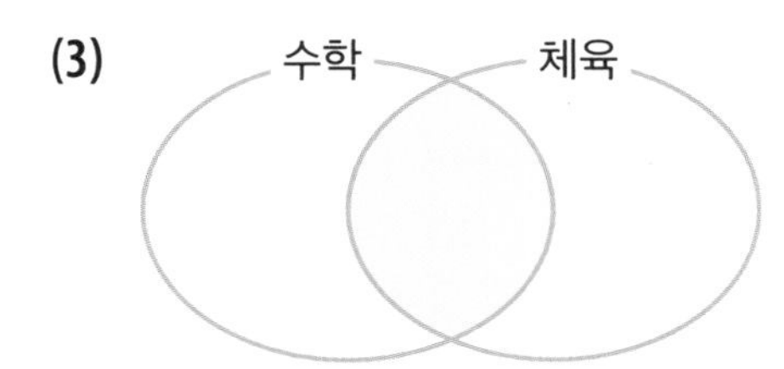

수학과 체육을 모두 좋아하는 친구:

삼각형의 크기와 색깔을 기준으로 벤다이어그램을 완성하려고 합니다. 벤다이어그램의 색칠된 부분에 들어가는 삼각형을 모두 고르세요.

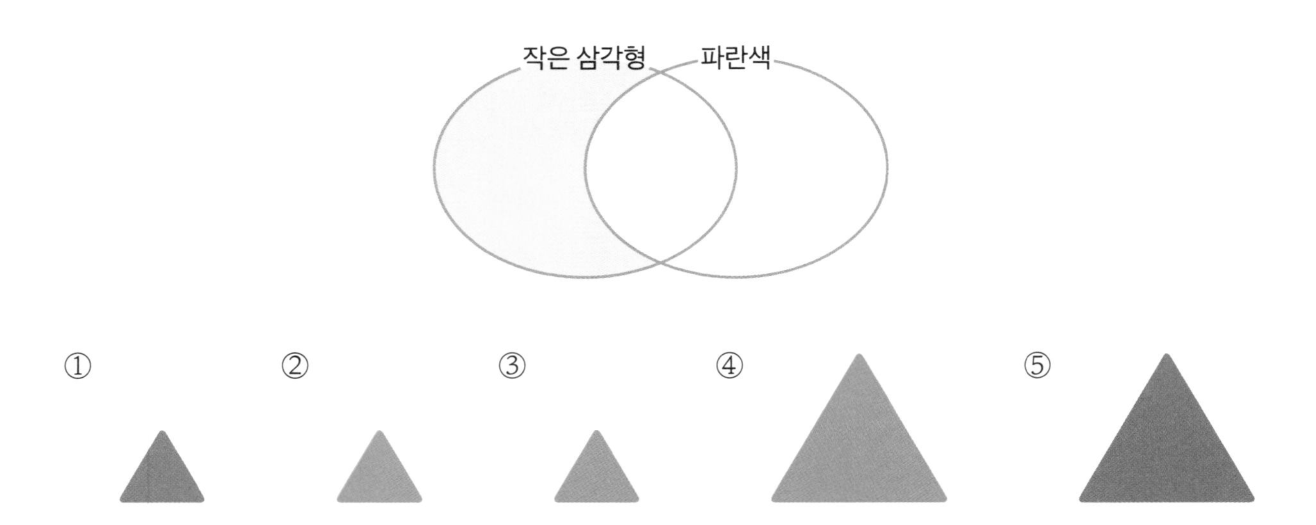

벤다이어그램

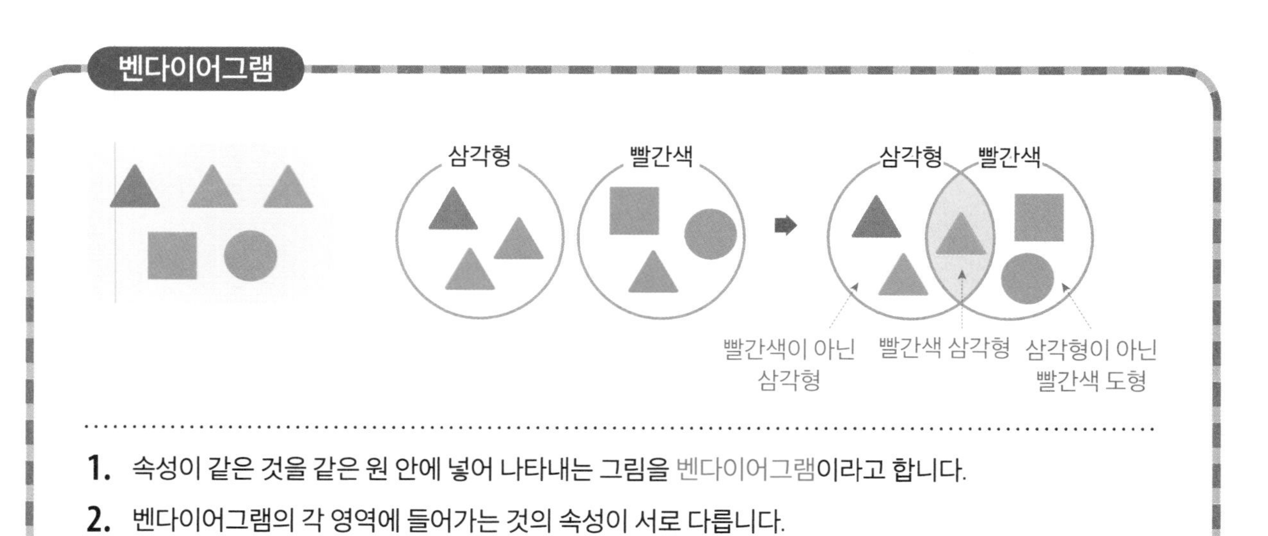

1. 속성이 같은 것을 같은 원 안에 넣어 나타내는 그림을 벤다이어그램이라고 합니다.
2. 벤다이어그램의 각 영역에 들어가는 것의 속성이 서로 다릅니다.

예제 1

예원이는 다음과 같은 벤다이어그램을 만들었습니다. 사과를 놓아야 하는 곳에 색칠하세요.

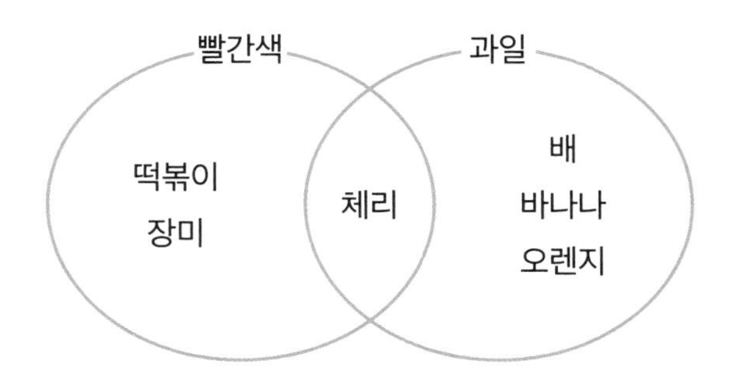

예제 2

도형을 분류하여 벤다이어그램으로 나타낼 때 색칠한 곳에 들어가는 도형에 ○표 하세요.

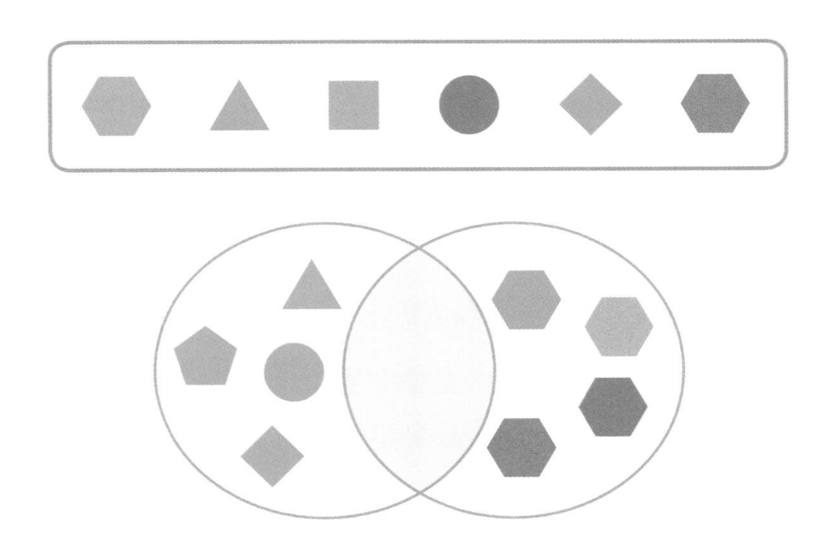

05 대표 문제 2

한결이는 안경, 모자를 쓴 학생을 조사하여 벤다이어그램에 학생 수를 나타내려고 합니다. 안경을 쓴 학생은 11명, 모자를 쓴 학생은 8명이라고 할 때, □ 안에 알맞은 수를 쓰세요.

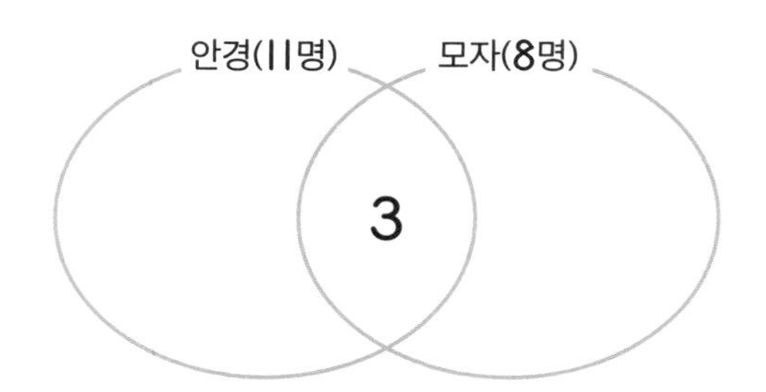

- 학생들 모두 안경 또는 모자를 썼습니다.
- 안경과 모자를 모두 쓴 학생은 3명입니다.
- 안경만 쓴 학생은 모두 □명 입니다.
- 모자만 쓴 학생은 모두 □명 입니다.
- 학생은 모두 □명 입니다.

벤다이어그램으로 학생 수 구하기

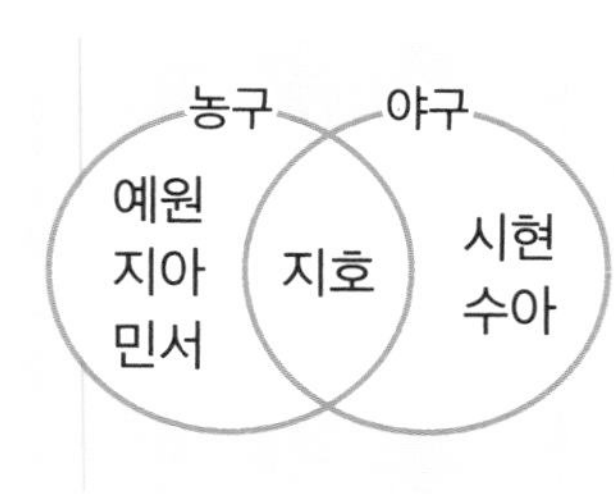

- 농구만 좋아하는 학생: 3명
- 야구만 좋아하는 학생: 2명
- 농구와 야구를 모두 좋아하는 학생: 1명
- 농구를 좋아하는 학생: $3 + 1 = 4$(명)
- 야구를 좋아하는 학생: $1 + 2 = 3$(명)
- 총 학생 수: $3 + 1 + 2 = 6$(명)

1. (가를 좋아하는 학생 수) = ■ + ▲

2. (나를 좋아하는 학생 수) = ▲ + ●

3. (총 학생 수) = ■ + ▲ + ●

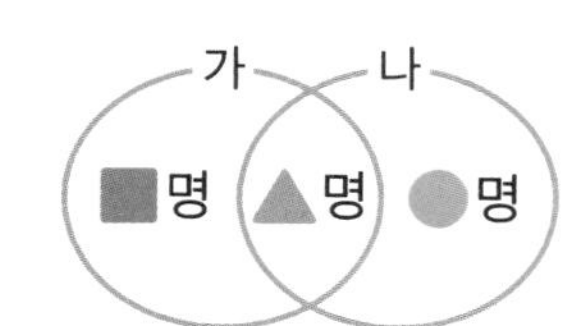

예제 1

수아와 지한이는 치킨과 피자를 좋아하는 친구의 수를 벤다이어그램으로 나타내려고 합니다. 두 사람의 대화를 보고 □ 안에 알맞은 수를 쓰세요.

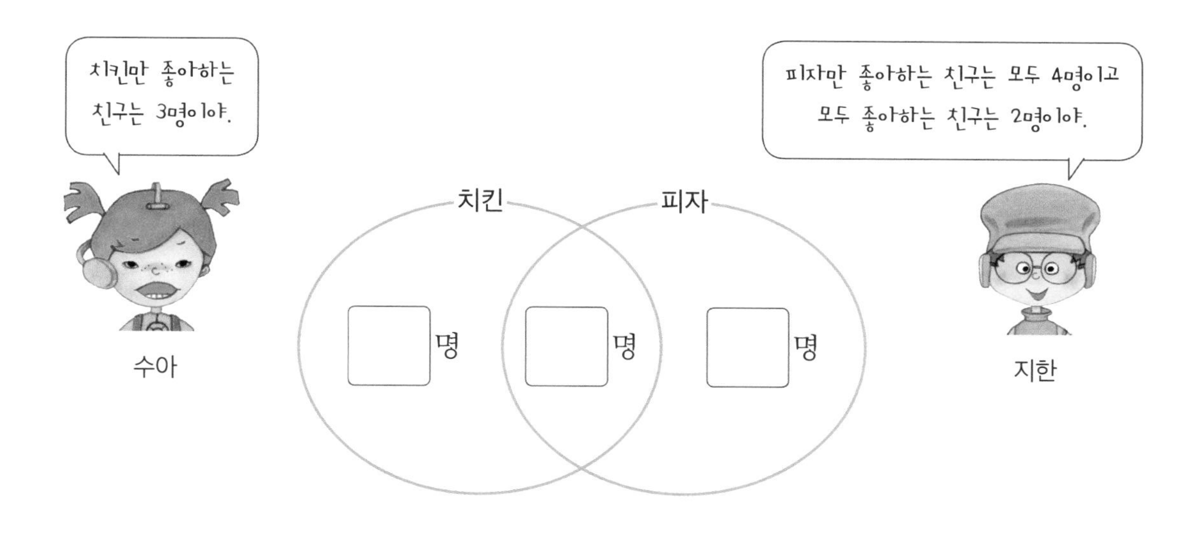

예제 2

어느 모둠의 학생들은 모두 짜장면 또는 떡볶이를 좋아합니다. 짜장면만 좋아하는 학생은 5명, 떡볶이를 좋아하는 학생은 5명이라고 할 때, 모둠의 학생들은 모두 몇 명입니까?

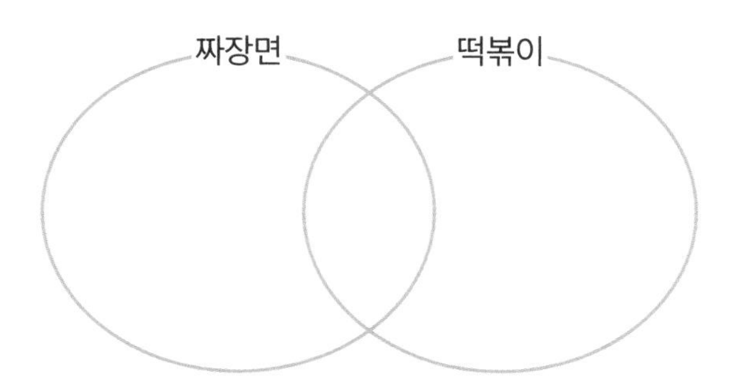

05 확인 문제

1 다음 도형을 분류하여 벤다이어그램을 완성하려고 합니다. 벤다이어그램의 빈 곳에 알맞은 기호를 쓰세요.

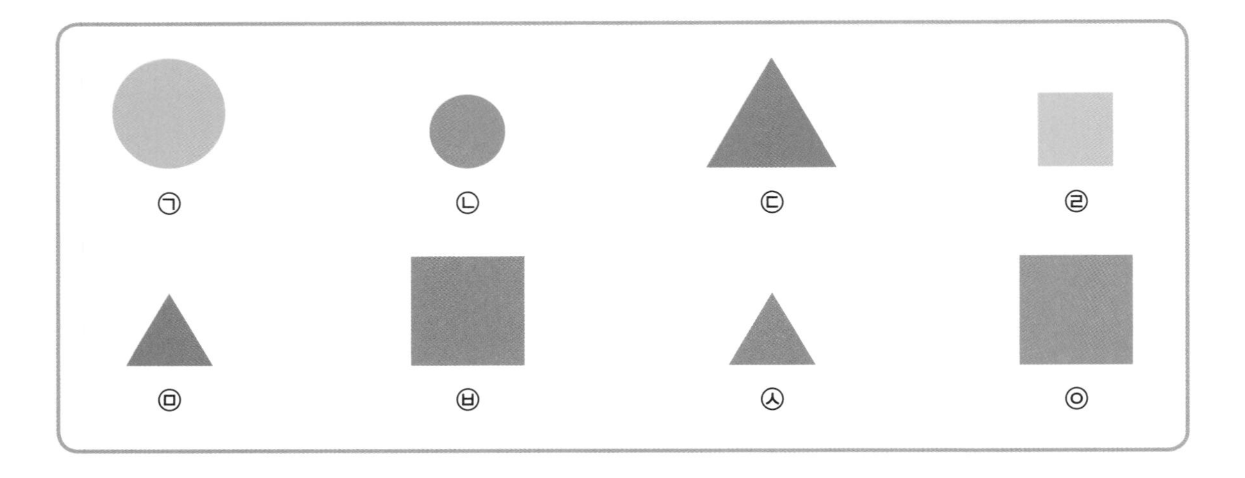

(1)

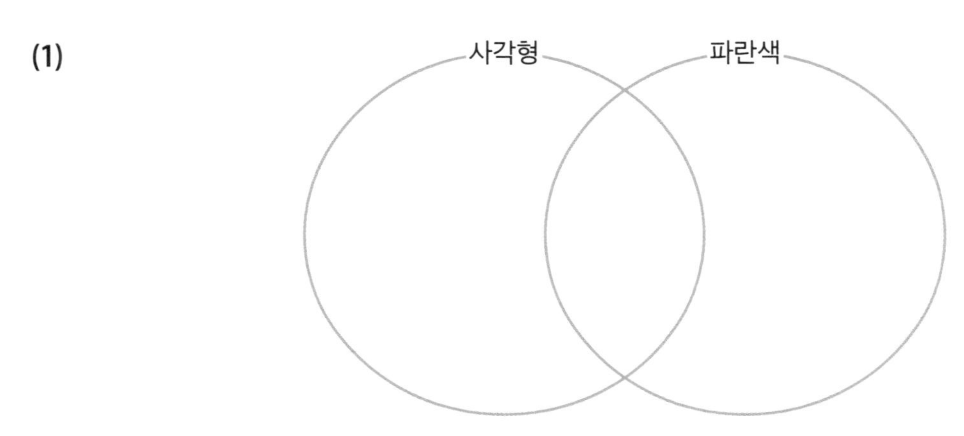

(2)

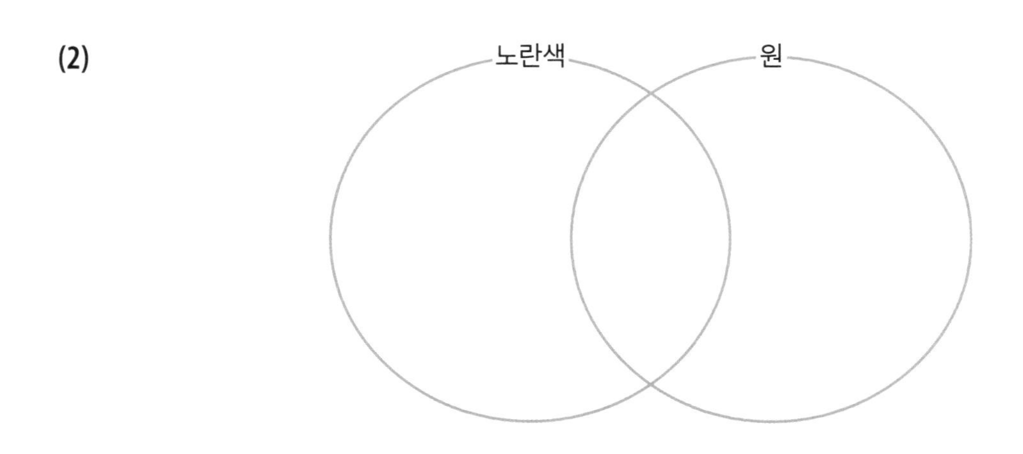

2 예원, 지호, 수아, 지한이가 좋아하는 과목을 말합니다. 색칠한 부분에 알맞은 친구의 이름을 모두 쓰세요.

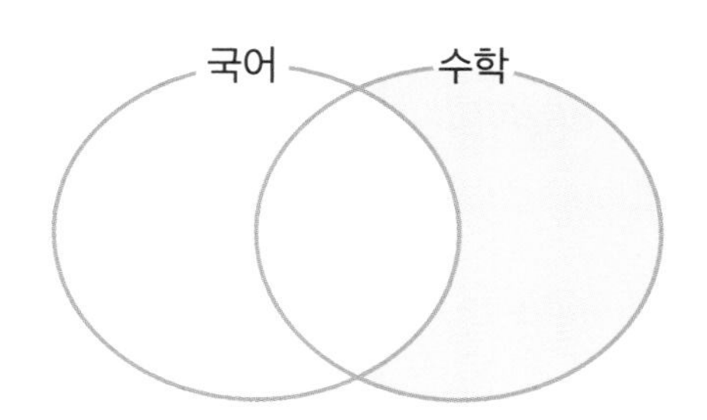
국어
수학

난 국어!
예원

난 수학!
지호

난 수학이랑 국어!
수아

난 수학!
지한

3 민서네 반 학생들 중 딸기 또는 망고를 좋아하는 학생은 모두 27명입니다. 그 중 딸기를 좋아하는 학생이 20명일 때 망고만 좋아하는 학생은 몇 명입니까?

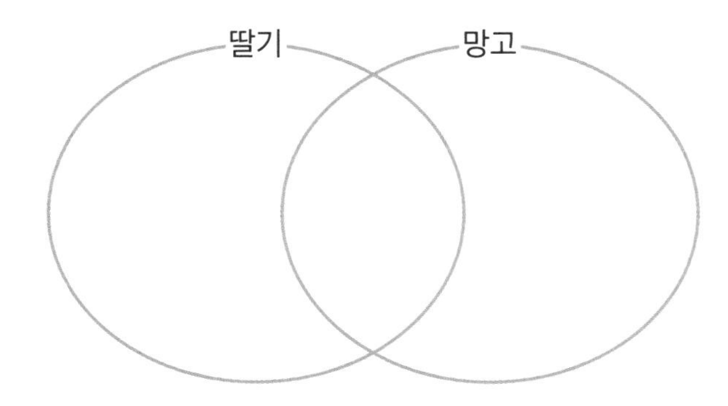
딸기
망고

4 민서는 발레 학원과 태권도 학원을 다니는 친구들을 조사하여 각 학원에 다니는 친구의 수를 벤다이어그램으로 나타내려고 합니다. 다음을 읽고 □ 안에 알맞은 수를 쓰세요.

- 발레 학원을 다니는 친구: 7명
- 태권도 학원을 다니는 친구: 9명
- 태권도 학원만 다니는 친구: 7명

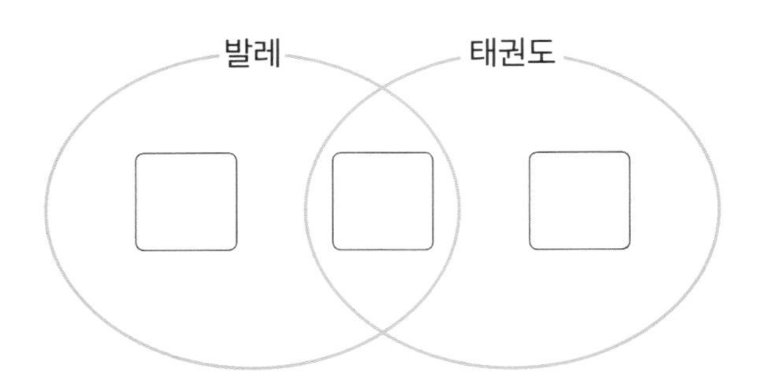

5 어느 모둠 친구들이 좋아하는 수를 조사한 표입니다. 수를 분류하여 벤다이어그램에 나타내려고 할 때 색칠한 곳에 알맞은 수를 모두 쓰세요.

이름	좋아하는 수	이름	좋아하는 수
허예원	99	나광일	7
서연우	13	이도	1
황인서	5	전준오	14
황현서	24	박채현	22
이하린	3	정서윤	81

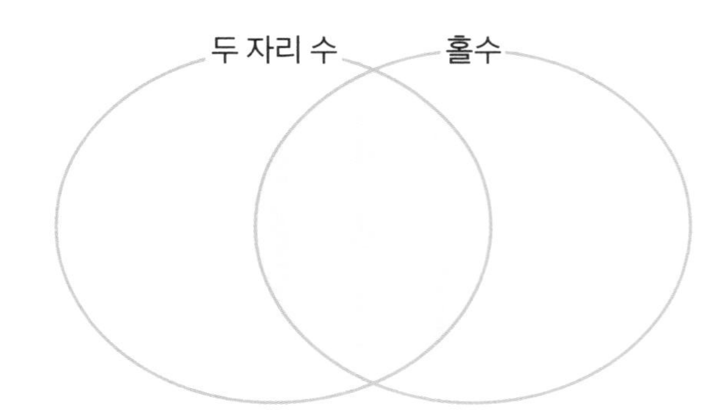

6 지한이네 반 학생들은 모두 형제가 있습니다. 남자 형제가 있는 학생은 10명, 여자 형제가 있는 학생은 9명입니다. 여자 형제와 남자 형제가 모두 있는 학생이 4명일 때, 지한이네 반 학생들은 모두 몇 명입니까?

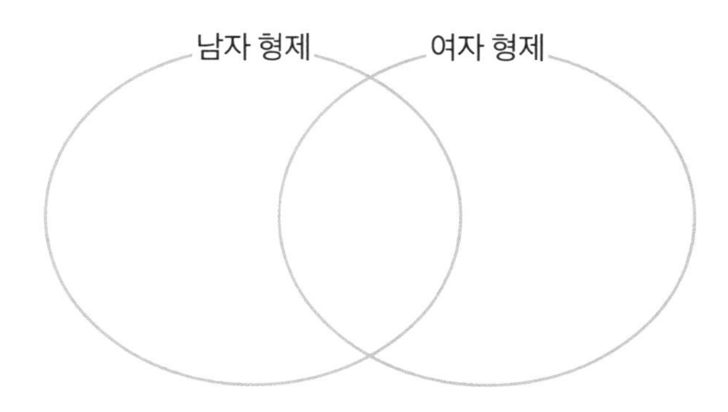

7 어느 모둠의 학생 12명이 모두 줄넘기 또는 훌라후프를 좋아합니다. 줄넘기를 좋아하는 학생은 9명, 훌라후프를 좋아하는 학생은 8명이라고 할 때, 줄넘기와 훌라후프를 모두 좋아하는 학생은 몇 명입니까?

05 심화 문제

1 친구들이 초콜릿, 사탕, 젤리 중 좋아하는 음식을 이야기한 것입니다. 다음을 보고 벤다이어그램을 완성하세요.

- **예원:** 나는 초콜릿, 사탕, 젤리를 모두 좋아해.
- **단아:** 나는 초콜릿은 좋아하지만 사탕과 젤리는 좋아하지 않아.
- **민서:** 나는 초콜릿이랑 젤리는 싫어. 사탕만 좋아.
- **수아:** 나는 초콜릿과 사탕만 좋아해.
- **동욱:** 나는 사탕과 젤리만 좋아. 초콜릿은 너무 달아서 싫어.
- **유진:** 나는 젤리는 좋아하지만 초콜릿과 사탕은 좋아하지 않아.
- **지호:** 나는 초콜릿과 젤리는 좋아하지만 사탕은 좋아하지 않아.

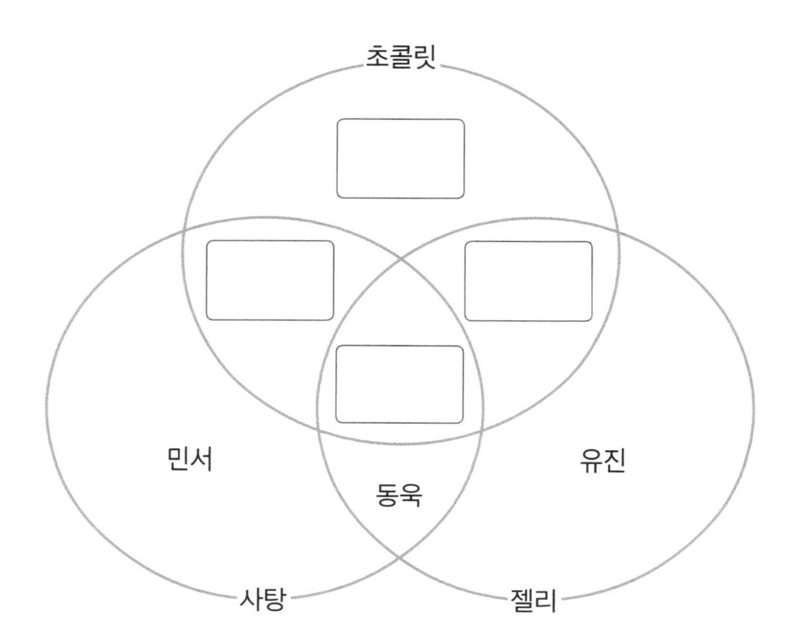
초콜릿
민서
동욱
유진
사탕
젤리

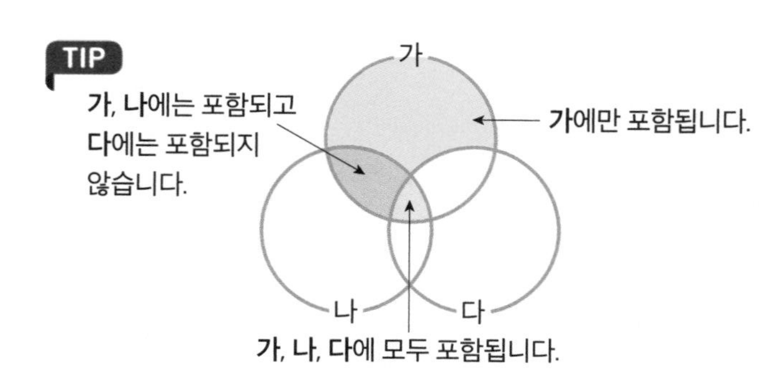
TIP
가, 나에는 포함되고 다에는 포함되지 않습니다.
가
가에만 포함됩니다.
나
다
가, 나, 다에 모두 포함됩니다.

● 다음은 민서네 모둠 학생 중 축구와 야구를 좋아하는 학생 수를 나타낸 것입니다. 축구와 야구를 모두 싫어하는 학생은 몇 명입니까?

- 전체 학생: 12명
- 축구를 좋아하는 학생: 5명
- 야구를 좋아하는 학생: 8명
- 축구, 야구를 모두 좋아하는 학생: 3명

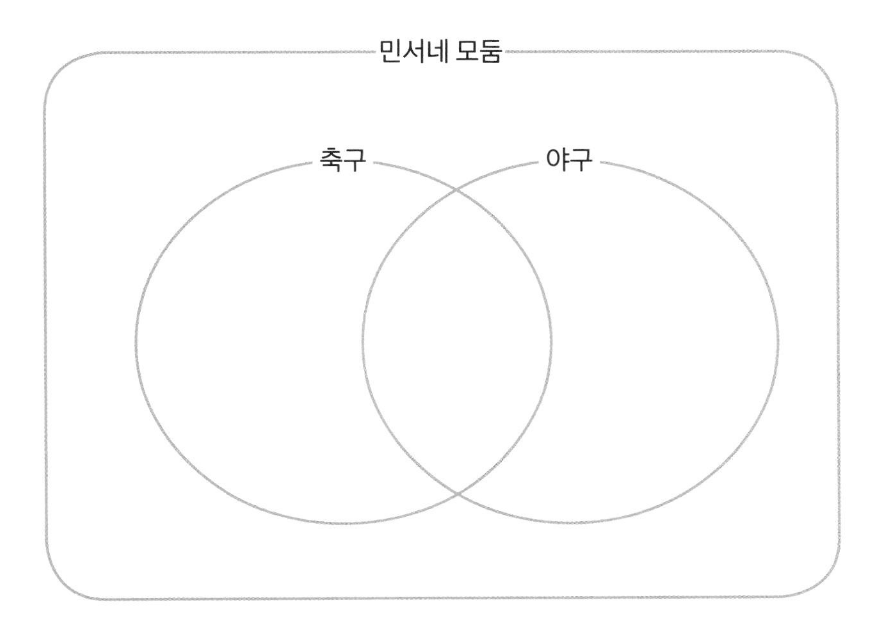

위 벤다이어그램의 어느 부분에 축구, 야구를 모두 싫어하는 학생이 들어갈지 생각해 봐.

06

님 게임

개념 06

님 게임

Math storyteller

 : 우리 마지막 구슬을 가져가는 게임을 하자!

 : 어떻게 하는 거야?

 : 두 사람이 번갈아 구슬을 하나씩 가져가다가 마지막 구슬을 가져가는 사람이 이기는 거야.

 : 내가 먼저 할게.

 : 그럼 내가 나중에 할게.

● 예원이가 먼저 시작하여 예원이와 지호가 번갈아 가며 구슬을 가져갑니다. 각 게임에서 이긴 친구의 이름을 쓰세요.

(1) 구슬이 3개입니다.

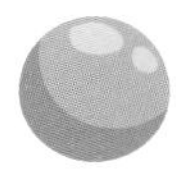 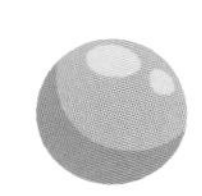 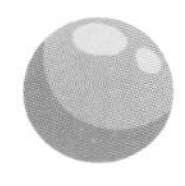

예원 지호 예원

이긴 사람: ☐

(2) 구슬이 4개입니다.

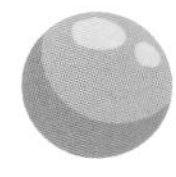   

예원 지호 예원

이긴 사람: ☐

(3) 구슬이 5개입니다.

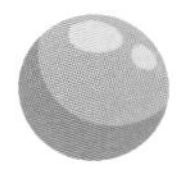    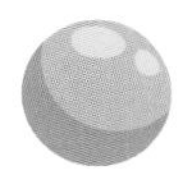

예원 지호

이긴 사람: ☐

06 대표 문제 1

예원이와 지호가 번갈아 가며 쿠키를 2개씩 가져갑니다. 쿠키 10개 중 마지막 쿠키를 가져가는 사람이 이긴다고 할 때, 게임에서 이기는 전략에 ○표 하세요.

(먼저 시작합니다 , 나중에 시작합니다)

님 게임의 시작 순서 전략

① 구슬이 홀수 개일 때

나 친구 나 친구 나

➡ 먼저 시작한 '나'가 이깁니다.

② 구슬이 짝수 개일 때

나 친구 나 친구 나 친구

➡ 나중에 시작한 '친구'가 이깁니다.

1. 님 게임은 두 사람이 번갈아 가며 정해진 수의 구슬을 가져가다가 마지막 구슬을 가져가는 사람이 이기는 게임입니다.

2. 구슬을 1개씩 번갈아 가며 가져갈 때, 구슬이 모두 홀수 개이면 먼저 시작하는 사람, 구슬이 모두 짝수 개이면 나중에 시작하는 사람이 항상 이깁니다.

예제 1

한결이와 민서가 동전 뒤집기 게임을 합니다. 번갈아 가며 동전을 1개씩 뒤집고 마지막 동전을 뒤집는 사람이 이긴다고 할 때, 한결이가 먼저 시작했다면 이긴 사람은 누구일까요?

예제 2

지한이와 수아가 번갈아 가며 체스 말을 한 칸씩 앞으로 움직입니다. 마지막 칸에 말을 놓는 친구가 이긴다고 할 때 게임에서 이기기 위한 전략에 ◯표 하세요.

(먼저 시작합니다 , 나중에 시작합니다)

06 대표 문제 2

수아와 민서가 번갈아 가며 구슬을 1개 또는 2개씩 가져가고 마지막 구슬을 가져가는 사람이 이깁니다.
수아가 먼저, 민서가 나중에 한다면 항상 이길 수 있는 사람은 누구일까요?

님 게임 전략

① 구슬이 4개일 때 반드시 이기려면 먼저 시작하여 구슬 3개를 남깁니다.
남은 구슬 3개 중 친구가 1개 또는 2개를 가져가도 내가 항상 이길 수 있습니다.
그러므로 먼저 시작하여 1개를 가져갑니다. (나: ╱, 친구: ╳)

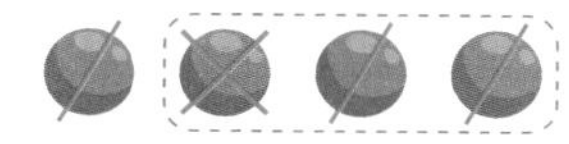
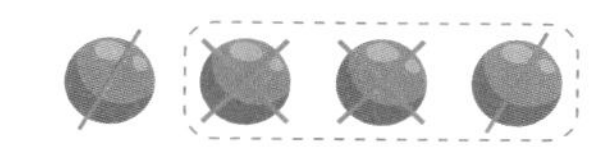

② 구슬이 5개일 때 반드시 이기려면 먼저 시작하여 구슬 3개를 남깁니다.
남은 구슬 3개 중 친구가 1개 또는 2개를 가져가도 내가 항상 이길 수 있습니다.
그러므로 먼저 시작하여 2개를 가져갑니다. (나: ╱, 친구: ╳)

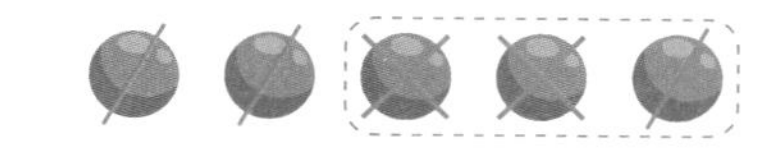

1. 번갈아 가며 1개 또는 2개를 가져가는 님 게임에서 마지막 구슬부터 거꾸로 생각하면 반드시 이길 수 있는 전략을 찾을 수 있습니다.
2. 2개까지 가져갈 수 있는 님 게임에서 내 차례에 2개보다 1개 더 많은 3개를 남겨놓으면 반드시 이길 수 있습니다.

두 사람이 번갈아 가며 꽃잎을 1장 또는 2장씩 가져갑니다. 마지막 꽃잎을 가져가는 사람이 이긴다고 할 때, 먼저 하는 사람과 나중에 하는 사람 중 누가 이길까요?

예제 2

두 사람이 번갈아 가며 1칸 또는 2칸씩 색칠합니다. 더 이상 색칠할 수 없는 사람이 진다고 할 때, 먼저 시작한 사람이 항상 이기기 위해 처음에 몇 칸을 색칠해야 할까요?

06 확인 문제

1 민서와 한결이가 번갈아 가며 초콜릿을 1개씩 가져갑니다. 마지막 초콜릿을 가져가는 사람이 이긴다고 할 때, 먼저 가져가는 민서와 나중에 가져가는 한결이 중 이기는 사람은 누구입니까?

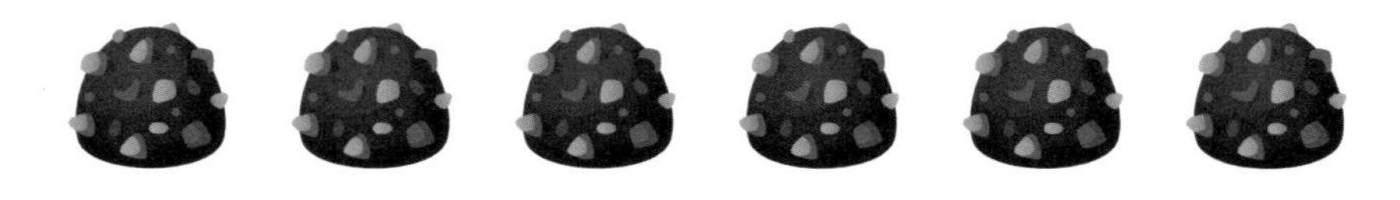

2 예원이와 지한이가 번갈아 가며 깃발을 1개 또는 2개를 뽑습니다. 마지막 깃발을 뽑는 사람이 이긴다고 할 때, 다음 중 이기는 전략을 이야기한 친구는 누구입니까?

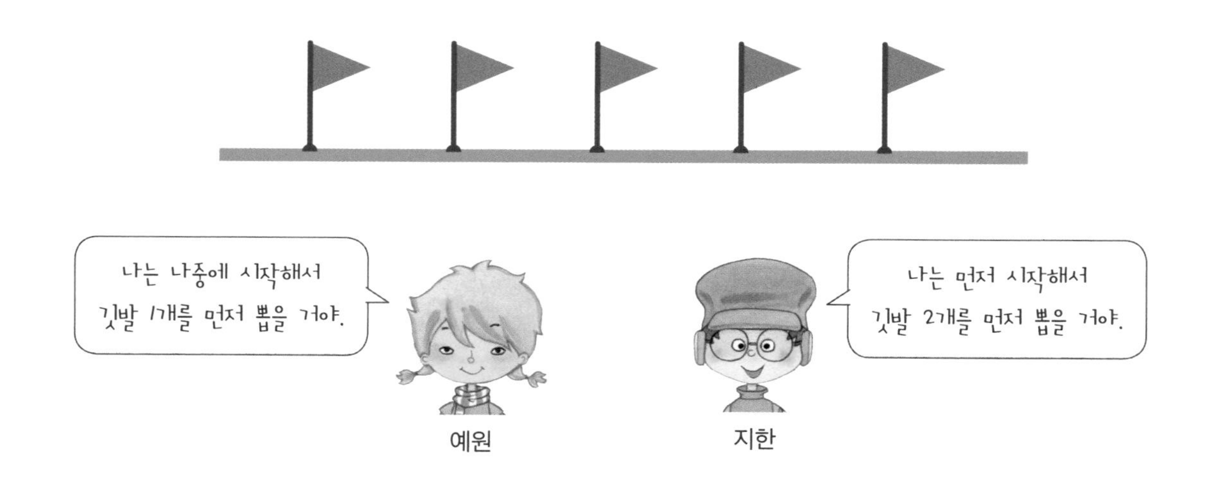

나는 나중에 시작해서 깃발 1개를 먼저 뽑을 거야.
예원
나는 먼저 시작해서 깃발 2개를 먼저 뽑을 거야.
지한

3 다람쥐 토리와 토순이가 번갈아 가며 도토리를 2개씩 가져가려고 합니다. 마지막 도토리를 토순이가 가져간다고 할 때, 토리와 토순이 중 먼저 시작한 다람쥐는 누구입니까?

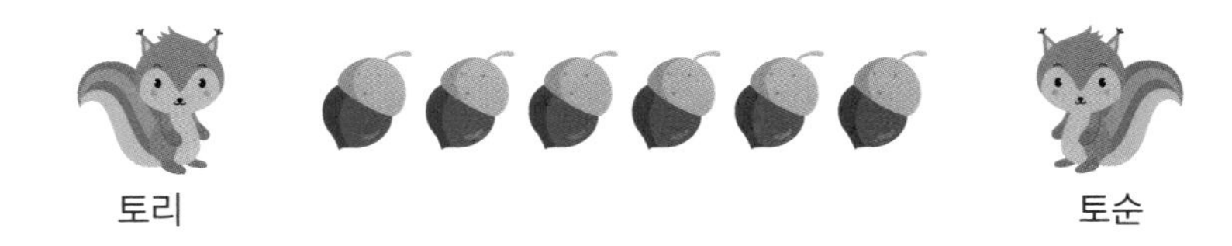

4 두 사람이 번갈아 가며 사탕을 1개 또는 3개를 가져갑니다. 마지막 사탕을 가져가는 사람이 이긴다고 할 때, 반드시 이기기 위해서는 먼저 시작해야 할까요? 나중에 시작해야 할까요?

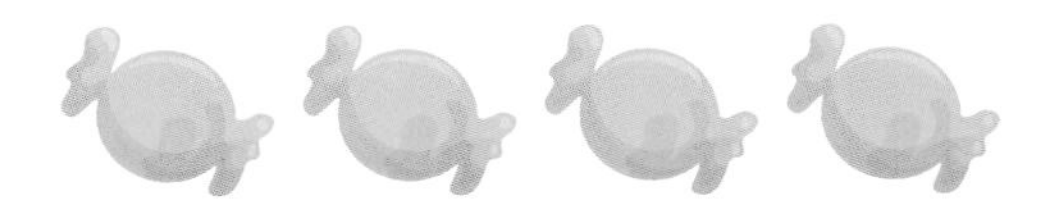

5 두 사람이 쿠키 상자를 선택한 후 상자 안 쿠키를 번갈아 가며 1개 또는 2개를 가져가는 님 게임을 하려고 합니다. 마지막 쿠키를 가져가는 사람이 이긴다고 할 때, 나중에 하는 사람이 반드시 이길 수 있는 상자의 기호를 쓰세요.

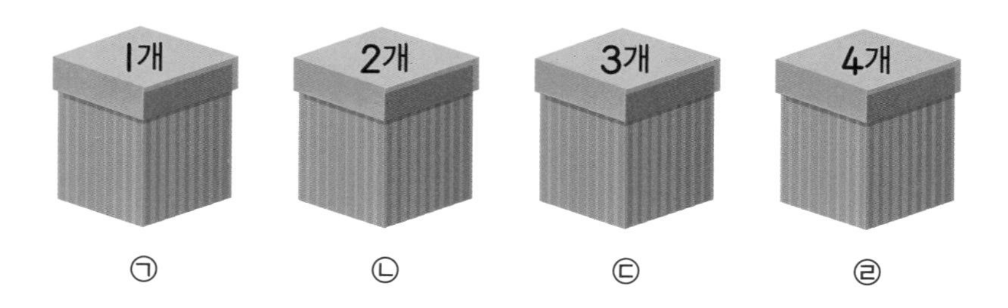

6 두 사람이 구슬 4개를 이용하여 마지막 구슬을 가져가는 사람이 이기는 님 게임을 하려고 합니다. 다음 중 먼저 시작한 사람이 항상 이길 수 있는 규칙을 고르세요.

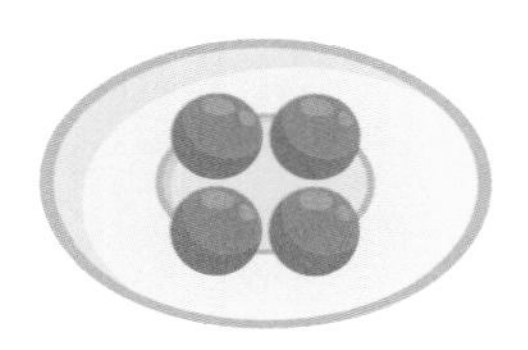

㉠ 번갈아 가며 구슬을 1개씩 가져갑니다.
㉡ 번갈아 가며 구슬을 2개씩 가져갑니다.
㉢ 번갈아 가며 구슬을 1개 또는 2개씩 가져갑니다.

7 지한이와 민서가 다음 **규칙** 에 따라 게임을 합니다. 지한이가 항상 이기려면 게임을 먼저 시작해야 할까요? 나중에 시작해야 할까요?

규칙

- 두 사람이 번갈아 가며 달력의 1일부터 순서대로 날짜를 지웁니다.
- 자신의 차례에 날짜를 2개씩 지웁니다.
- 30일을 지우는 사람이 이깁니다.

4월

일	월	화	수	목	금	토
1	2	3	4	5	6	7
8	9	10	11	12	13	14
15	16	17	18	19	20	21
22	23	24	25	26	27	28
29	30					

8 두 사람이 번갈아 가며 1부터 13까지의 수를 하나씩 차례로 부르는 게임을 합니다. 마지막 수를 부르는 사람이 진다고 할 때 반드시 이기기 위해서는 먼저 시작해야 할까요? 나중에 시작해야 할까요?

06 심화 문제

1 두 사람이 번갈아 가며 인형을 1개부터 5개까지 가져갈 수 있습니다. 마지막 인형을 가져가는 사람이 이긴다고 할 때 먼저 시작한 사람과 나중에 시작한 사람 중 항상 이길 수 있는 사람은 누구입니까?

2 상자 안에 쿠키가 5개 있습니다. 두 사람이 번갈아 가며 쿠키를 1개부터 3개까지 꺼낼 수 있습니다. 먼저 시작한 사람이 처음에 쿠키 몇 개를 꺼내면 항상 마지막 쿠키를 꺼낼 수 있습니까?

06 경시 기출 유형

님 게임

- 예원이는 검은색 바둑돌을 오른쪽으로, 지한이는 흰색 바둑돌을 왼쪽으로 1칸 또는 2칸씩 옮깁니다. 두 사람이 번갈아 가며 바둑돌을 옮기고, 더 이상 옮길 수 없는 사람이 진다고 할 때 먼저 시작한 예원이가 처음에 몇 칸을 움직여야 항상 이길 수 있습니까?

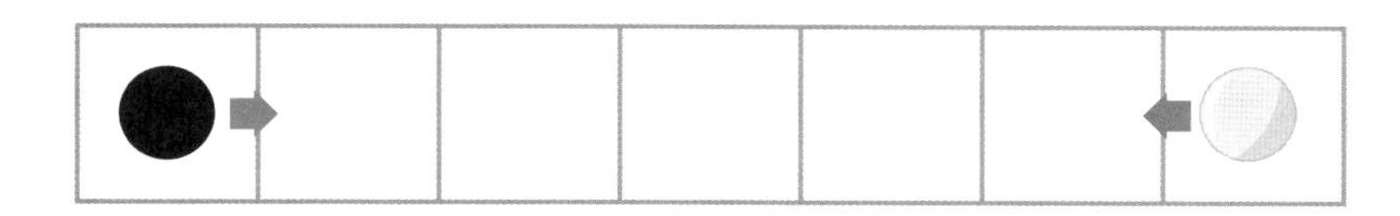

- 민서와 수아가 번갈아 가며 바둑돌을 1개 또는 2개를 놓습니다. 한 칸에 1개씩 왼쪽부터 차례로 놓는다고 할 때, 먼저 시작한 민서와 나중에 시작한 수아 중 어떤 친구가 6번 칸에 항상 놓을 수 있을까요?

1	2	3	4	5	6

07

동전과 성냥개비

동전과 성냥개비

지호
예원

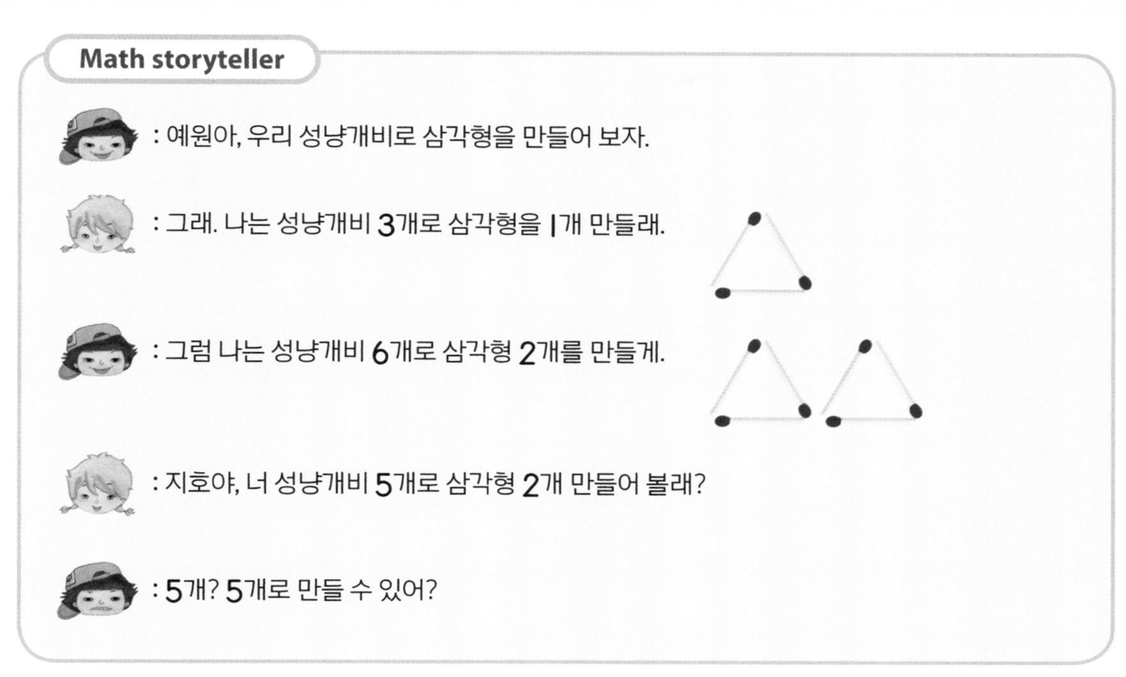

Math storyteller

: 예원아, 우리 성냥개비로 삼각형을 만들어 보자.

: 그래. 나는 성냥개비 3개로 삼각형을 1개 만들래.

: 그럼 나는 성냥개비 6개로 삼각형 2개를 만들게.

: 지호야, 너 성냥개비 5개로 삼각형 2개 만들어 볼래?

: 5개? 5개로 만들 수 있어?

● 성냥개비 5개로 삼각형 2개를 만드세요.

삼각형 2개를 만들 때
성냥개비 1개를
같이 쓰는 거야.

● 성냥개비 7개로 삼각형 3개를 만드세요.

조건에 맞게 ◯ 안에 알맞은 금액을 쓰세요.

- 세 동전은 모두 160원입니다.
- 첫 번째 동전이 가장 크고 세 번째 동전이 가장 작습니다.

동전 퍼즐

① 동전의 특징을 이용한 퍼즐

- 동전은 모두 560원입니다.
- 첫 번째 동전이 가장 큽니다.
- 두 번째 동전의 색깔만 다릅니다.

② 동전을 놓은 모양을 이용한 퍼즐

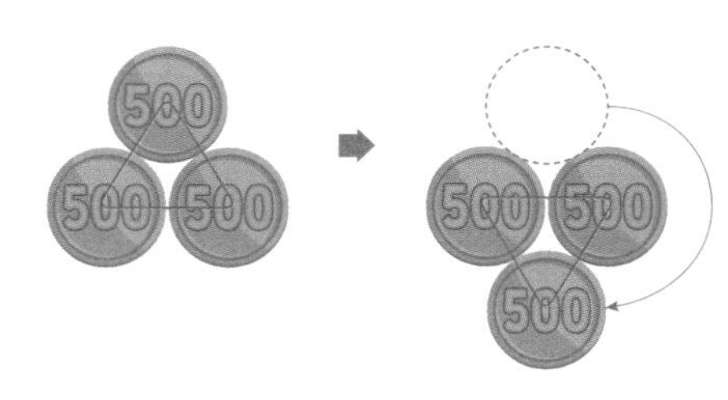

동전을 1개 옮겨서 뒤집은 삼각형 만들기

1. 우리나라에서 사용하는 동전은 500원, 100원, 50원, 10원짜리로 모두 4가지입니다.

2. 크기와 무게는 500원, 100원, 50원, 10원짜리 순으로 크고 무겁습니다.
3. 10원짜리 동전의 색깔만 다르고, 나머지 동전의 색깔은 모두 같습니다.

예제 1

10원, 50원, 100원, 500원짜리 동전을 한 번씩 사용하여 가로, 세로에 놓인 금액의 합이 안의 수가 되도록 매트릭스를 완성하세요.

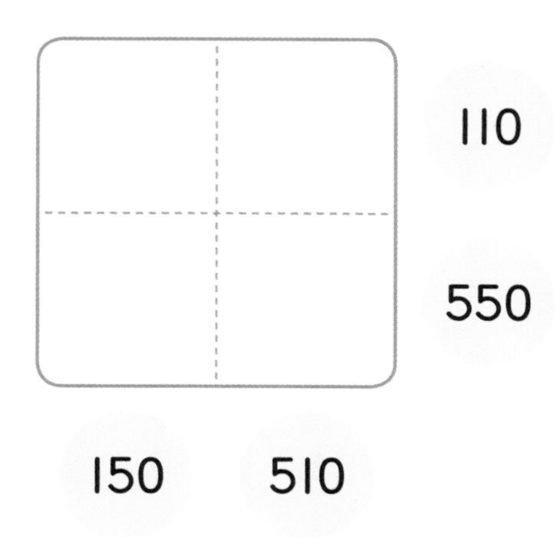

예제 2

동전을 놓아 삼각형 모양을 만들었습니다. 왼쪽 모양에서 동전 2개를 옮겨서 거꾸로 뒤집은 삼각형 모양을 만들려고 합니다. 옮기는 동전에 ×표 하세요.

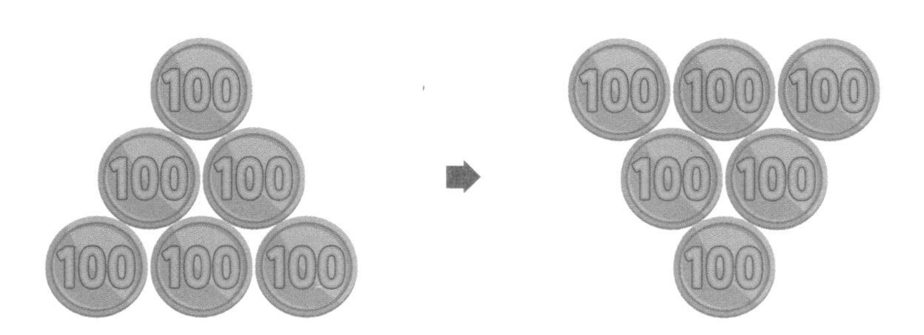

07 대표 문제 2

다음은 성냥개비로 만든 집입니다. 왼쪽 집 모양에서 성냥개비 2개를 옮겨 방향을 바꾼 오른쪽 집 모양을 만들었습니다. 옮기는 성냥개비에 ╳표 하세요.

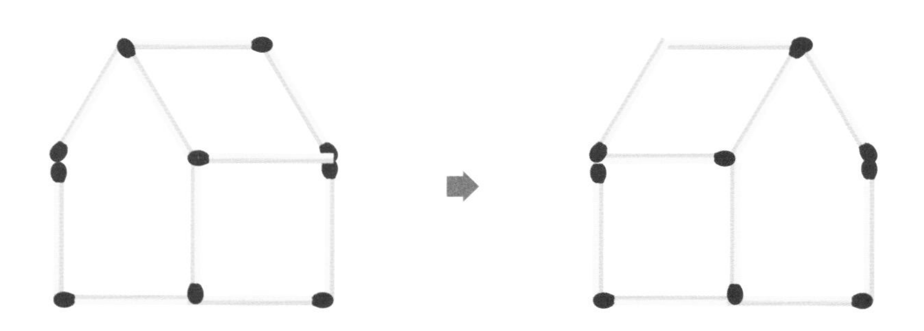

성냥개비 퍼즐

① 성냥개비 방향 바꾸기 퍼즐

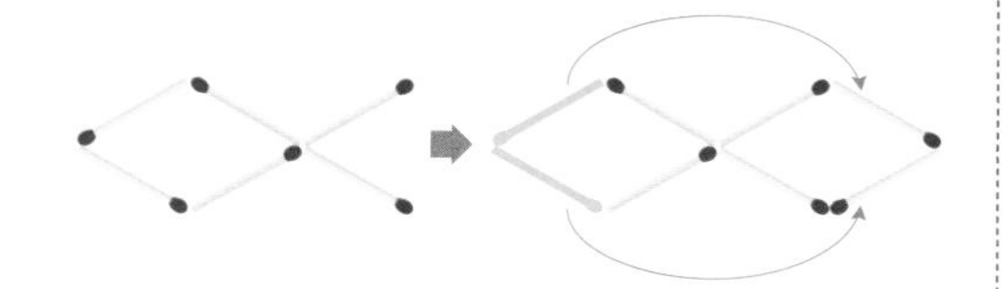

성냥개비 2개를 옮겨서 물고기 방향 바꾸기

② 성냥개비 도형 퍼즐

성냥개비 8개

성냥개비 7개

만드는 방법에 따라 필요한 성냥개비의 개수가 다름

1. 성냥개비로 만든 모양은 성냥개비 몇 개를 옮기거나 빼고 더해서 다양한 모양으로 바꿀 수 있습니다.
2. 도형을 만들 때 사용하는 성냥개비의 길이는 모두 같습니다.
3. 성냥개비로 도형을 만들 때 남는 성냥개비가 있으면 안 됩니다.

예제 1

왼쪽 모양은 성냥개비 9개로 삼각형 4개를 만든 것입니다. 왼쪽 모양에서 성냥개비 2개를 옮겨 크기와 모양이 같은 삼각형 3개가 되도록 만들었습니다. 옮긴 성냥개비에 ╳표 하세요.

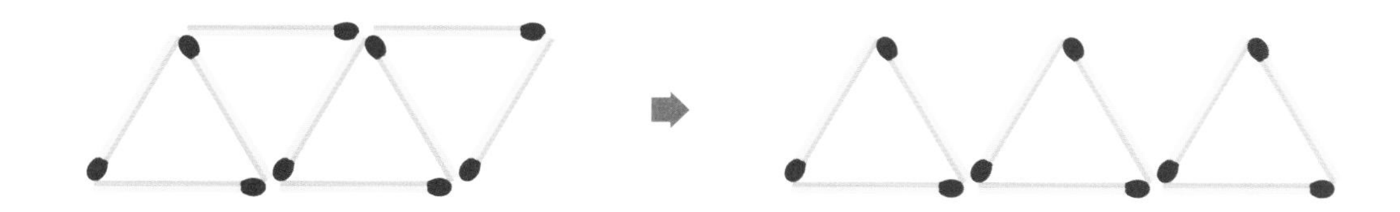

예제 2

다음 모양은 성냥개비 8개로 사각형 1개를 만든 것입니다. 성냥개비 4개를 더하여 크기와 모양이 같은 사각형 4개가 되도록 만들어 보세요.

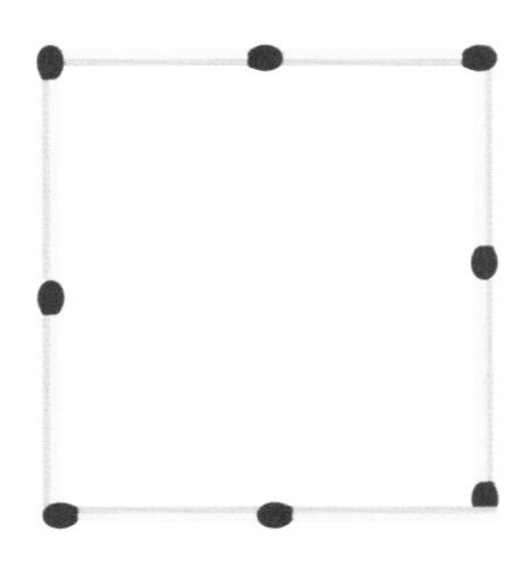

07 확인 문제

1 예원이는 동전 3개를 한 줄로 놓았습니다. 세 동전은 모두 110원이고, 첫 번째 동전만 색이 다르다고 할 때 ◯ 안에 알맞은 금액을 쓰세요.

2 동전을 놓아 만든 삼각형 모양에서 동전을 가장 적게 옮겨서 거꾸로 뒤집은 삼각형 모양을 만들려고 합니다. 옮기는 동전에 ╳표 하세요.

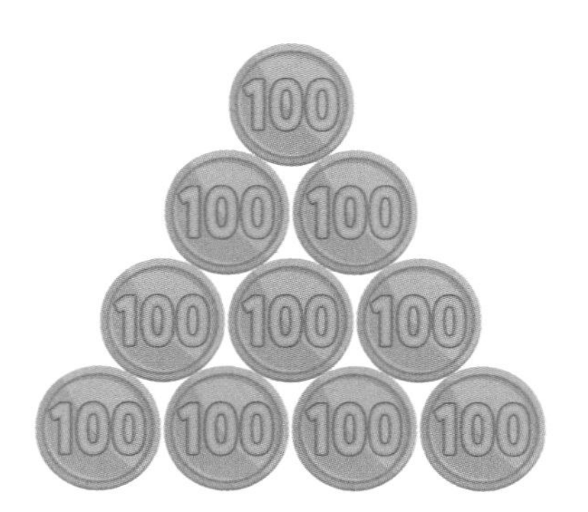

3 왼쪽 모양은 성냥개비로 만든 물고기입니다. 왼쪽 모양에서 성냥개비 3개를 옮겨 물고기 방향을 바꾸려고 합니다. 옮기는 성냥개비에 모두 ╳표 하세요.

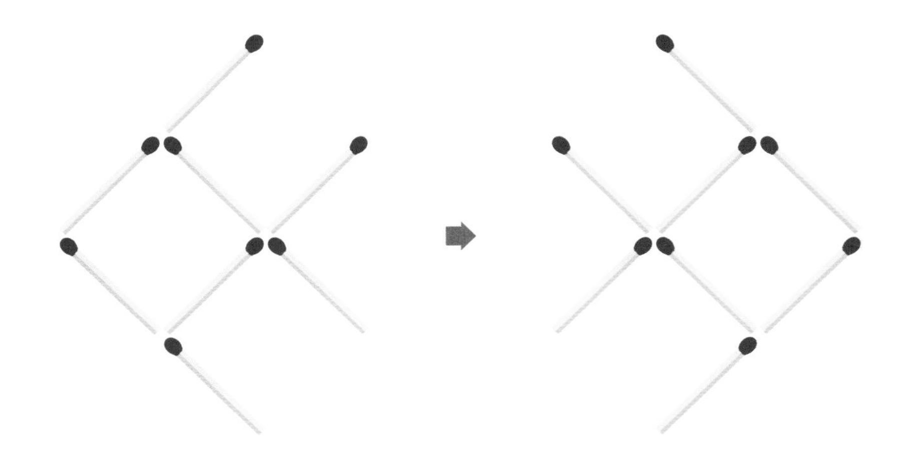

4 빼빼로로 만든 모양에서 지호가 빼빼로 3개를 먹었더니 크기와 모양이 같은 삼각형 4개만 남았습니다. 지호가 먹은 빼빼로에 모두 ╳표 하세요.

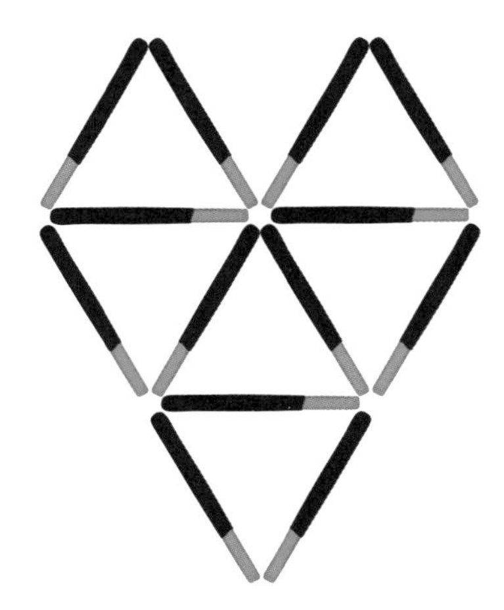

5 왼쪽 모양은 성냥개비로 만든 뒤집어진 의자입니다. 왼쪽 모양에서 성냥개비 2개를 옮겨 똑바로 세운 모양을 만들었습니다. 옮긴 성냥개비에 모두 ╳표 하세요.

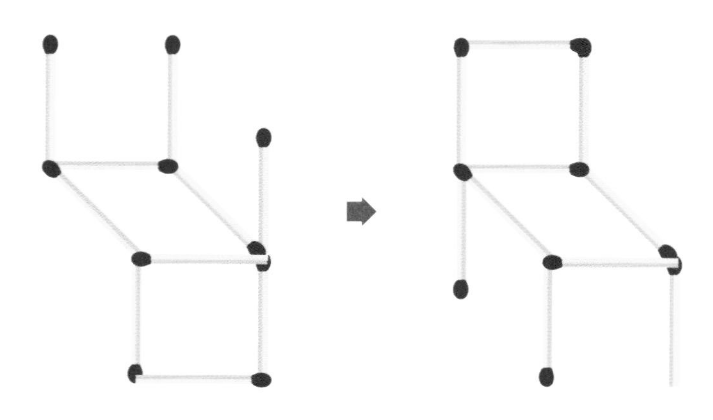

6 성냥개비로 만든 다음 모양에서 성냥개비 2개를 없애서 크기가 서로 다른 사각형 2개를 만들려고 합니다. 없애는 성냥개비에 모두 ╳표 하세요.

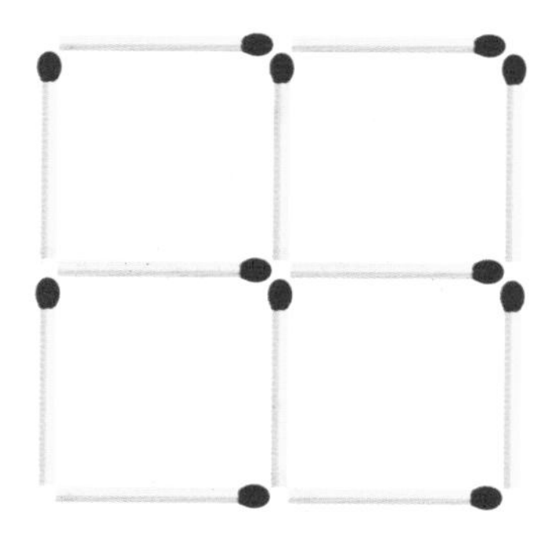

7 동전 16개를 사용하여 만든 다음 모양에서 동전을 가장 적게 옮겨 한 줄에 놓인 동전의 개수가 모두 같은 사각형 모양으로 만들려고 합니다. 옮기는 동전은 모두 몇 개입니까?

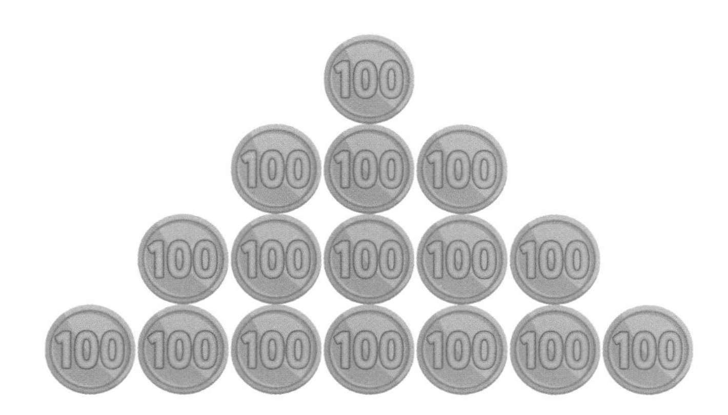

8 성냥개비 9개를 이용하여 크고 작은 삼각형 5개를 만드세요.

07 심화 문제

1 조건에 맞게 동전 6개를 놓으려고 합니다. ◯ 안에 알맞은 금액을 쓰세요.

- 동전 6개는 모두 860원입니다.
- ◯ 안에는 모두 같은 금액의 동전을 놓습니다.
- ◯ 안에 놓이는 동전은 색이 다릅니다.
- ◯ 안에 놓이는 동전이 금액이 가장 큽니다.

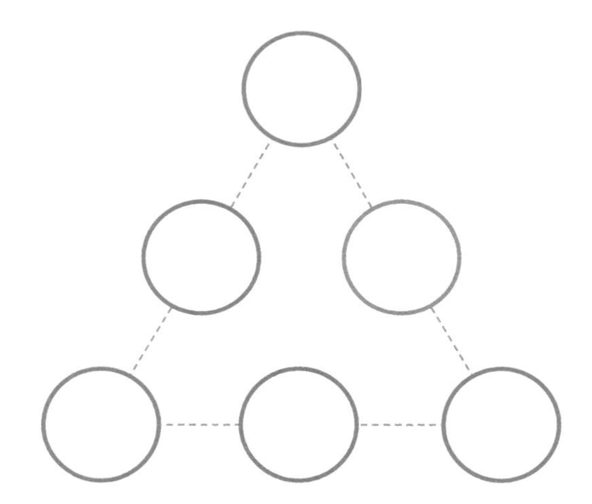

2 의자 2개와 탁자 1개가 있습니다. 성냥개비 3개를 옮겨서 의자 사이에 탁자가 오도록 하려고 합니다. 옮겨야 하는 성냥개비에 모두 ╳표 하세요.

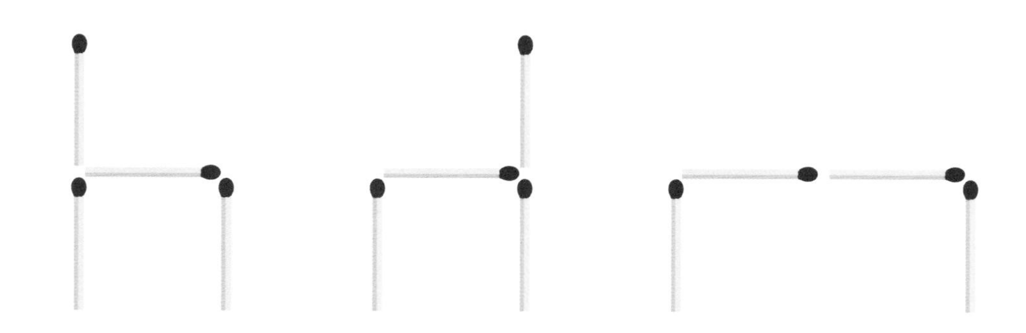

- 한결이는 성냥개비 3개로 삼각형 1개를 만들었습니다. 성냥개비 3개를 더 사용하여 크고 작은 삼각형 8개를 만들어 보세요.

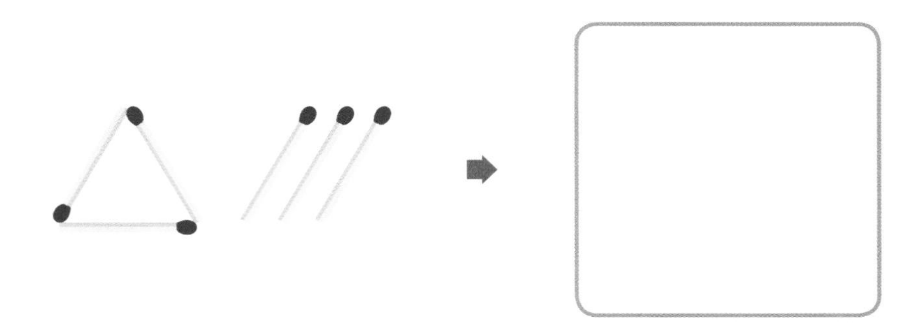

- 금화 9개를 다음과 같이 놓았습니다. 금화 1개를 옮겨 한 줄에 놓인 금화가 4개씩 모두 세 줄이 되도록 만들려고 합니다. 옮기는 금화에 ╳표, 옮기는 곳에 ○표 하세요.

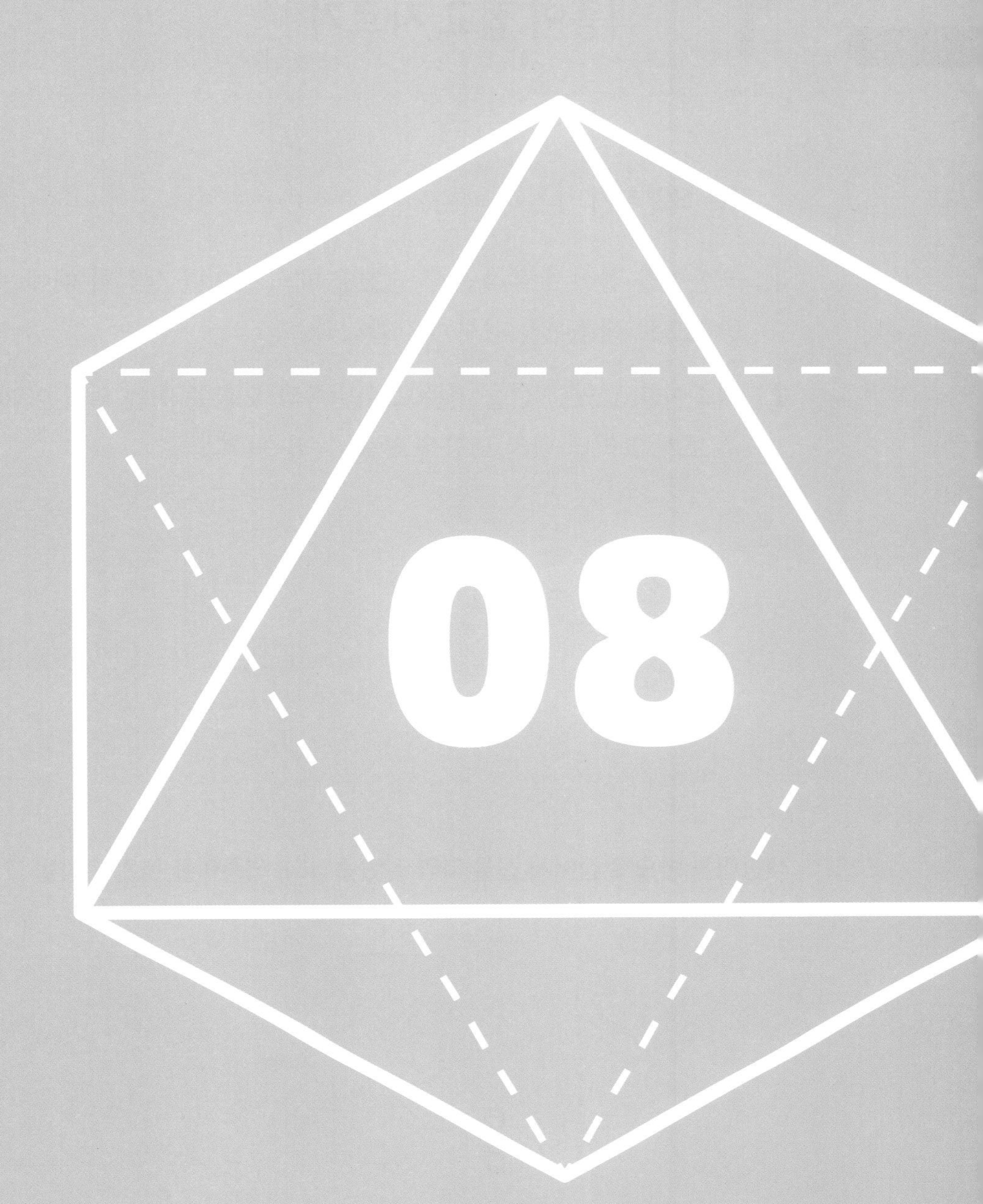

리뷰

색종이 접고 자르기

자른 모양 찾기

1. 색종이를 접어서 잘라낸 후 펼쳤을 때의 모양을 생각할 때에는 접었던 방향과 반대 방향으로 색종이를 펴서 생각합니다.

2. 색종이를 접었던 선을 기준으로 왼쪽과 오른쪽 또는 위와 아래의 모양이 같도록 마주 보게 그리면 펼친 모양을 찾을 수 있습니다.

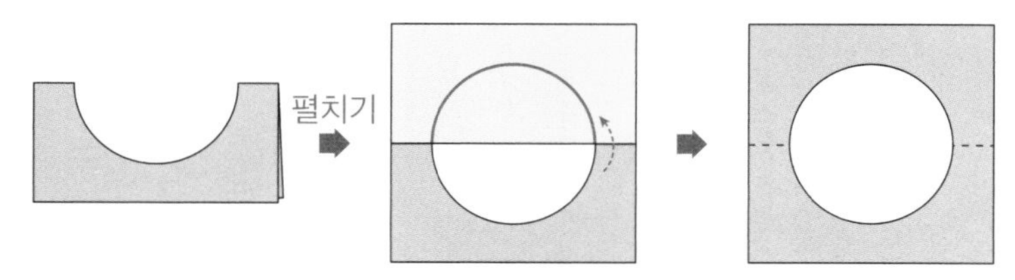

아래 모양과 마주 보는 모양을 위에 그리기

1. 색종이를 반으로 접어서 선을 따라 잘랐습니다. 색종이를 펼친 모양을 그려 보세요.

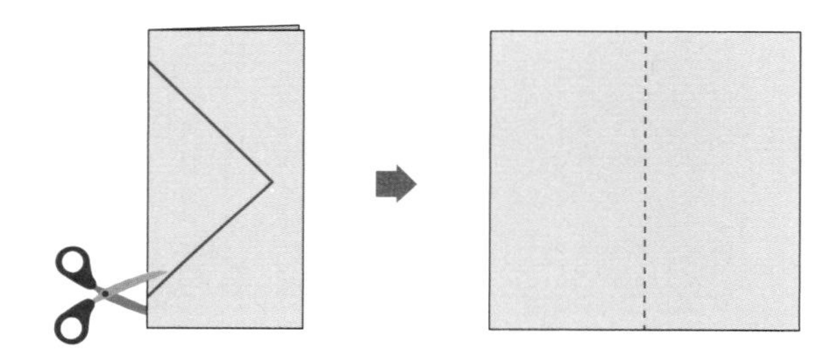

2. 색종이를 반으로 접어서 색칠한 부분을 잘라냈습니다. 펼친 모양을 그려 보세요.

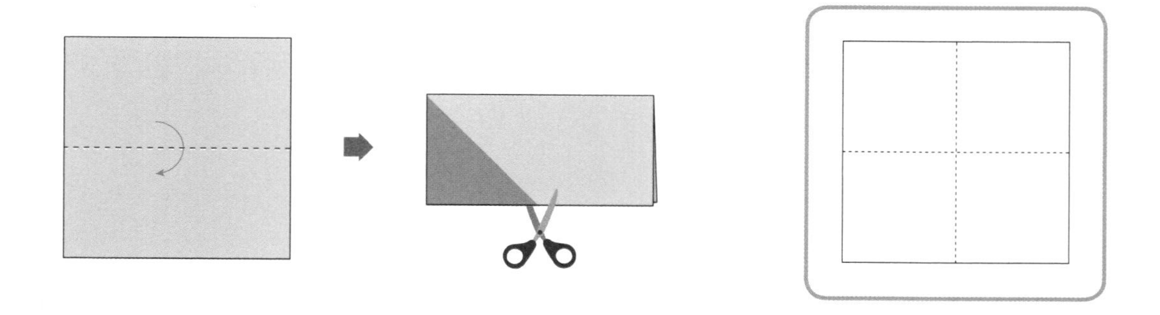

색종이 접고 잘라서 만든 도형

1. 색종이를 접어서 선을 따라 잘랐을 때 나오는 도형은 접은 순서와 반대로 색종이를 펼치면서 자르는 선을 그리면 알 수 있습니다.

2. 자르는 선을 접은 선을 기준으로 왼쪽과 오른쪽, 위와 아래가 같도록 그립니다.

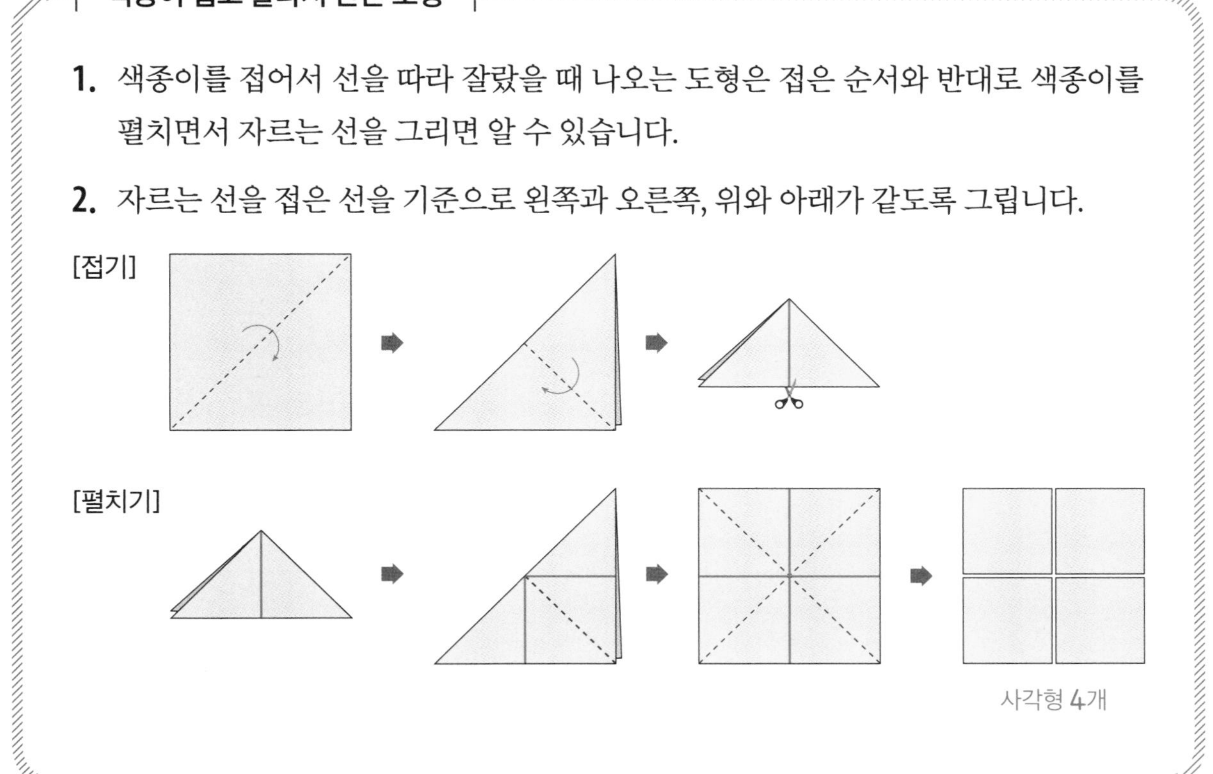

1. 색종이를 반으로 접어 선을 따라 자르면 색종이는 모두 몇 조각이 됩니까?

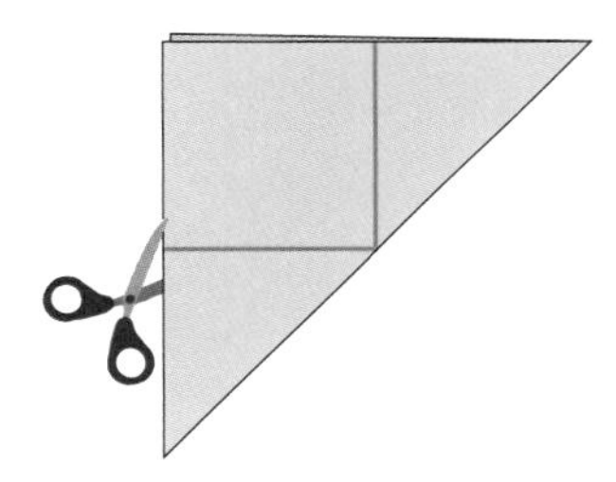

2. 색종이를 다음과 같이 두 번 접어서 선을 따라 잘랐을 때 나오는 도형의 종류와 개수를 쓰세요.

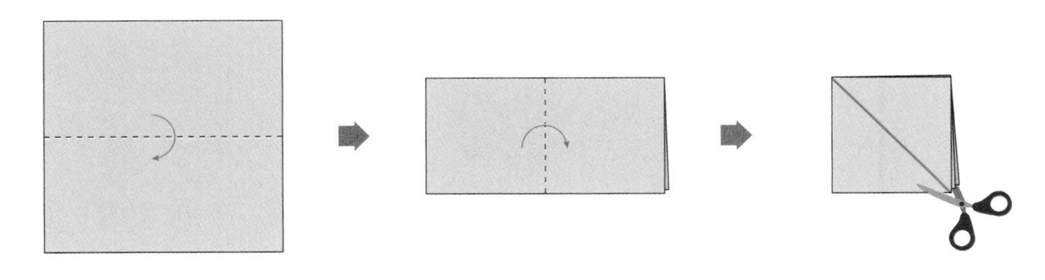

리뷰 **2**

도형의 연결

연결 상태가 같은 도형

1. 도형을 잘라내거나 이어 붙이지 않고, 늘이거나 줄이거나 구부려서 같은 도형을 만들 수 있는 것을 연결 상태가 같은 도형이라고 합니다.

양끝을 잡아 당기면 선 하나가 되는 모양	시작과 끝이 연결된 모양
, ,	, ,
선 중간에 선이 연결된 모양	**시작과 끝이 연결된 모양에 선 2개가 연결된 모양**
, ,	,

1. 알파벳 카드와 자음 카드입니다. 연결 상태가 같은 카드끼리 선으로 이으세요.

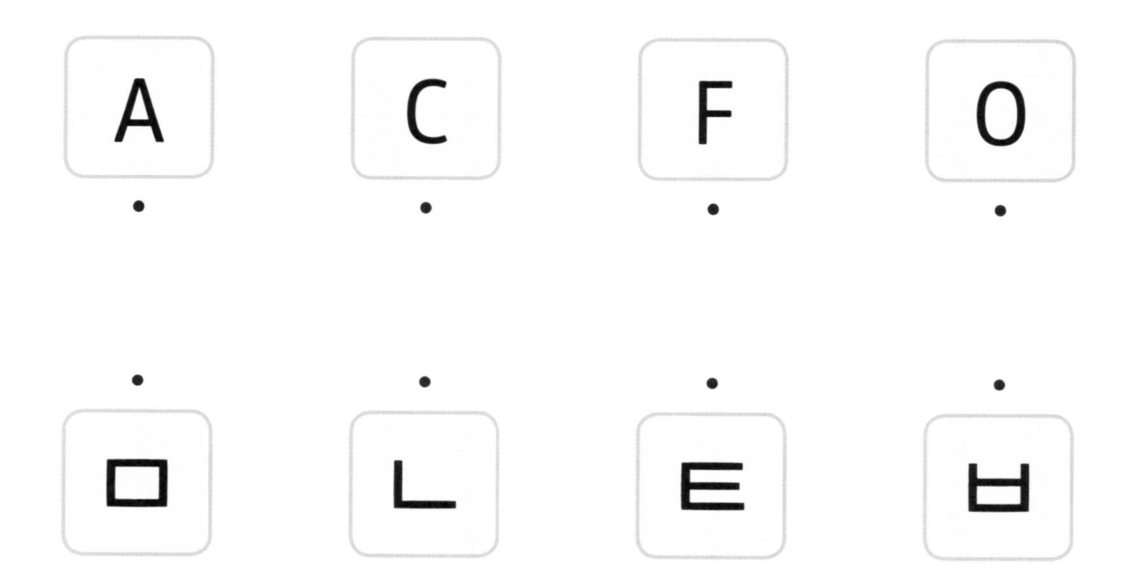

한붓그리기

1. 종이에서 연필을 떼지 않고 모든 선을 한 번만 지나도록 도형을 그리는 것을 한붓그리기라고 합니다.
2. 홀수점이 0개 또는 2개인 도형은 한붓그리기가 가능합니다. (홀수점은 한 점에 연결된 선의 개수가 홀수 개, 짝수점은 한 점에 연결된 선의 개수가 짝수 개입니다.)
3. 홀수점이 0개이면 도형을 그리기 시작한 점과 끝나는 점이 같습니다.
4. 홀수점이 2개이면 하나의 홀수점에서 도형을 그리기 시작하여 다른 홀수점에서 그리기가 끝납니다.

1. 각 도형의 홀수점, 짝수점의 개수를 쓰세요.

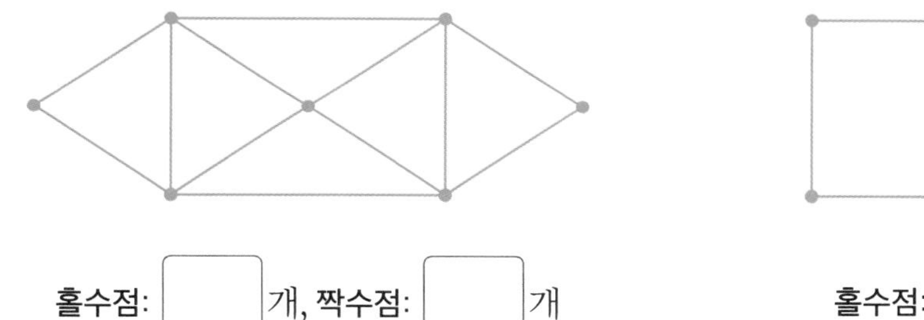

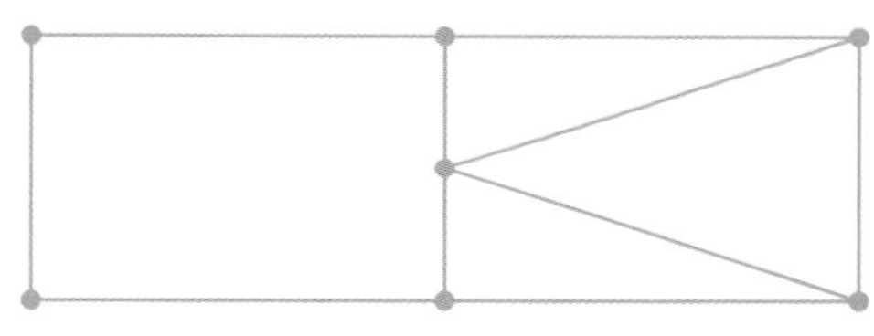

홀수점: □개, 짝수점: □개

2. 다음 중 한붓그리기가 가능하지 않은 모양에 ×표 하세요.

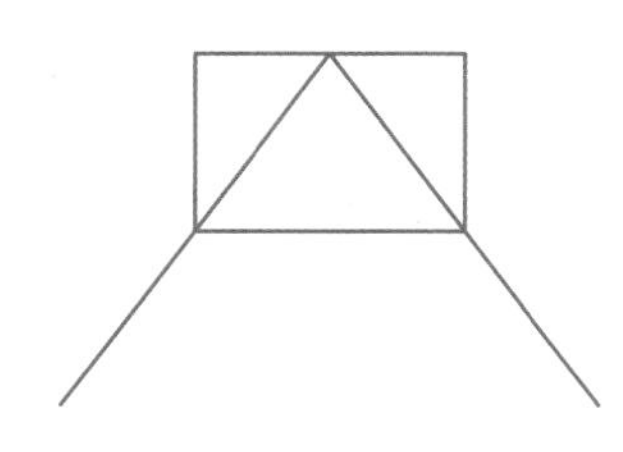

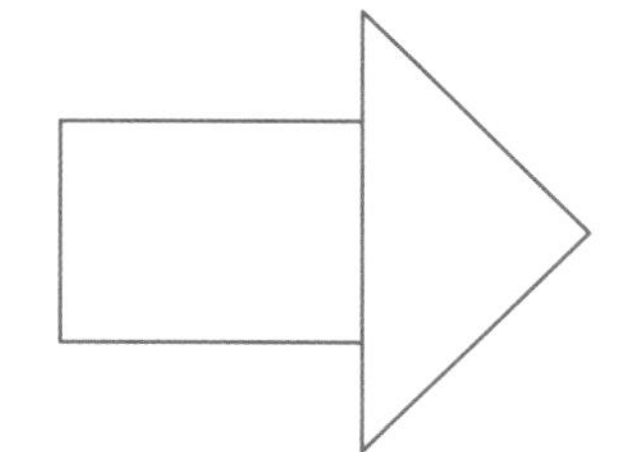

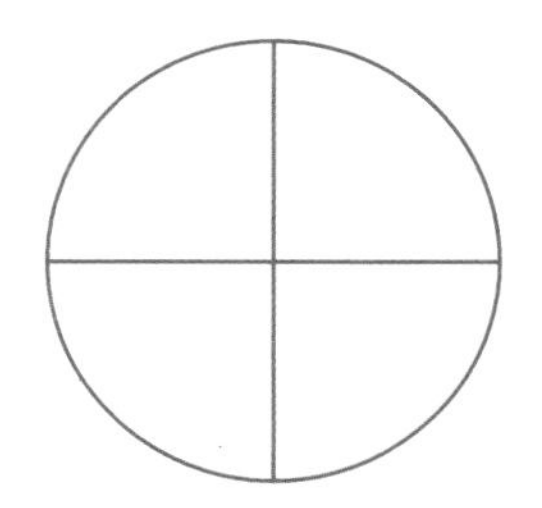

길이 비교

칸의 개수로 길이 비교하기

1. □의 길이는 □와 길이가 같고, ⧅의 길이보다 짧습니다.
2. 길이를 직접 비교할 수 없는 경우 칸의 개수를 세어 비교합니다.

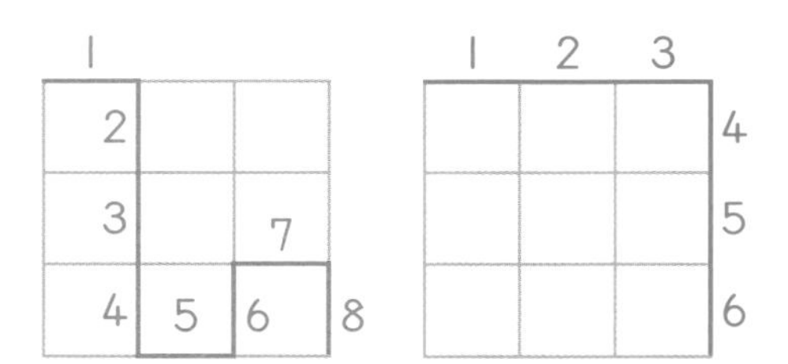

파란색 선이 빨간색 선보다 더 깁니다.

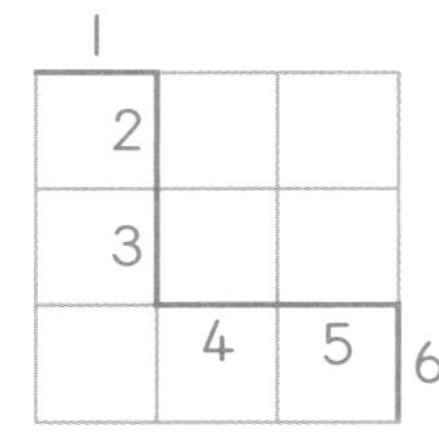

빨간색 선이 파란색 선보다 더 깁니다.

1. 길이가 긴 것부터 차례로 1, 2, 3을 쓰세요.

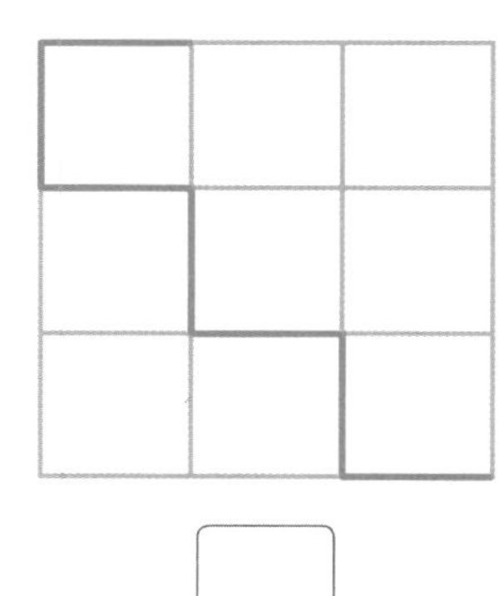

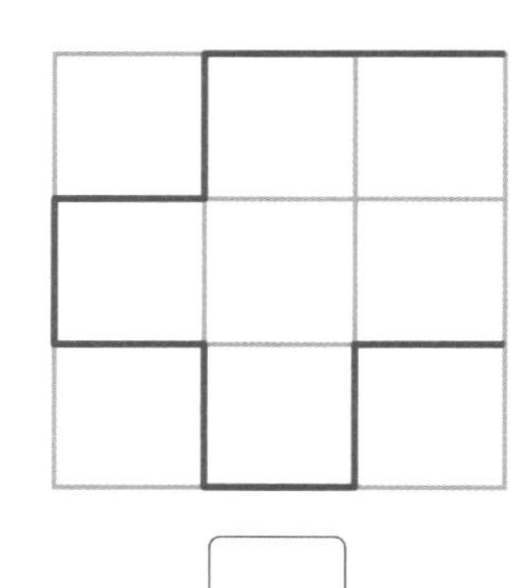

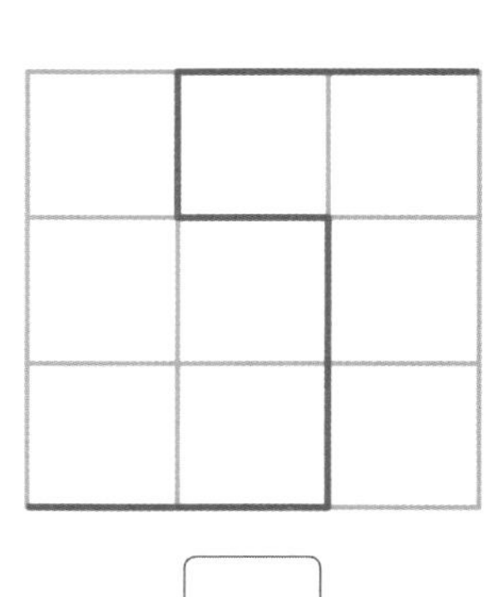

2. 가장 짧은 선의 기호를 쓰세요.

㉠ 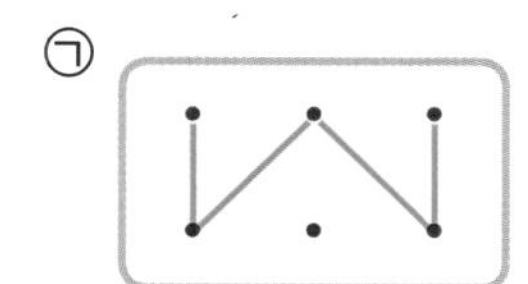

㉡ 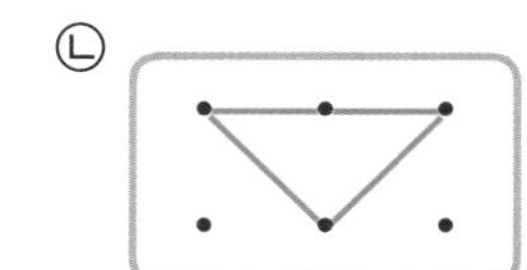

㉢ 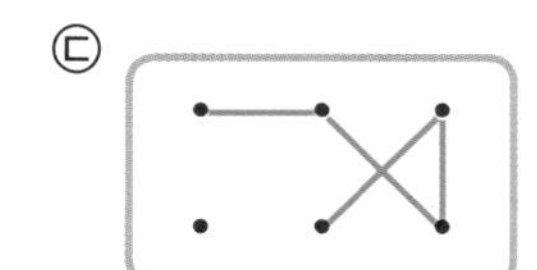

㉣ 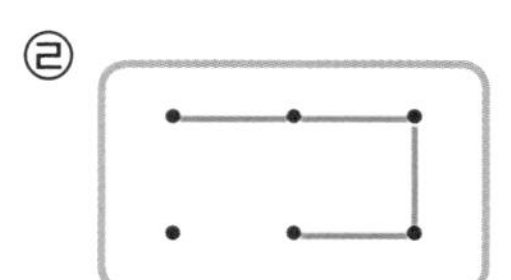

단위길이로 비교하기

1. 길이를 재는 데 기준이 되는 길이를 단위길이라고 합니다.
2. 단위길이가 짧을수록 재는 횟수가 많아지고, 단위길이가 길수록 재는 횟수가 적어집니다.

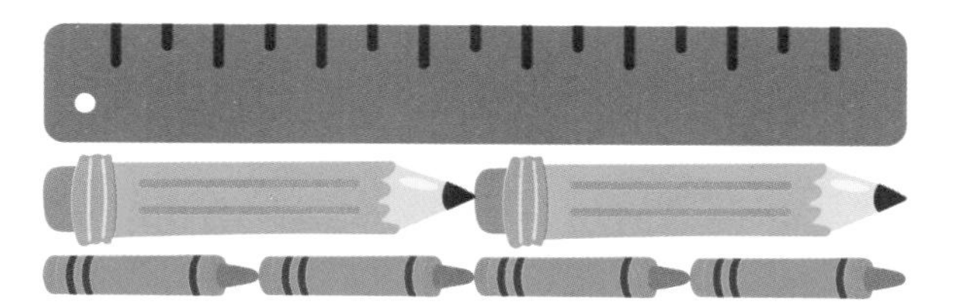

(자의 길이) = (연필 2자루의 길이) = (크레파스 4개의 길이)

1. 그림을 보고 다음 물음에 답하세요.

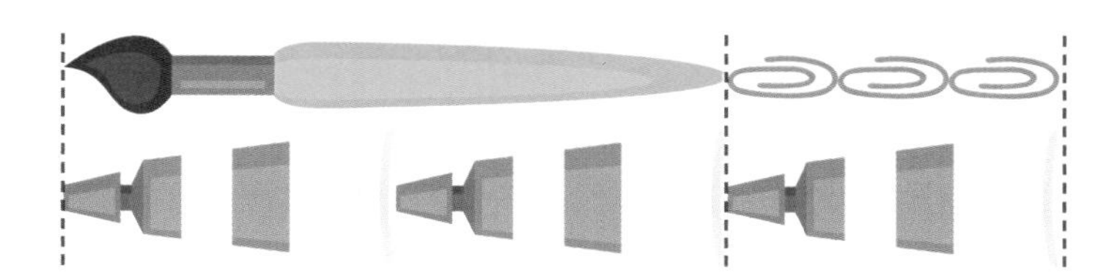

(1) 붓의 길이는 물감 몇 개의 길이와 같습니까?

(2) 물감의 길이는 클립 몇 개의 길이와 같습니까?

(3) 붓의 길이는 클립 몇 개의 길이와 같습니까?

리뷰 

무게 비교

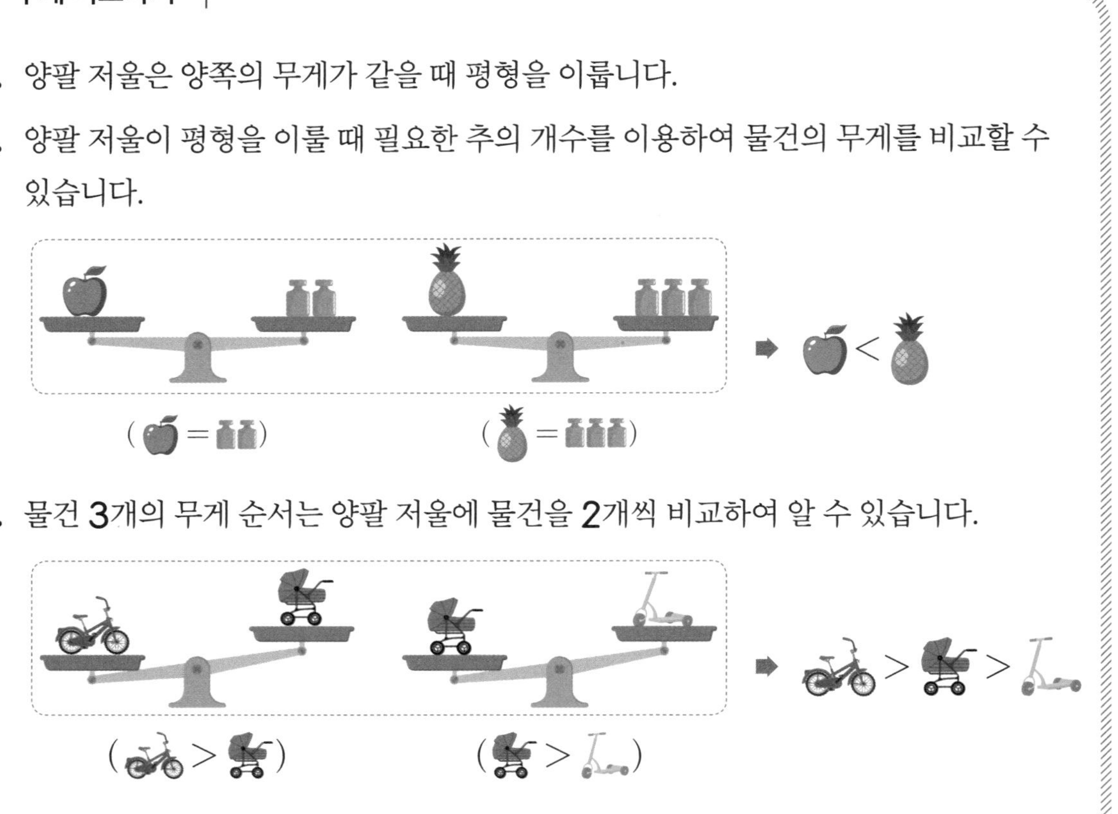

무게 비교하기

1. 양팔 저울은 양쪽의 무게가 같을 때 평형을 이룹니다.

2. 양팔 저울이 평형을 이룰 때 필요한 추의 개수를 이용하여 물건의 무게를 비교할 수 있습니다.

3. 물건 3개의 무게 순서는 양팔 저울에 물건을 2개씩 비교하여 알 수 있습니다.

1. 코끼리, 곰, 양이 시소를 탔습니다. 가장 무거운 동물부터 차례로 쓰세요.

저울의 성질과 바꾸어 넣기

양팔 저울이 평형을 이룰 때

1. 저울의 양쪽에서 같은 물건을 빼도 저울은 평형을 이룹니다.
2. 저울의 양쪽에 같은 물건을 더해도 저울은 평형을 이룹니다 .
3. 무게가 같은 것으로 바꾸어도 저울은 평형을 이룹니다 .

1. 양팔 저울이 모두 평형을 이루고 있습니다. ▲의 무게는 ★ 몇 개의 무게와 같습니까?

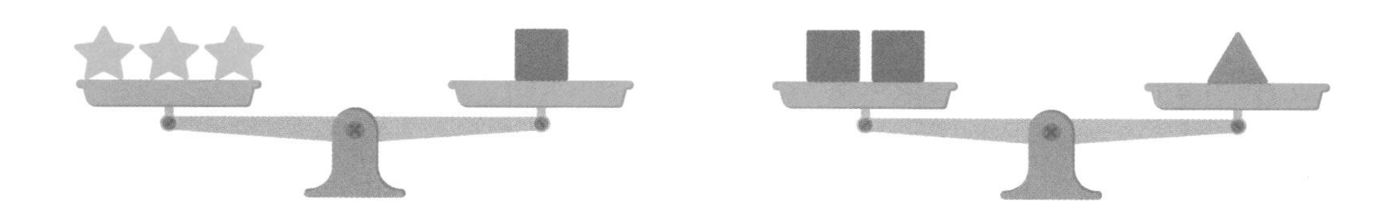

2. 양팔 저울로 망고, 딸기, 사과의 무게를 비교하고 있습니다. 사과의 무게는 딸기 몇 개의 무게와 같습니까?

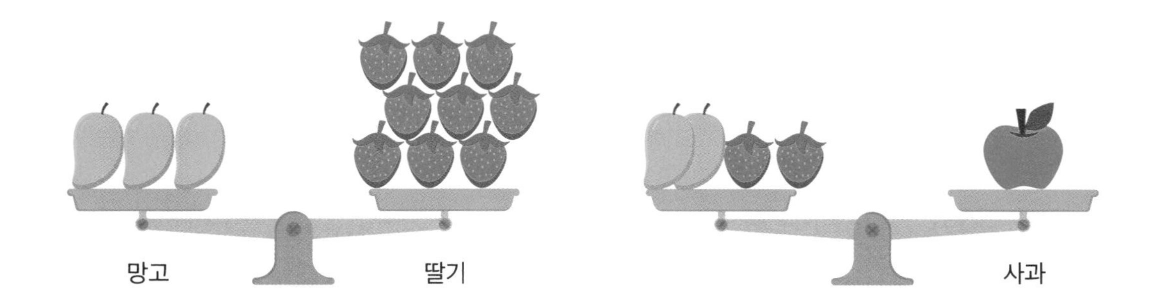

벤다이어그램

1. 속성이 같은 것을 같은 원 안에 넣어 나타내는 그림을 벤다이어그램이라고 합니다.

1. 다음을 분류하여 벤다이어그램을 완성하려고 합니다.
벤다이어그램의 알맞은 곳을 찾아 영역의 번호를 쓰세요.

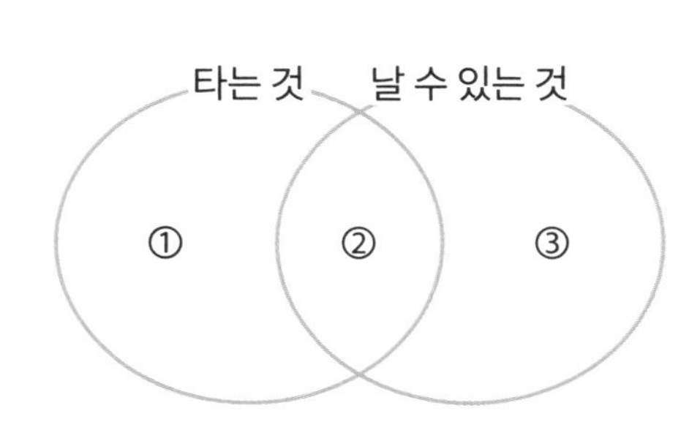

(1)

(2)

(3) 

(4)

(5) 

(6) 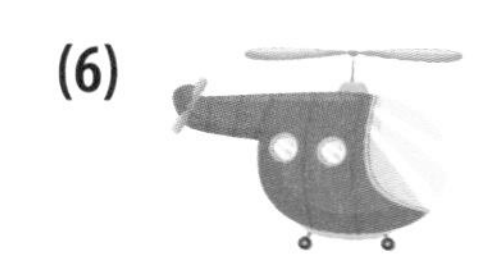

(7)

(8) 

(9) 

벤다이어그램으로 학생 수 구하기

1. (가를 좋아하는 학생 수) = ■ + ▲
2. (나를 좋아하는 학생 수) = ▲ + ●
3. (총 학생 수) = ■ + ▲ + ●

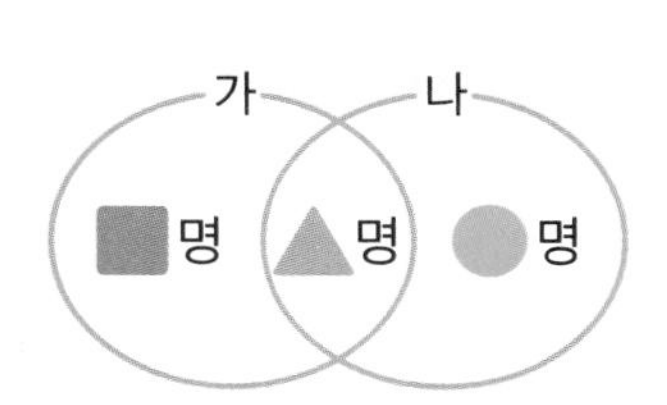

1. 지한이네 반에서 컴퓨터와 휴대전화를 가진 학생을 조사하여 벤다이어그램으로 나타내려고 합니다. 다음 물음에 답하세요. (단, 컴퓨터와 휴대전화가 모두 없는 학생은 없습니다.)

- 컴퓨터가 있는 학생: 9명
- 휴대전화가 있는 학생: 11명
- 휴대전화만 있는 학생: 6명

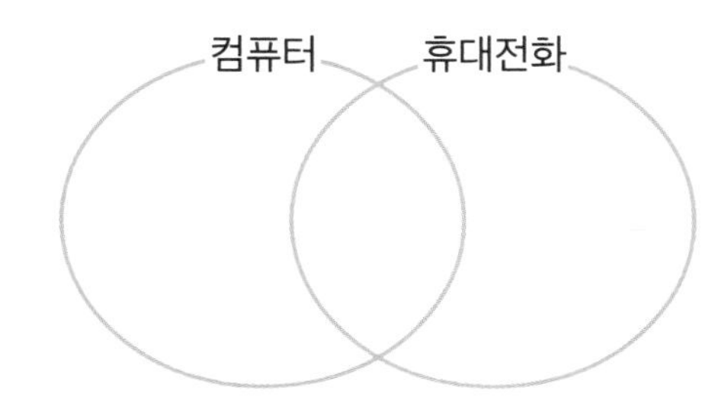

(1) 휴대전화와 컴퓨터가 모두 있는 학생은 몇 명입니까?

(2) 컴퓨터가 있는 학생은 컴퓨터와 휴대전화가 모두 있는 학생보다 몇 명 더 많습니까?

(3) 지한이네 반 학생은 모두 몇 명입니까?

6 님 게임

님 게임의 시작 순서 전략

1. 님 게임은 두 사람이 번갈아 가며 정해진 수의 구슬을 가져가다가 마지막 구슬을 가져가는 사람이 이기는 게임입니다.

2. 구슬을 1개씩 번갈아 가며 가져갈 때, 구슬이 모두 홀수 개이면 먼저 시작하는 사람, 구슬이 모두 짝수 개이면 나중에 시작하는 사람이 이깁니다.

구슬이 홀수 개일 때

먼저 시작한 '나'가 이깁니다.

구슬이 짝수 개일 때

나중에 시작한 '친구'가 이깁니다.

1. 예원이와 지호가 번갈아 가며 쿠키를 1개씩 가져갑니다. 마지막 쿠키를 가져가는 사람이 이긴다고 할 때, 게임에서 이기는 전략에 ◯표 하세요.

 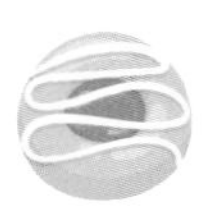   

(먼저 시작합니다 , 나중에 시작합니다)

2. 민서와 한결이가 번갈아 가며 초콜릿을 2개씩 가져갑니다. 마지막 초콜릿을 가져가는 사람이 이긴다고 할 때, 민서가 게임에서 항상 이기려면 먼저 시작해야 할까요? 나중에 시작해야 할까요?

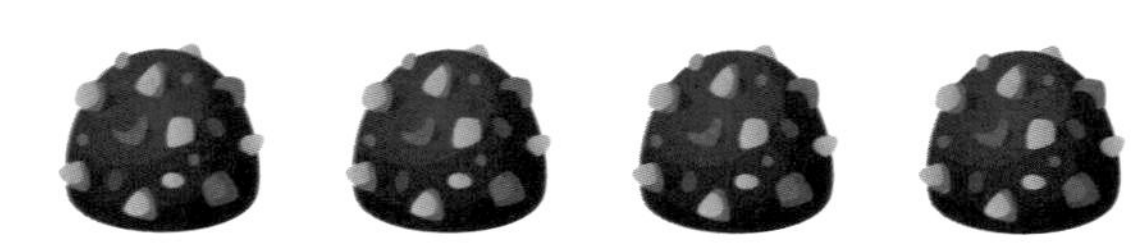

님 게임 전략

1. 번갈아 가며 구슬을 1개 또는 2개씩 가져가는 님 게임에서 마지막 구슬부터 거꾸로 생각하면 반드시 이길 수 있는 전략을 찾을 수 있습니다.
2. 2개까지 가져갈 수 있는 님 게임에서 내 차례에 2개보다 1개 더 많은 3개를 남겨 놓으면 반드시 이길 수 있습니다.

   구슬이 4개일 때 반드시 이기려면 먼저 시작하여 구슬 3개를 남깁니다.

   남은 구슬 3개 중 친구가 1개 또는 2개를 가져가도 내가 항상 이길 수 있습니다.

   그러므로 먼저 시작하여 1개를 가져갑니다. (나: ╱, 친구: ╳)

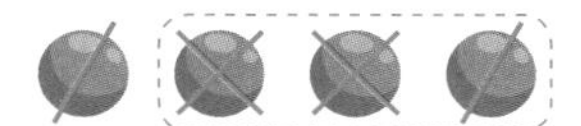

1. 두 사람이 번갈아 가며 구슬을 1개 또는 2개를 가져가고, 마지막 구슬을 가져가는 사람이 이깁니다. 먼저 시작한 사람이 항상 이기려면 처음에 구슬을 몇 개 가져가야 합니까?

2. 한결이와 지한이가 번갈아 가며 인형을 1개 또는 3개를 가져가고, 마지막 인형을 가져가는 사람이 이깁니다. 먼저 시작한 한결이가 처음에 인형 1개를 가져간다면 한결이는 항상 이길 수 있습니까?

동전 퍼즐

1. 우리나라에서 사용하는 동전은 500원, 100원, 50원, 10원짜리로 모두 4가지입니다.

2. 크기와 무게는 500원, 100원, 50원, 10원짜리 순으로 크고 무겁습니다.
3. 10원짜리 동전의 색깔만 다르고, 나머지 동전의 색깔은 모두 같습니다.

1. 10원, 50원, 100원, 500원짜리 동전을 사용하여 가로, 세로에 놓인 금액의 합이 ◯ 안의 수가 되도록 매트릭스를 완성하세요.

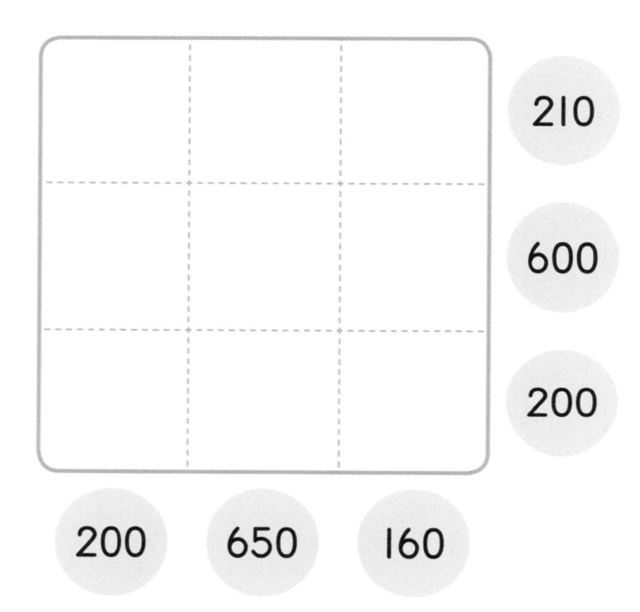

2. 금화 9개를 다음과 같이 놓았습니다. 금화 2개를 옮겨 한 줄에 놓인 금화의 개수가 모두 같은 사각형 모양을 만들려고 합니다. 옮기는 금화에 ╳표, 옮기는 곳에 ◯표 하세요.

성냥개비 퍼즐

1. 성냥개비로 만든 모양은 성냥개비 몇 개를 옮기거나 빼고 더해서 다양한 모양으로 바꿀 수 있습니다.
2. 도형을 만들 때 사용하는 성냥개비의 길이는 모두 같습니다.
3. 성냥개비로 도형을 만들 때 남는 성냥개비가 있으면 안 됩니다.

1. 성냥개비 6개로 삼각형 2개를 만들었습니다. 성냥개비 2개를 움직여 삼각형 1개를 만들려고 합니다. 옮기는 성냥개비에 ╳표 하고, 만든 모양을 그려 보세요.

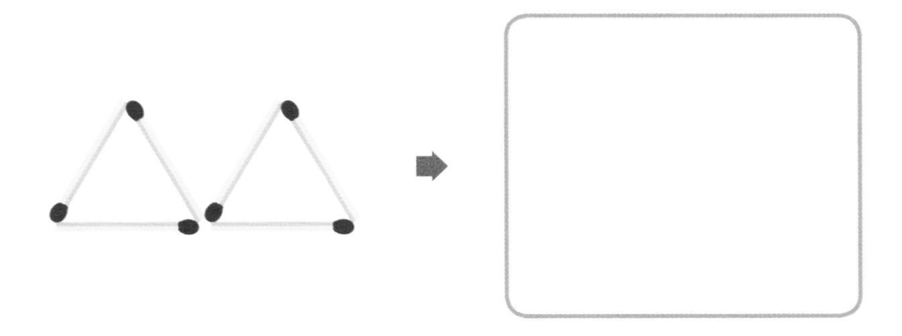

2. 성냥개비 8개로 사각형 2개를 만들었습니다. 성냥개비 4개를 움직여 사각형 1개를 만들려고 합니다. 옮기는 성냥개비에 ╳표 하고, 만든 모양을 그려 보세요.

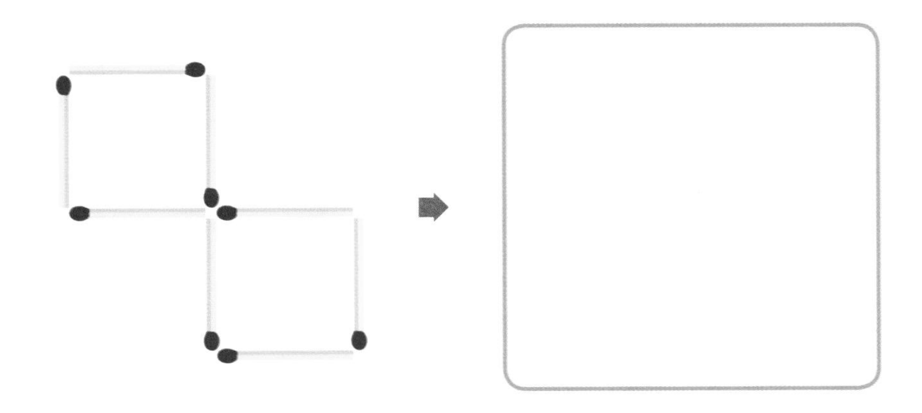

Memo

Memo

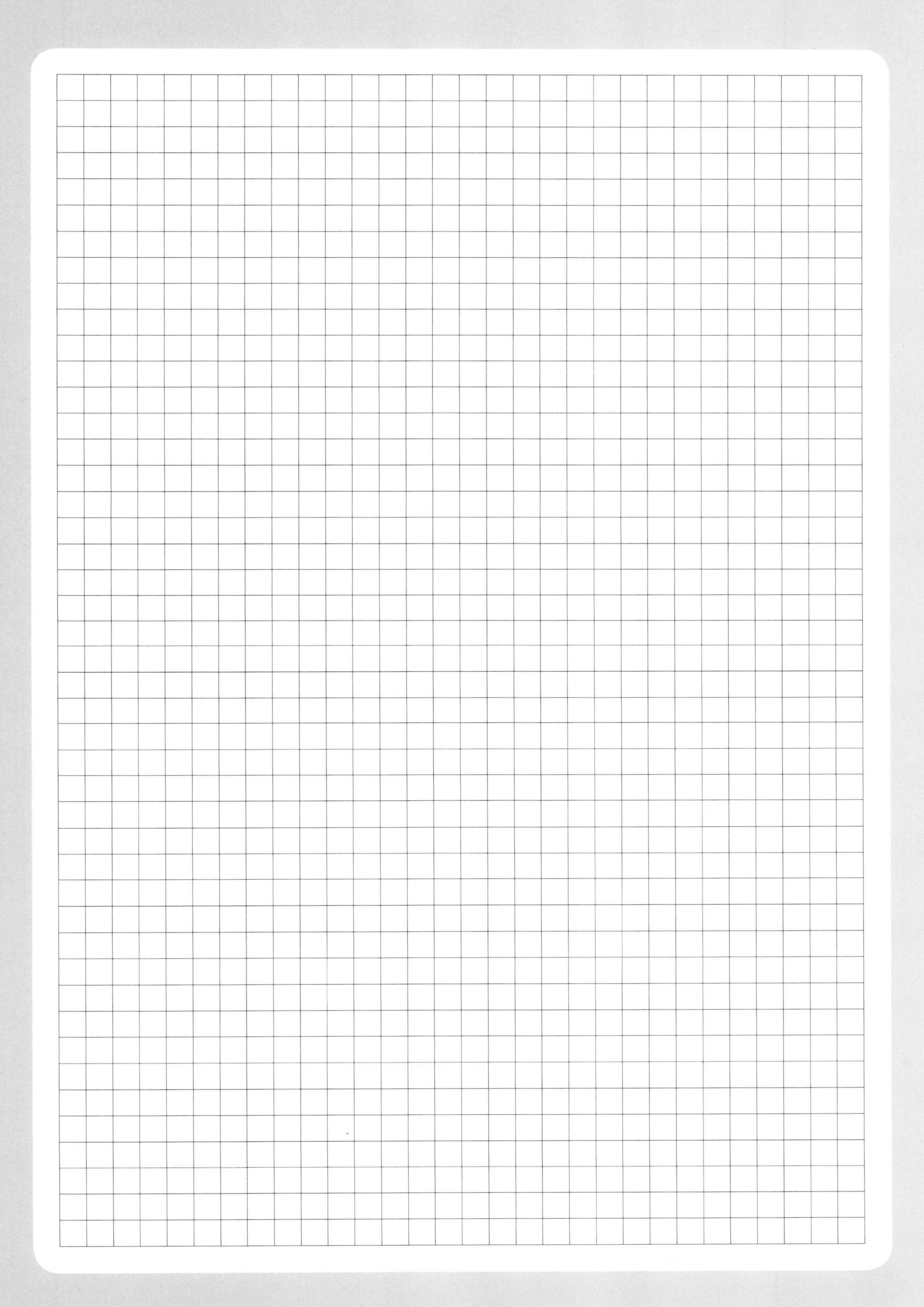

Memo

Memo

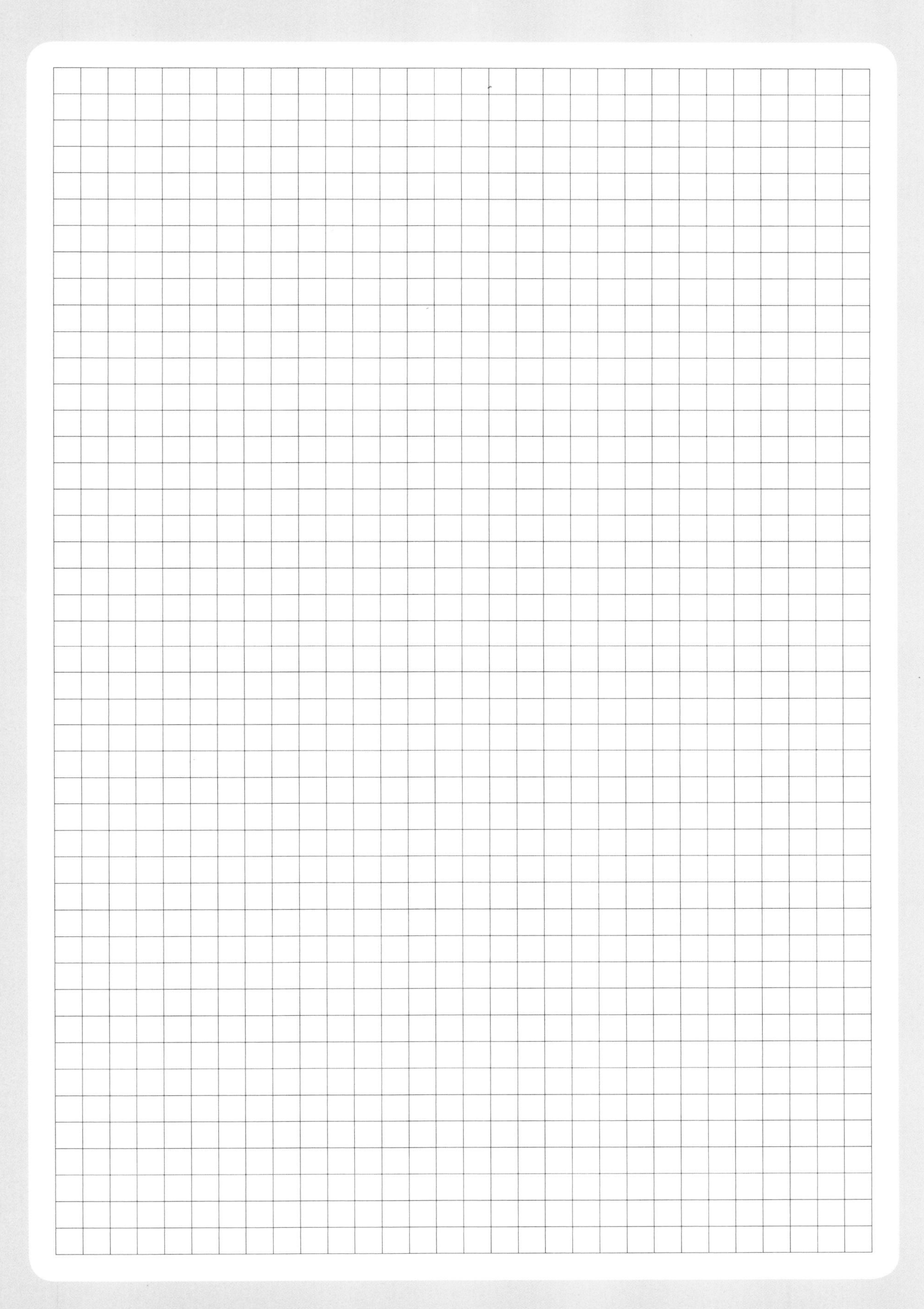

Memo

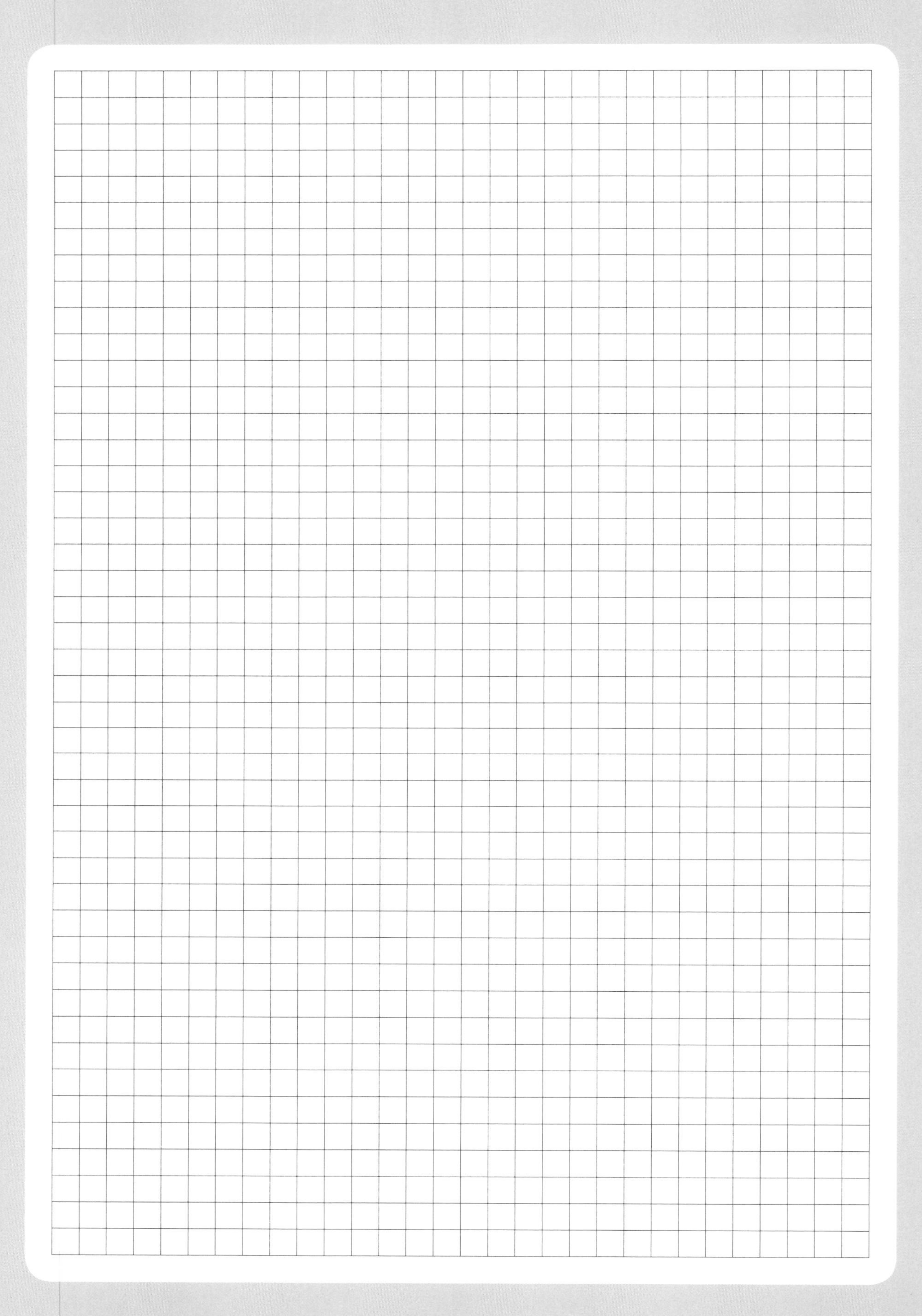

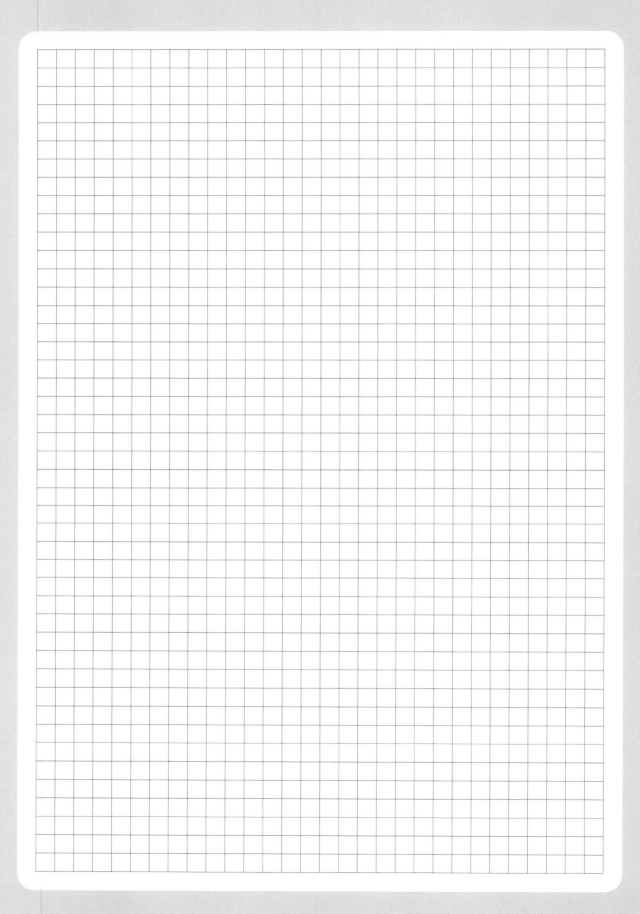

정답 및 해설

영재 사고력수학 필즈

초등학교 1, 2학년을 위한

베이직 중 _ 도형·측정, 문제 해결 방법

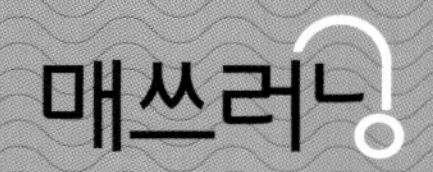

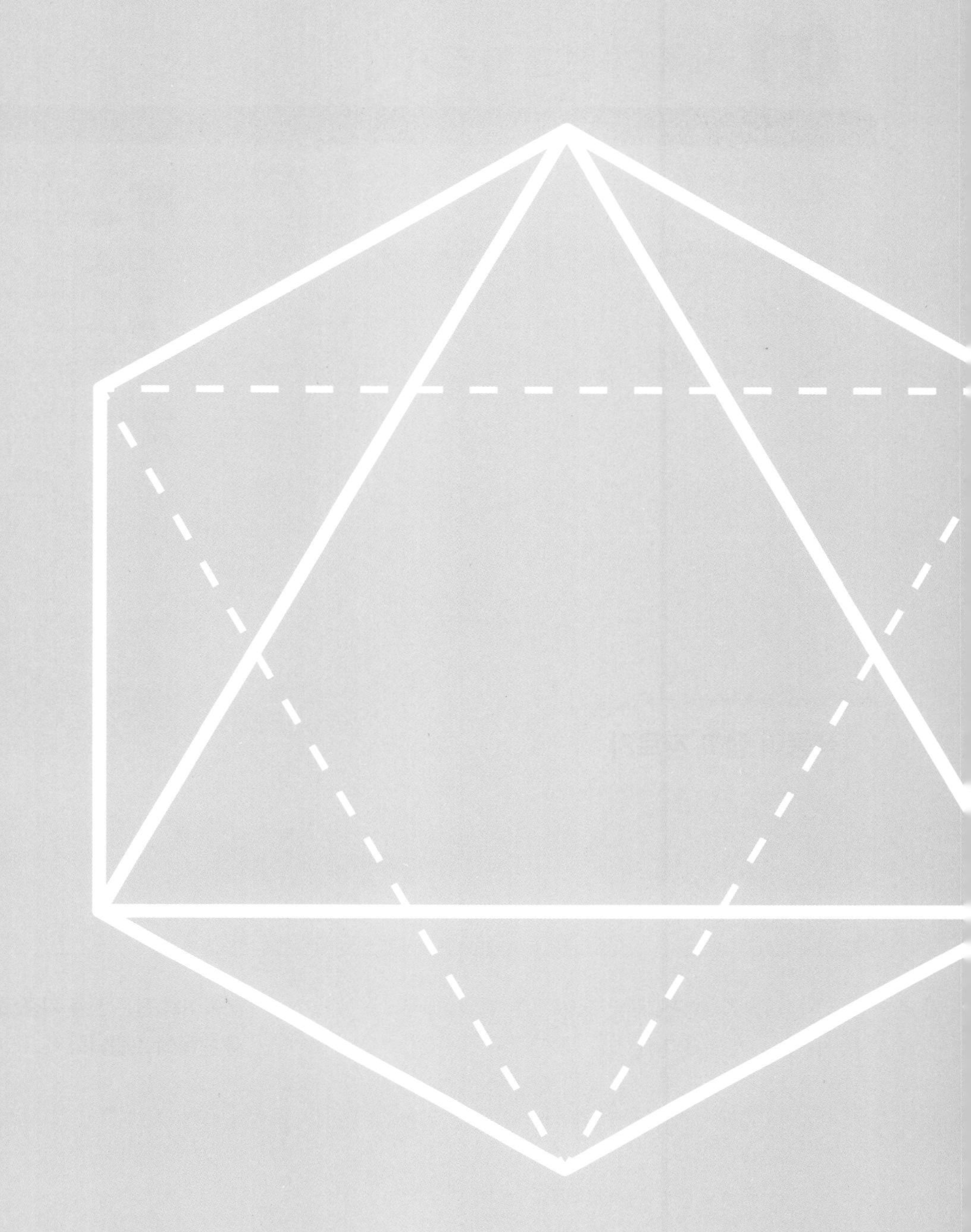

정답 및 해설

01 색종이 접고 자르기

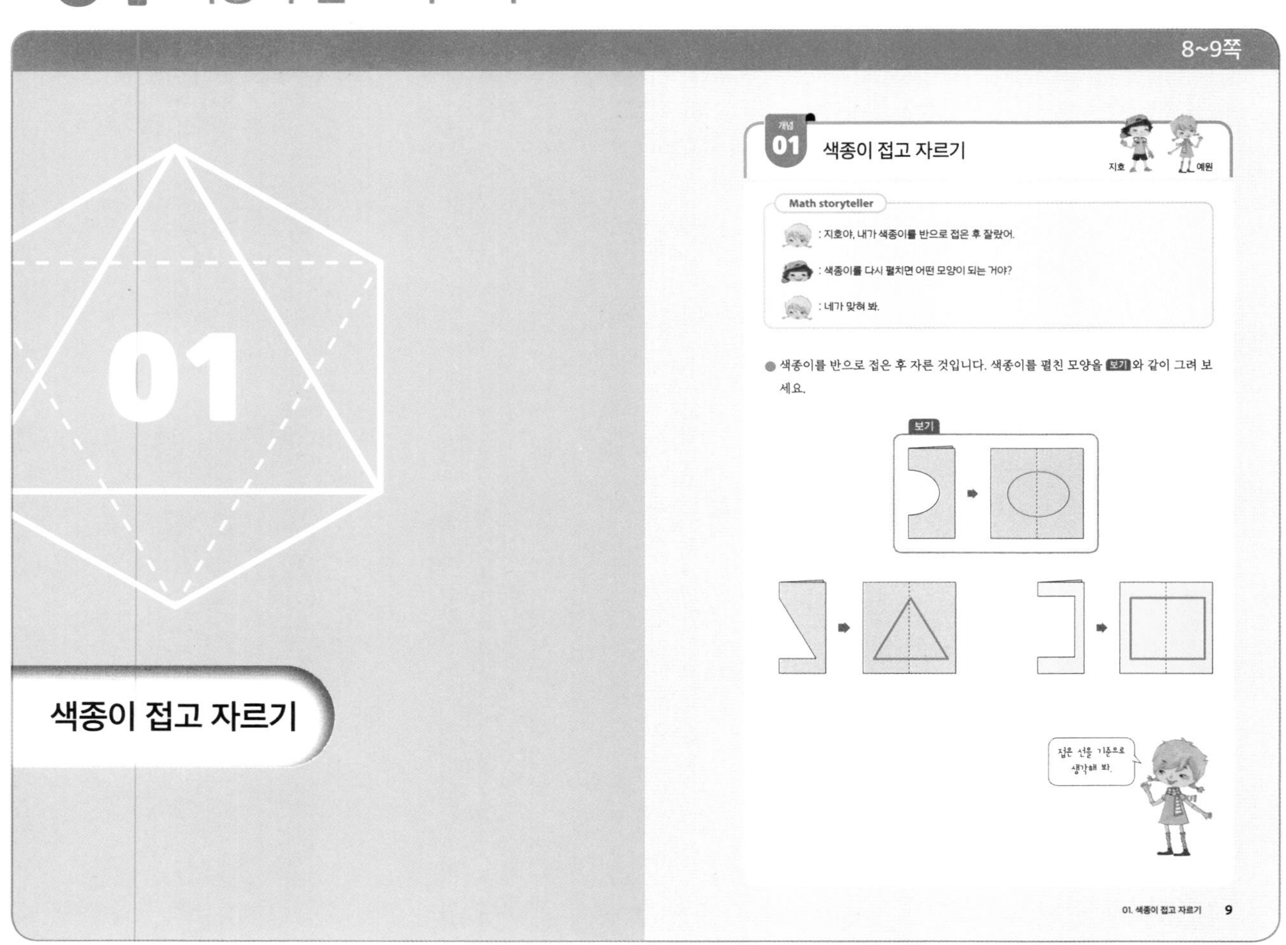
8~9쪽

색종이 접고 자르기

개념 01 색종이 접고 자르기

지호 예원

Math storyteller

: 지호야, 내가 색종이를 반으로 접은 후 잘랐어.

: 색종이를 다시 펼치면 어떤 모양이 되는 거야?

: 네가 맞혀 봐.

● 색종이를 반으로 접은 후 자른 것입니다. 색종이를 펼친 모양을 보기와 같이 그려 보세요.

01. 색종이 접고 자르기 9

색종이를 접은 선을 기준으로 오른쪽 자른 선과 같은 모양을 왼쪽에 그립니다.

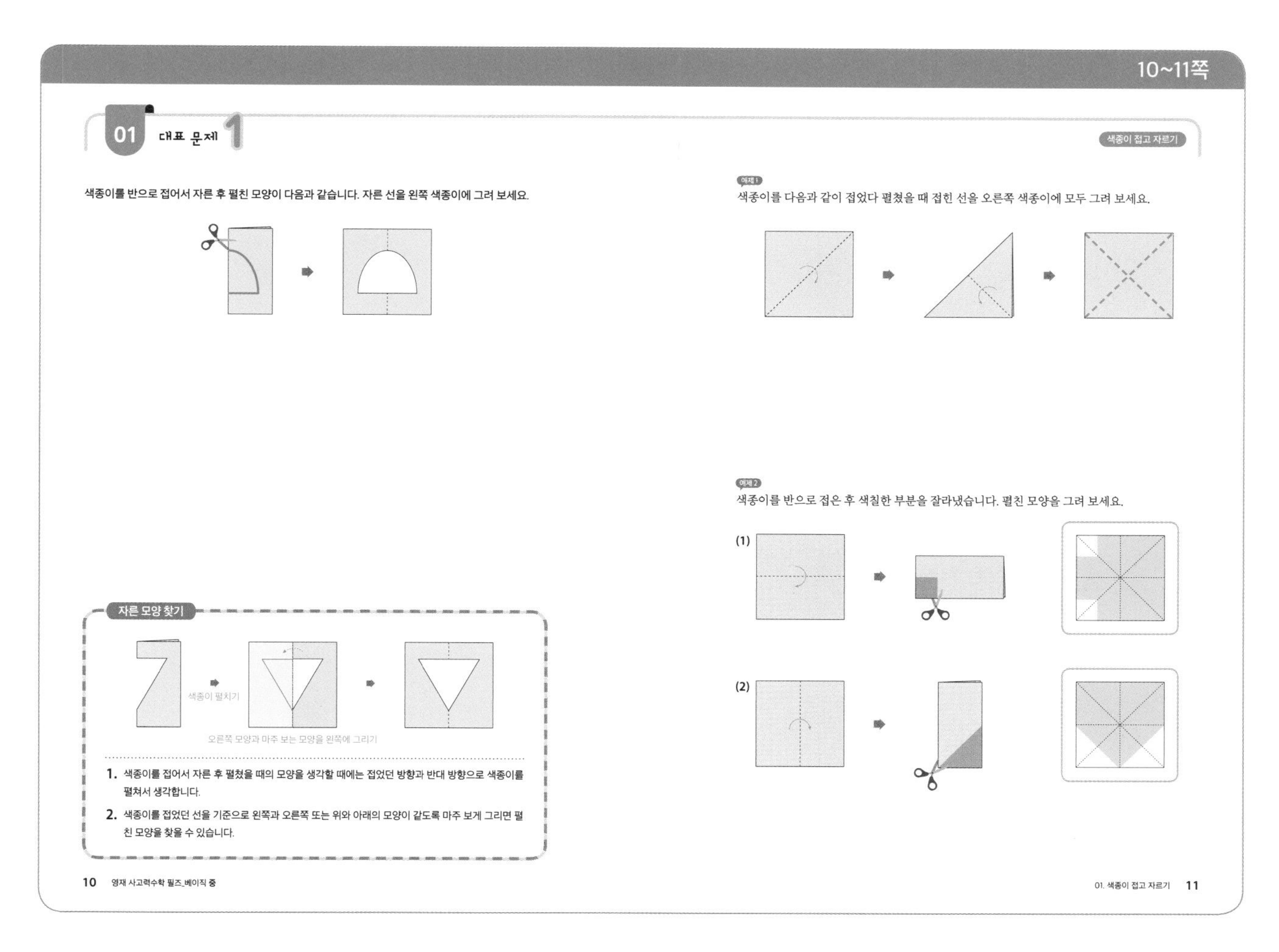
10~11쪽

01 대표 문제 1

색종이 접고 자르기

색종이를 반으로 접어서 자른 후 펼친 모양이 다음과 같습니다. 자른 선을 왼쪽 색종이에 그려 보세요.

예제 1
색종이를 다음과 같이 접었다 펼쳤을 때 접힌 선을 오른쪽 색종이에 모두 그려 보세요.

예제 2
색종이를 반으로 접은 후 색칠한 부분을 잘라냈습니다. 펼친 모양을 그려 보세요.

(1)

(2)

자른 모양 찾기

색종이 펼치기

오른쪽 모양과 마주 보는 모양을 왼쪽에 그리기

1. 색종이를 접어서 자른 후 펼쳤을 때의 모양을 생각할 때에는 접었던 방향과 반대 방향으로 색종이를 펼쳐서 생각합니다.
2. 색종이를 접었던 선을 기준으로 왼쪽과 오른쪽 또는 위와 아래의 모양이 같도록 마주 보게 그리면 펼친 모양을 찾을 수 있습니다.

10 영재 사고력수학 필즈_베이직 중

01. 색종이 접고 자르기 11

펼쳐진 색종이를 다시 오른쪽으로 접었다고 생각합니다.

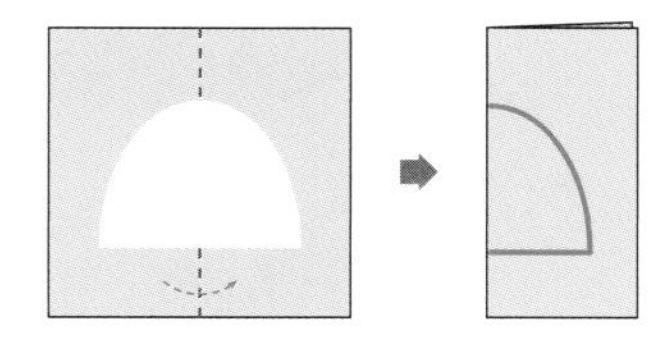

예제 1

접은 색종이를 접었던 방향과 반대 방향으로 펼치면서 접은 선을 그립니다.

예제 2

(1) 접은 선을 기준으로 아래와 같은 모양을 위에 그립니다.
(2) 접은 선을 기준으로 오른쪽과 같은 모양을 왼쪽에 그립니다.

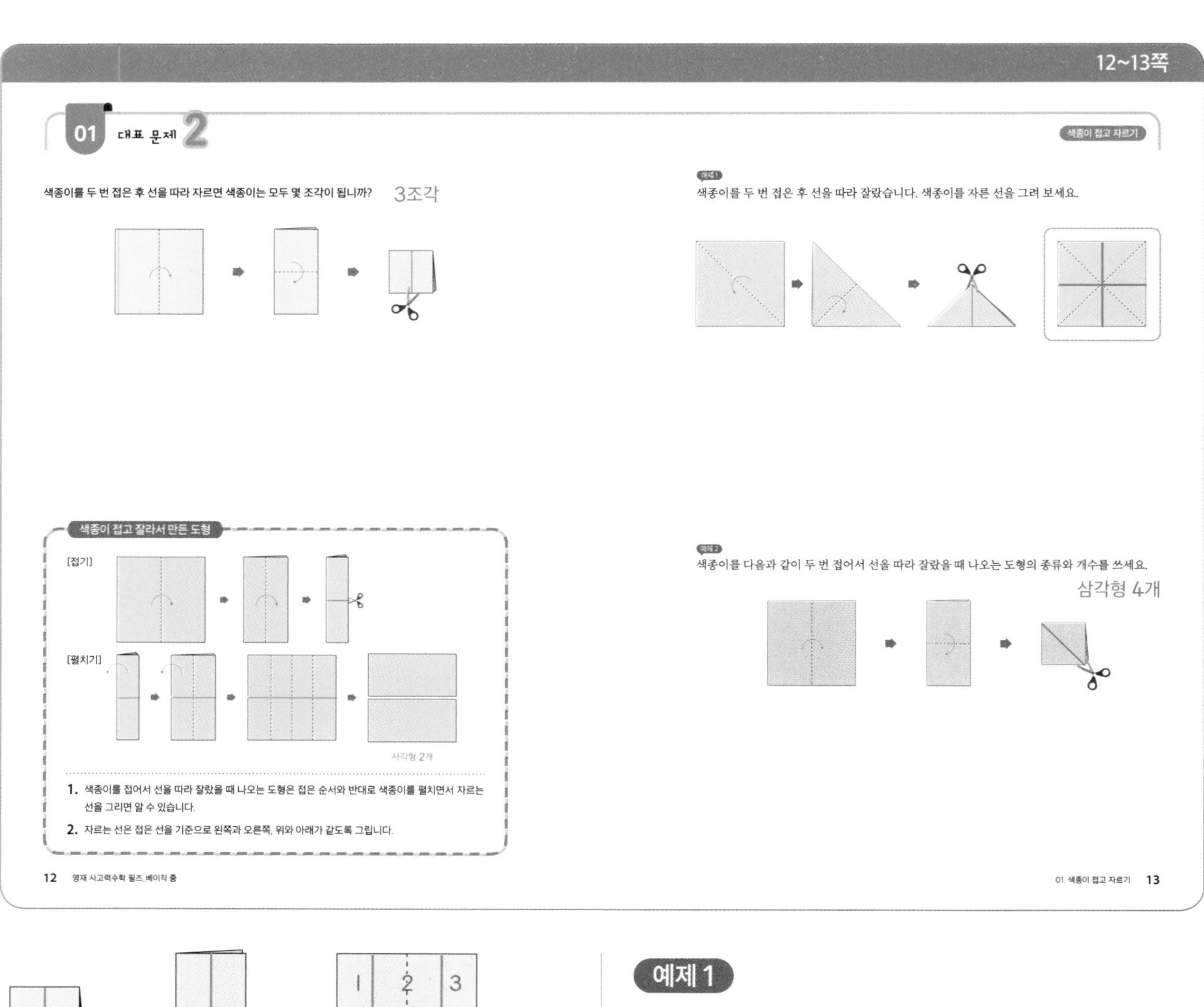
12~13쪽

01 대표 문제 2

색종이 접고 자르기

색종이를 두 번 접은 후 선을 따라 자르면 색종이는 모두 몇 조각이 됩니까? 3조각

예제 1
색종이를 두 번 접은 후 선을 따라 잘랐습니다. 색종이를 자른 선을 그려 보세요.

색종이 접고 잘라서 만든 도형

[접기]

[펼치기]

사각형 2개

1. 색종이를 접어서 선을 따라 잘랐을 때 나오는 도형은 접은 순서와 반대로 색종이를 펼치면서 자르는 선을 그리면 알 수 있습니다.
2. 자르는 선은 접은 선을 기준으로 왼쪽과 오른쪽, 위와 아래가 같도록 그립니다.

예제 2
색종이를 다음과 같이 두 번 접어서 선을 따라 잘랐을 때 나오는 도형의 종류와 개수를 쓰세요.
삼각형 4개

12 영재 사고력수학 필즈_베이직 중

01. 색종이 접고 자르기 13

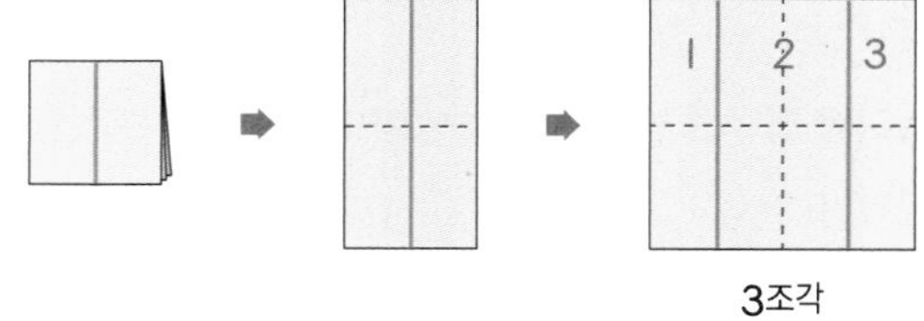

3조각

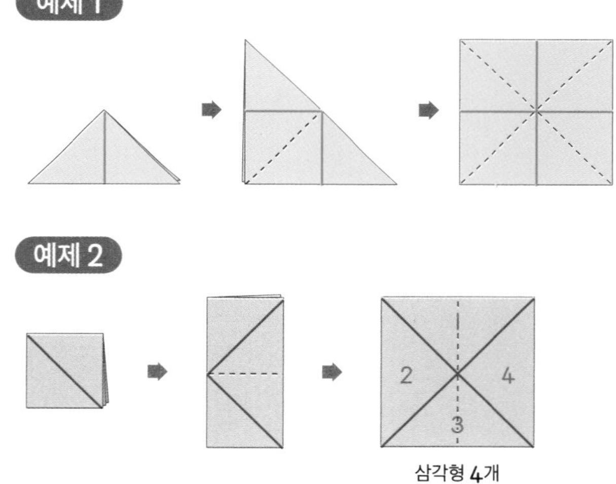

삼각형 4개

색종이 접고 자르기

1 색종이를 한 번 접어서 나올 수 없는 모양에 × 표 하세요.

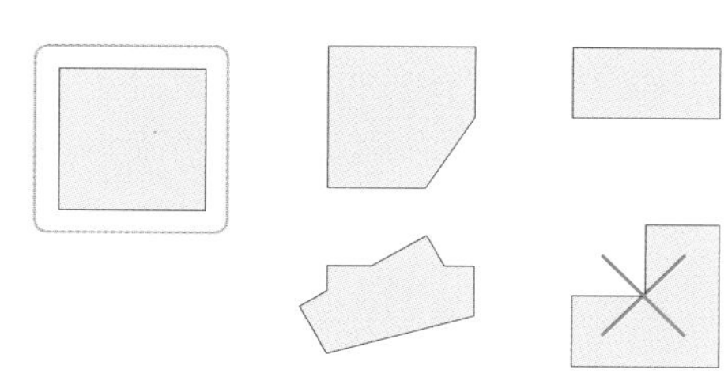

3 색종이를 반으로 접어 선을 따라 자르면 색종이는 모두 몇 조각이 됩니까? 6조각

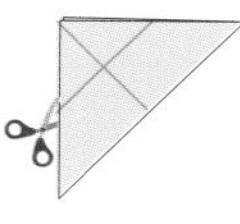

4 다음은 투명 종이를 반으로 접은 것입니다. 종이의 앞, 뒤의 겹쳐지는 자리에 똑같이 색칠되어 있다고 할 때, 종이를 펼친 모양을 그려 보세요.

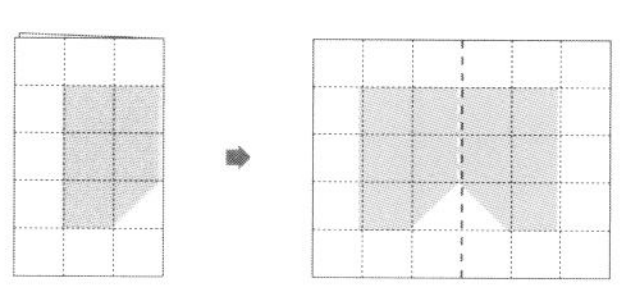

2 색종이를 반으로 접어서 선을 따라 잘랐습니다. 색종이를 펼친 모양을 그려 보세요.

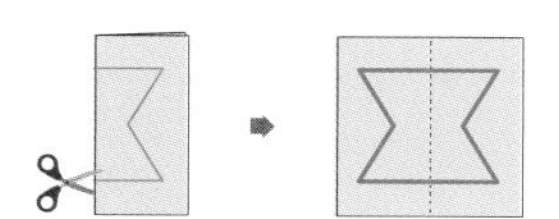

14 영재 사고력수학 필즈_베이직 중 01. 색종이 접고 자르기 15

1

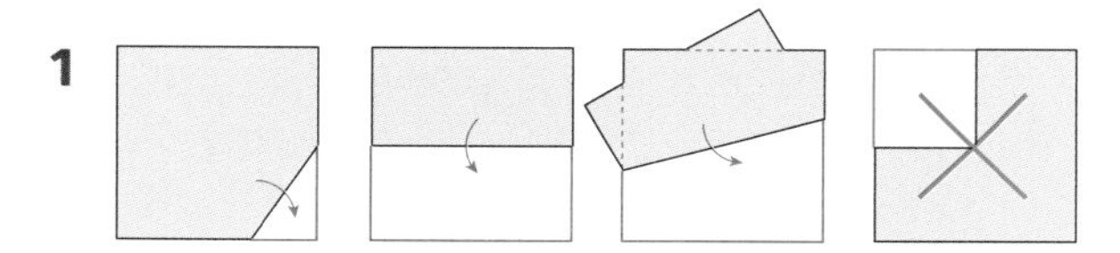

2 색종이를 왼쪽으로 펼친 후 오른쪽과 같은 모양을 왼쪽에 마주 보게 그립니다.

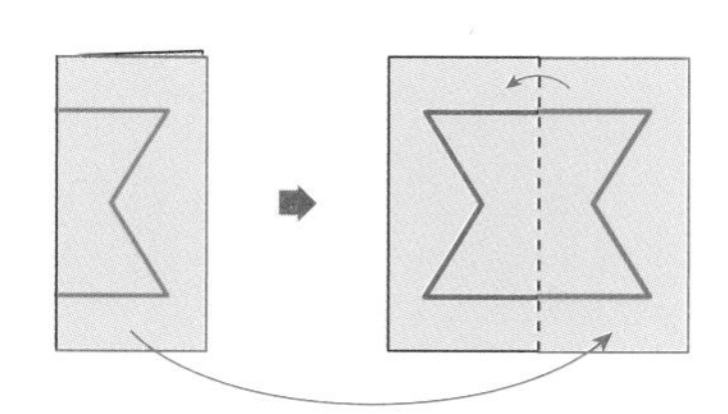

3

6조각

4 투명 종이를 오른쪽으로 펼친 후 오른쪽과 같은 모양을 왼쪽에 마주 보게 그립니다.

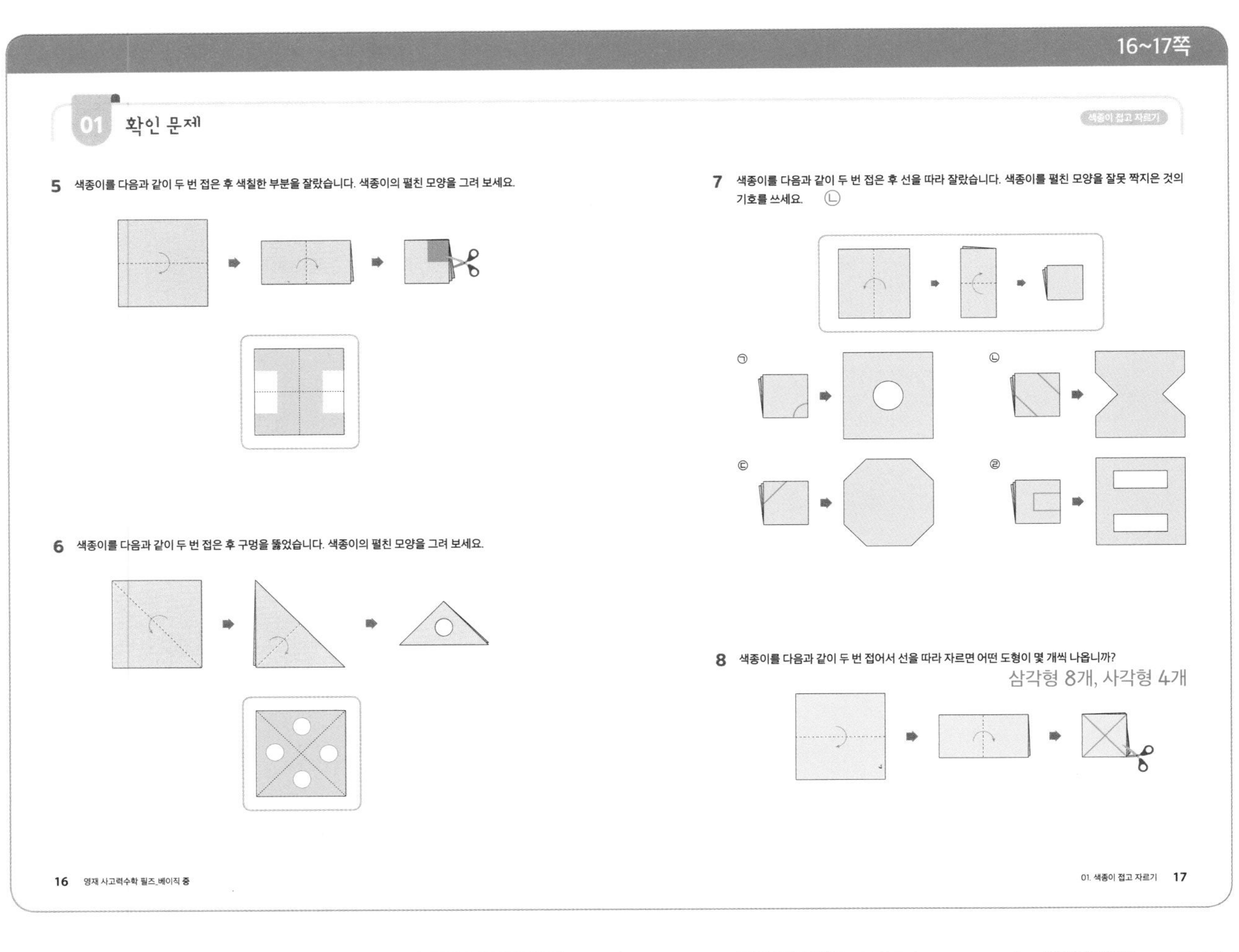
16~17쪽
01 확인 문제
색종이 접고 자르기
5 색종이를 다음과 같이 두 번 접은 후 색칠한 부분을 잘랐습니다. 색종이의 펼친 모양을 그려 보세요.
6 색종이를 다음과 같이 두 번 접은 후 구멍을 뚫었습니다. 색종이의 펼친 모양을 그려 보세요.
7 색종이를 다음과 같이 두 번 접은 후 선을 따라 잘랐습니다. 색종이를 펼친 모양을 잘못 짝지은 것의 기호를 쓰세요. ㉡
8 색종이를 다음과 같이 두 번 접어서 선을 따라 자르면 어떤 도형이 몇 개씩 나옵니까?
삼각형 8개, 사각형 4개
16 영재 사고력수학 필즈_베이직 중
01. 색종이 접고 자르기 17

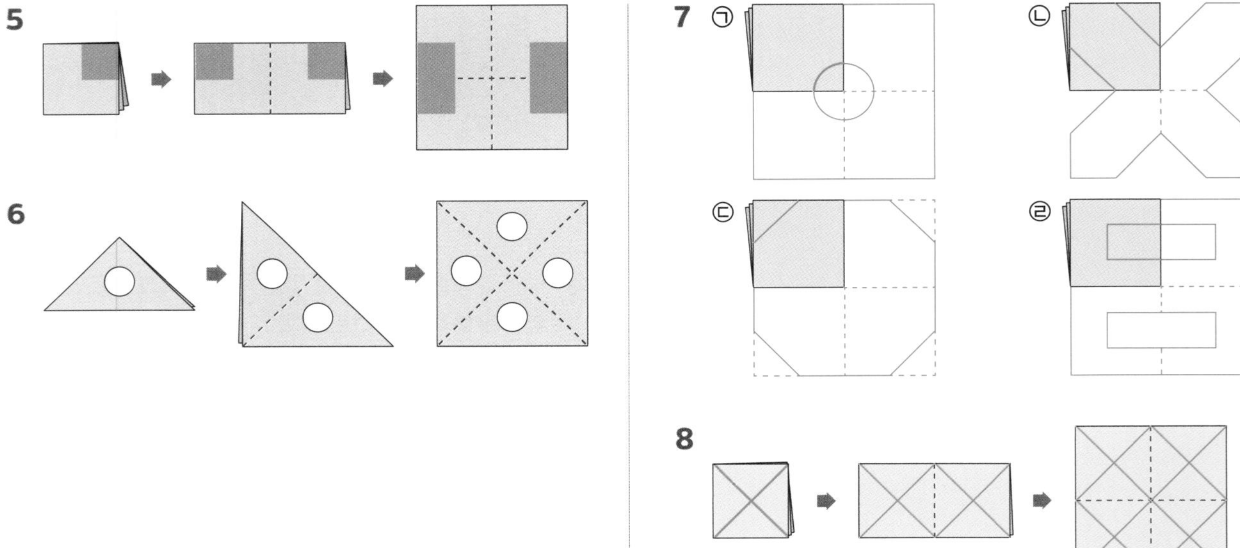
5
6
7 ㉠ ㉡ ㉢ ㉣
8

삼각형 8개, 사각형 4개

01 심화 문제

색종이 접고 자르기

1 색종이를 다음과 같이 세 번 접었다가 펼친 후 접힌 선을 따라 색종이를 잘랐습니다. 색종이를 잘라 만든 삼각형은 모두 몇 개입니까? 8개

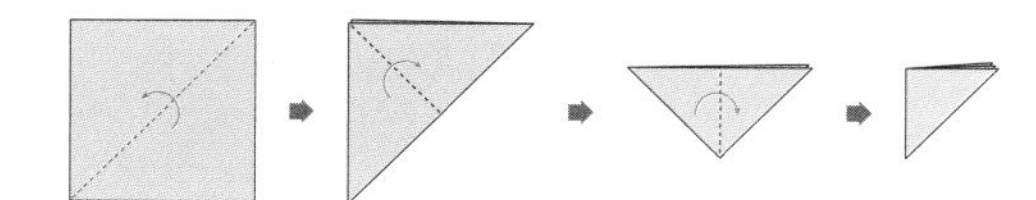

2 색종이를 다음과 같이 세 번 접은 후 구멍을 뚫었습니다. 색종이를 펼쳤을 때 뚫린 구멍은 모두 몇 개입니까? 16개

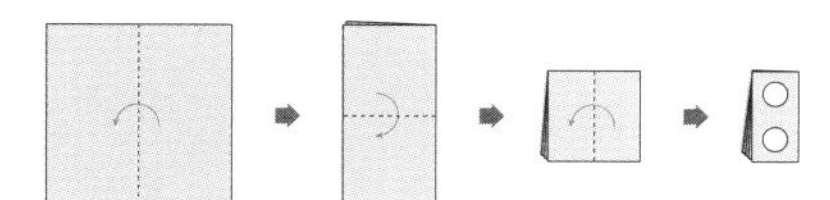

01 경시 기출 유형

색종이 접고 자르기

● 수가 적힌 띠 종이를 다음과 같은 순서로 접었습니다. 접은 종이의 가장 위에 있는 수를 구하세요. (단, 띠 종이의 앞과 뒤에는 같은 수가 있습니다.) 1

① 왼쪽을 고정시키고 오른쪽을 위로 하여 반으로 접습니다.
② 오른쪽을 고정시키고 왼쪽을 위로 하여 반으로 접습니다.

1	2	3	4

● 삼각형 모양 종이를 다음과 같이 세 번 접은 후 펼쳤습니다. 종이를 펼쳤을 때 접힌 선을 그려 보세요.

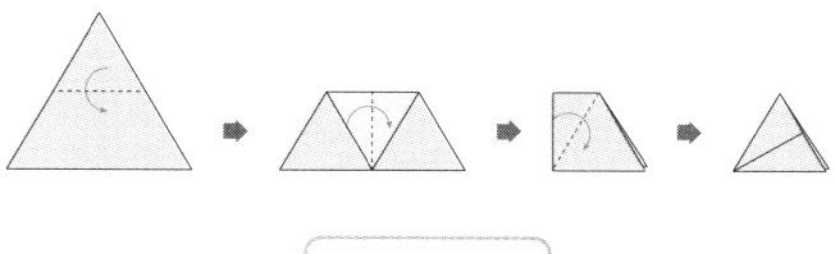

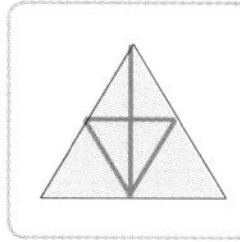

1

삼각형 8개

2

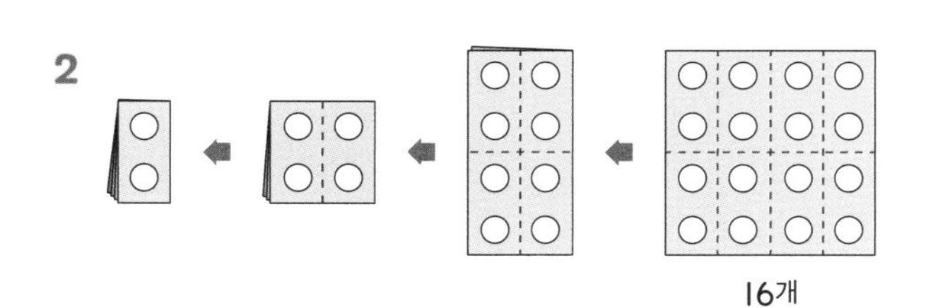

16개

● 1) 접기 전 바닥이 되는 면이 접은 후에는 윗면 또는 바닥면이 될 수 있습니다.

2) 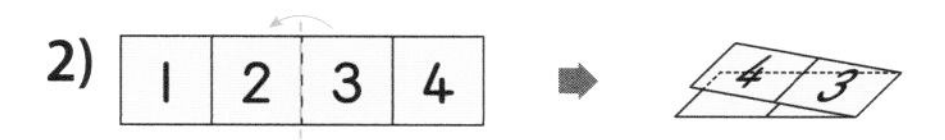

3)

가장 위에 1이 옵니다.

● 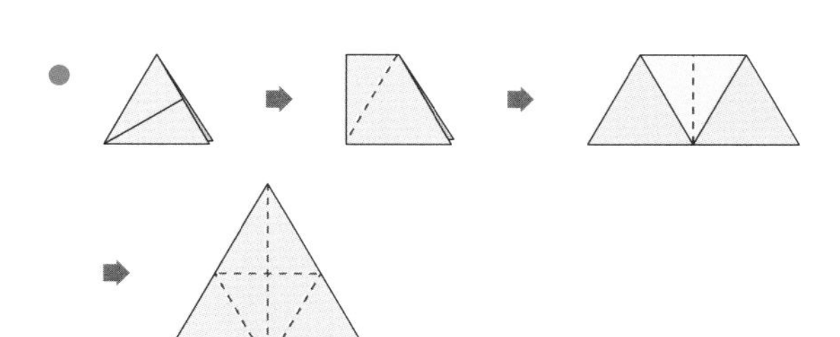

02 도형의 연결

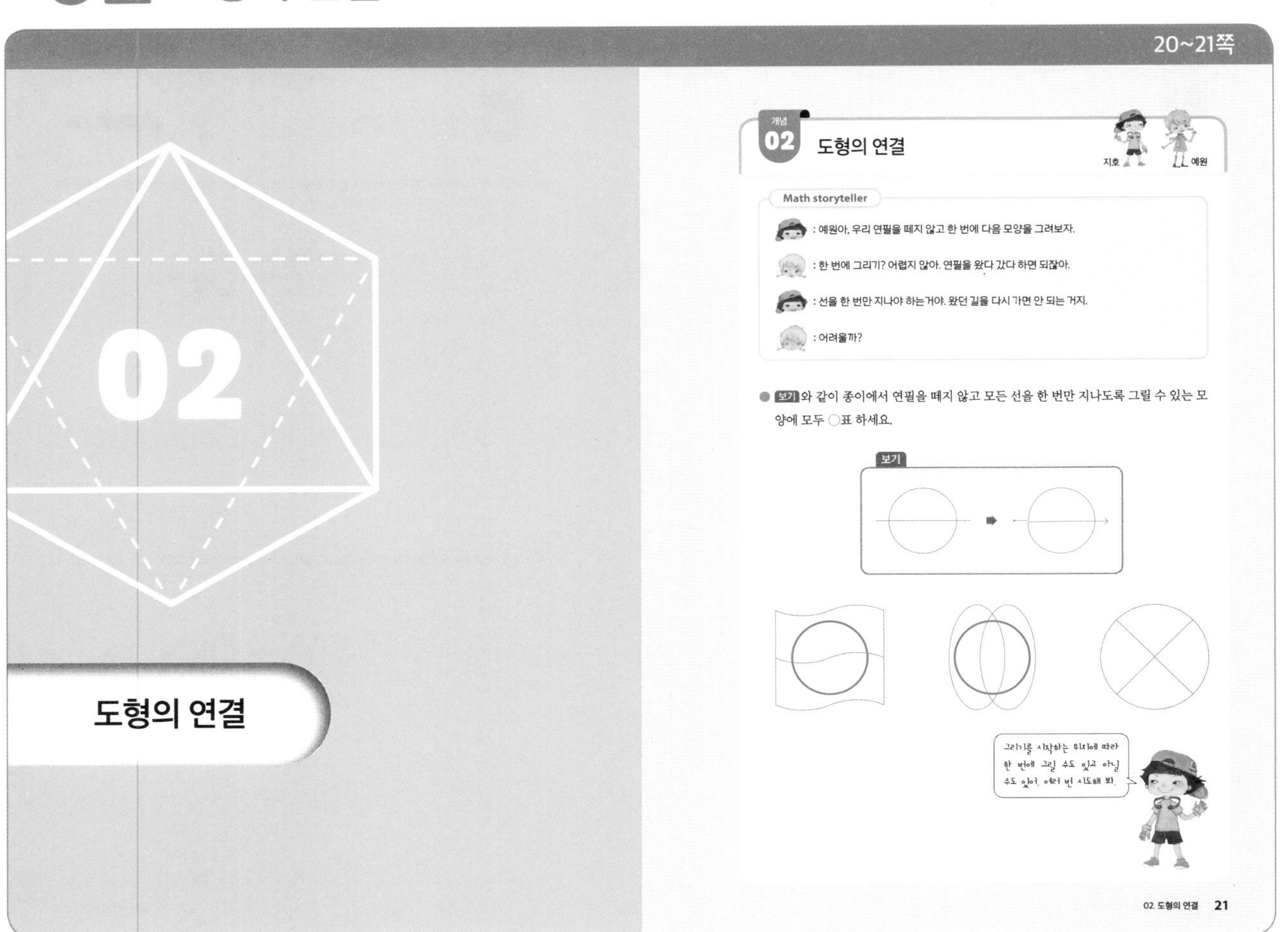
20~21쪽
도형의 연결
02
도형의 연결
지호
예원
Math storyteller
: 예원아, 우리 연필을 떼지 않고 한 번에 다음 모양을 그려보자.
: 한 번에 그리기? 어렵지 않아. 연필을 왔다 갔다 하면 되잖아.
: 선을 한 번만 지나야 하는거야. 왔던 길을 다시 가면 안 되는 거지.
: 어려울까?
보기 와 같이 종이에서 연필을 떼지 않고 모든 선을 한 번만 지나도록 그릴 수 있는 모양에 모두 ○표 하세요.
보기
02. 도형의 연결 21

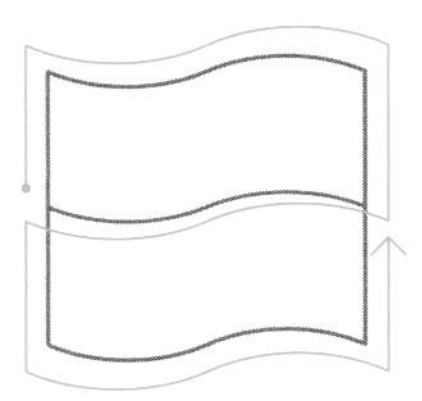

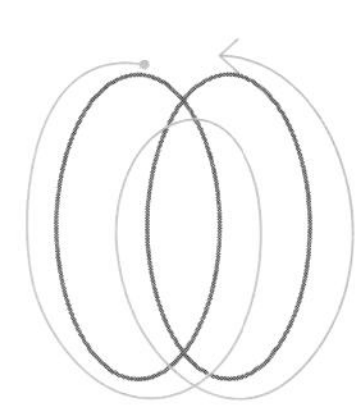

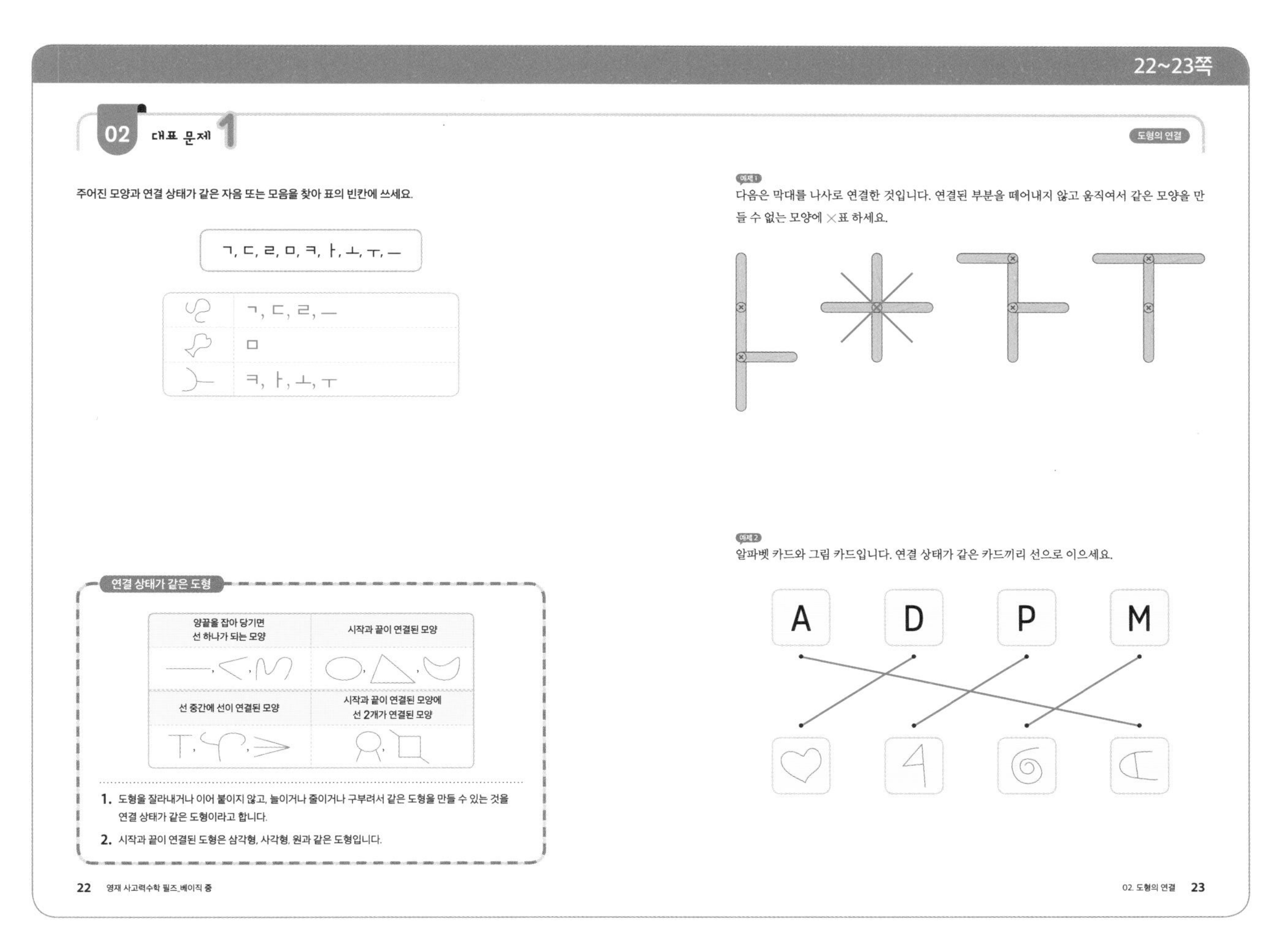
22~23쪽

02 대표 문제 1

도형의 연결

주어진 모양과 연결 상태가 같은 자음 또는 모음을 찾아 표의 빈칸에 쓰세요.

ㄱ, ㄷ, ㄹ, ㅁ, ㅋ, ㅏ, ㅗ, ㅜ, ㅡ

	ㄱ, ㄷ, ㄹ, ㅡ
	ㅁ
	ㅋ, ㅏ, ㅗ, ㅜ

연결 상태가 같은 도형

양끝을 잡아 당기면 선 하나가 되는 모양	시작과 끝이 연결된 모양
선 중간에 선이 연결된 모양	시작과 끝이 연결된 모양에 선 2개가 연결된 모양

1. 도형을 잘라내거나 이어 붙이지 않고, 늘이거나 줄이거나 구부려서 같은 도형을 만들 수 있는 것을 연결 상태가 같은 도형이라고 합니다.
2. 시작과 끝이 연결된 도형은 삼각형, 사각형, 원과 같은 도형입니다.

예제 1
다음은 막대를 나사로 연결한 것입니다. 연결된 부분을 떼어내지 않고 움직여서 같은 모양을 만들 수 없는 모양에 ×표 하세요.

예제 2
알파벳 카드와 그림 카드입니다. 연결 상태가 같은 카드끼리 선으로 이으세요.

A D P M

22 영재 사고력수학 필즈_베이직 중

02. 도형의 연결 23

1) ㄱ, ㄷ, ㄹ, ㅡ는 양끝을 잡아 당기면 선 하나가 되는 모양입니다.
2) ㅁ은 시작과 끝이 연결된 모양입니다.
3) ㅋ, ㅏ, ㅗ, ㅜ는 선 중간에 선이 연결된 모양입니다.

예제 1

선 중간에 선이 연결된 모양은 공통점이나 두 번째 모양만 십자가 모양으로 막대가 연결되어 있습니다.

예제 2

1) A와 ⊂은 시작과 끝이 연결된 모양에 선 2개가 연결된 모양입니다.
2) D와 ♡은 시작과 끝이 연결된 모양입니다.
3) P와 4은 시작과 끝이 연결된 모양에 선 1개가 연결된 모양입니다.
4) M과 ◎은 양끝을 잡아 당기면 선 하나가 되는 모양입니다.

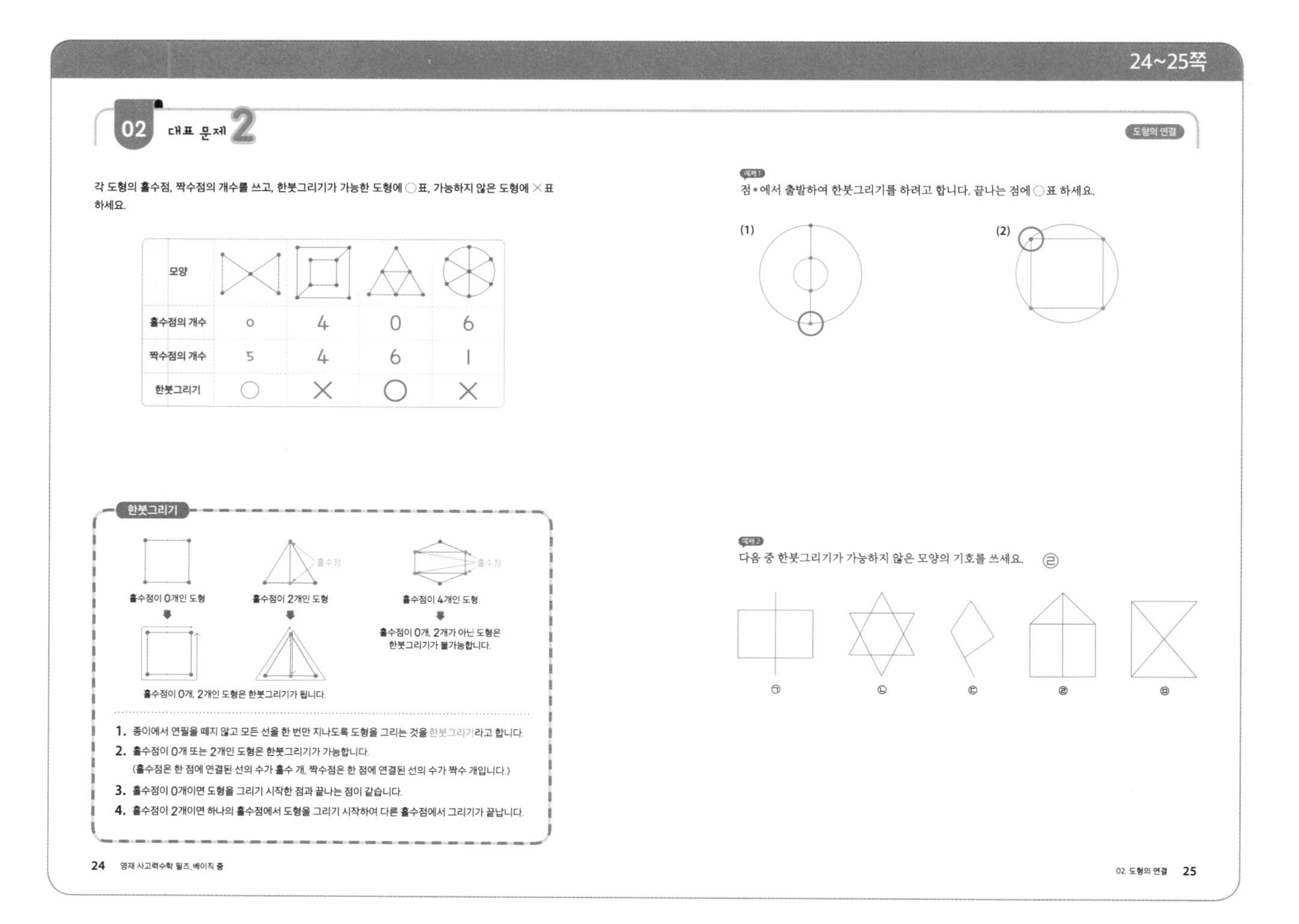

24~25쪽

02 대표 문제 2

도형의 연결

각 도형의 홀수점, 짝수점의 개수를 쓰고, 한붓그리기가 가능한 도형에 ○표, 가능하지 않은 도형에 ×표 하세요.

모양				
홀수점의 개수	0	4	0	6
짝수점의 개수	5	4	6	1
한붓그리기	○	×	○	×

한붓그리기

홀수점이 0개인 도형 / 홀수점이 2개인 도형 / 홀수점이 4개인 도형

홀수점이 0개, 2개가 아닌 도형은 한붓그리기가 불가능합니다.

홀수점이 0개, 2개인 도형은 한붓그리기가 됩니다.

1. 종이에서 연필을 떼지 않고 모든 선을 한 번만 지나도록 도형을 그리는 것을 한붓그리기라고 합니다.
2. 홀수점이 0개 또는 2개인 도형은 한붓그리기가 가능합니다.
(홀수점은 한 점에 연결된 선의 수가 홀수 개, 짝수점은 한 점에 연결된 선의 수가 짝수 개입니다.)
3. 홀수점이 0개이면 도형을 그리기 시작한 점과 끝나는 점이 같습니다.
4. 홀수점이 2개이면 하나의 홀수점에서 도형을 그리기 시작하여 다른 홀수점에서 그리기가 끝납니다.

예제 1

점 • 에서 출발하여 한붓그리기를 하려고 합니다. 끝나는 점에 ○표 하세요.

(1) (2)

예제 2

다음 중 한붓그리기가 가능하지 않은 모양의 기호를 쓰세요. ㉣

㉠ ㉡ ㉢ ㉣ ㉤

24 영재 사고력수학 필즈_베이직 중

02. 도형의 연결 25

1) 홀수점은 한 점에 연결된 선의 수가 홀수 개, 짝수점은 한 점에 연결된 선의 수가 짝수 개입니다.

2) 홀수점이 0개 또는 2개인 도형은 한붓그리기가 가능합니다.

예제 1

(1) 홀수점이 2개인 모양은 한 홀수점에서 그리기 시작하여 다른 홀수점에서 그리기가 끝납니다.

(2) 홀수점이 0개인 모양은 그리기 시작한 곳에서 그리기가 끝납니다.

예제 2

1) 홀수점의 개수를 셉니다.

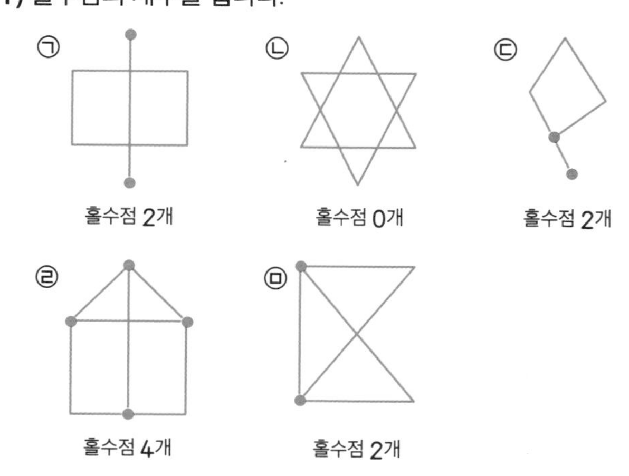

2) 홀수점이 0개 또는 2개일 때 한붓그리기가 가능하므로 ㉣은 한붓그리기가 가능하지 않습니다.

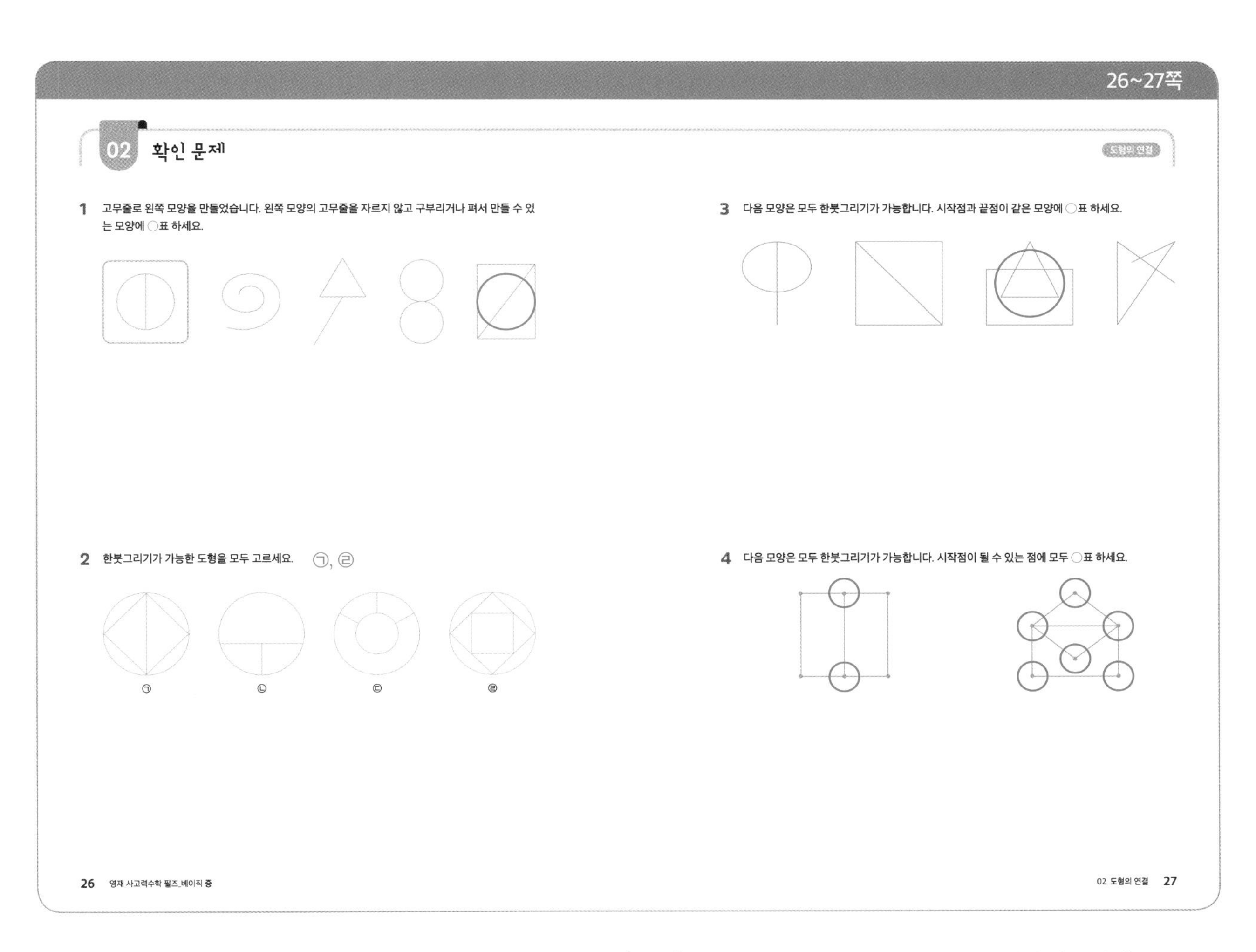
02 확인 문제

도형의 연결

1 고무줄로 왼쪽 모양을 만들었습니다. 왼쪽 모양의 고무줄을 자르지 않고 구부리거나 펴서 만들 수 있는 모양에 ○표 하세요.

2 한붓그리기가 가능한 도형을 모두 고르세요. ㉠, ㉣

㉠ ㉡ ㉢ ㉣

3 다음 모양은 모두 한붓그리기가 가능합니다. 시작점과 끝점이 같은 모양에 ○표 하세요.

4 다음 모양은 모두 한붓그리기가 가능합니다. 시작점이 될 수 있는 점에 모두 ○표 하세요.

26 영재 사고력수학 필즈_베이직 중

02. 도형의 연결 27

1 시작과 끝이 연결된 모양이 선 1개로 나누어져 있습니다.

2 1) 홀수점의 개수를 셉니다.

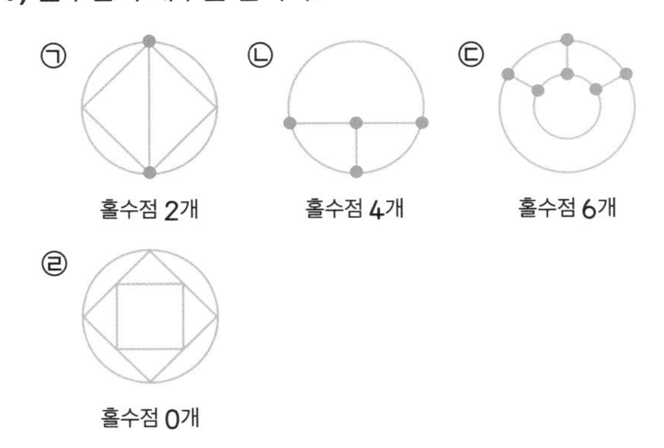

2) 홀수점이 0개 또는 2개일 때 한붓그리기가 가능하므로 ㉠, ㉣은 한붓그리기가 가능합니다.

3 홀수점이 0개일 때, 시작점과 끝점이 같습니다.

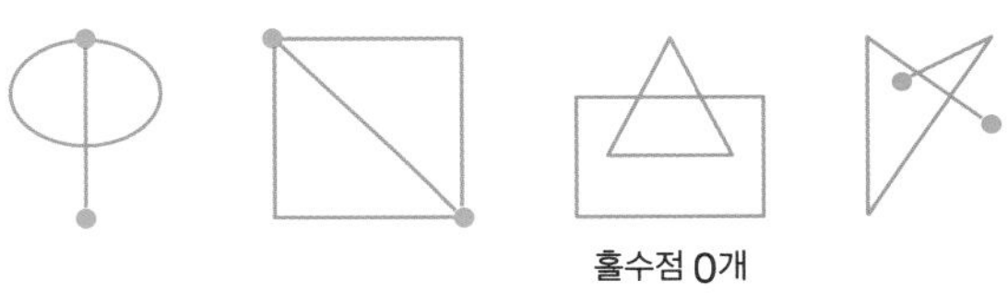

4 1) 왼쪽 모양은 홀수점이 2개이므로 홀수점이 모두 시작점이 될 수 있습니다.

2) 오른쪽 모양은 홀수점이 0개이므로 모든 점이 시작점이 될 수 있습니다.

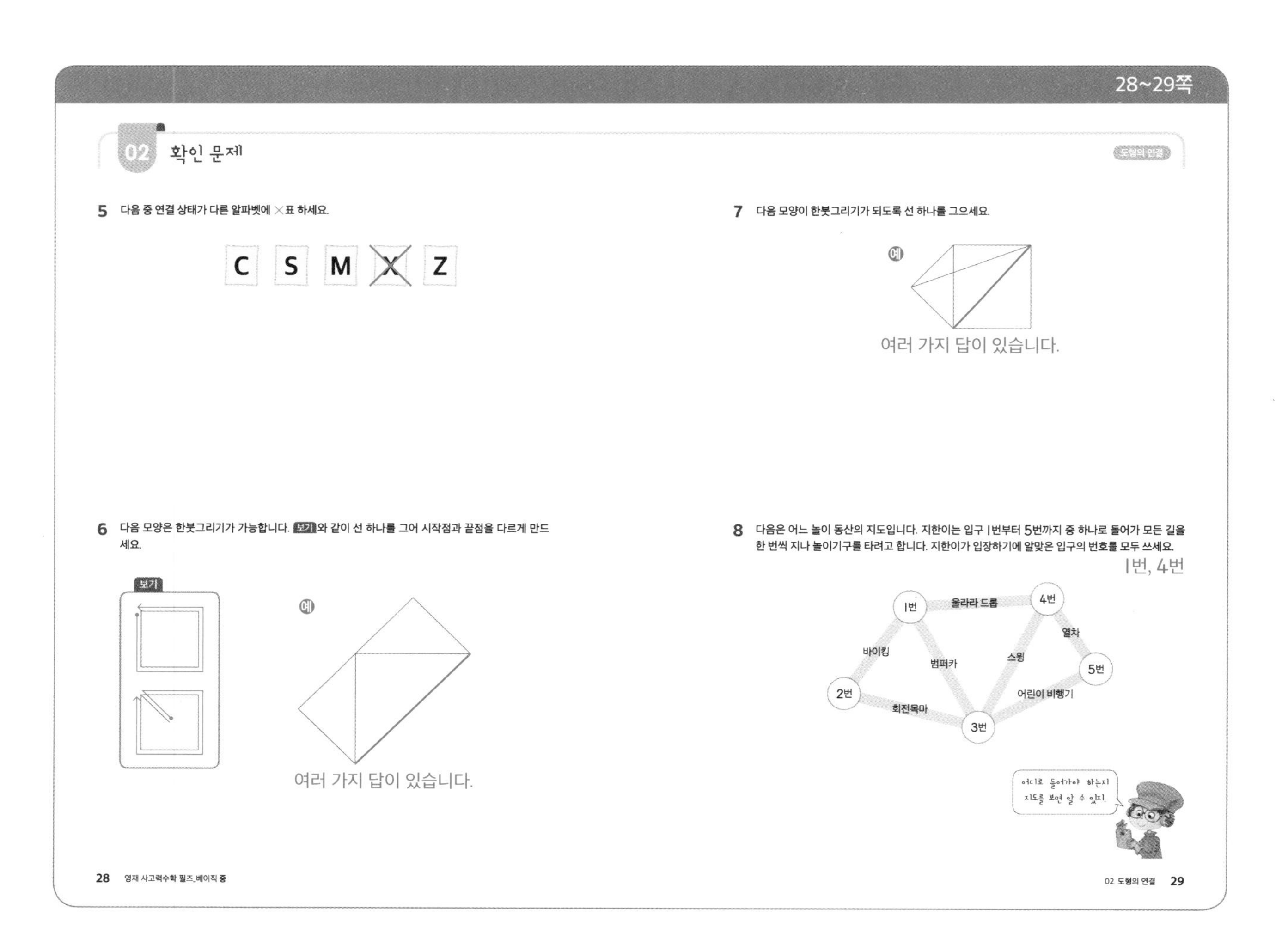
28~29쪽

02 확인 문제

도형의 연결

5 다음 중 연결 상태가 다른 알파벳에 ×표 하세요.

C S M X Z

7 다음 모양이 한붓그리기가 되도록 선 하나를 그으세요.

예

여러 가지 답이 있습니다.

6 다음 모양은 한붓그리기가 가능합니다. 보기 와 같이 선 하나를 그어 시작점과 끝점을 다르게 만드세요.

보기

예

여러 가지 답이 있습니다.

8 다음은 어느 놀이 동산의 지도입니다. 지한이는 입구 1번부터 5번까지 중 하나로 들어가 모든 길을 한 번씩 지나 놀이기구를 타려고 합니다. 지한이가 입장하기에 알맞은 입구의 번호를 모두 쓰세요.

1번, 4번

28 영재 사고력수학 필즈_베이직 중

02 도형의 연결 29

5 X를 제외한 다른 알파벳은 양끝을 잡아 당기면 선 하나가 되는 모양입니다.

6 **1)** 시작점과 끝점을 다르게 하려면 홀수점이 2개가 되어야 합니다.

2) 여러 가지 답이 있습니다.

7 홀수점이 4개이므로 홀수점 2개를 잇는 선을 그어 홀수점이 2개가 되도록 만듭니다.

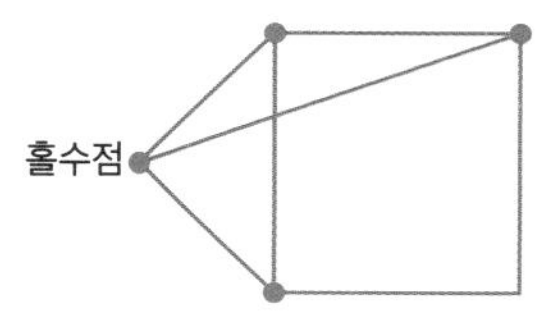

8 **1)** 놀이 동산의 지도를 하나의 도형과 같이 그립니다.

2) 홀수점이 되는 입구를 모두 찾습니다.

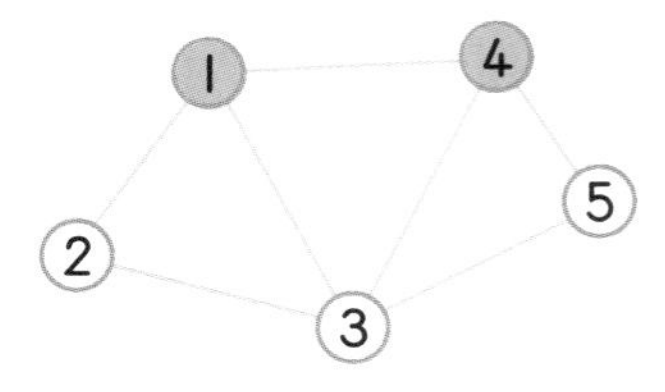

3) 홀수점인 1번, 4번이 지한이가 입장하기 알맞은 입구입니다.

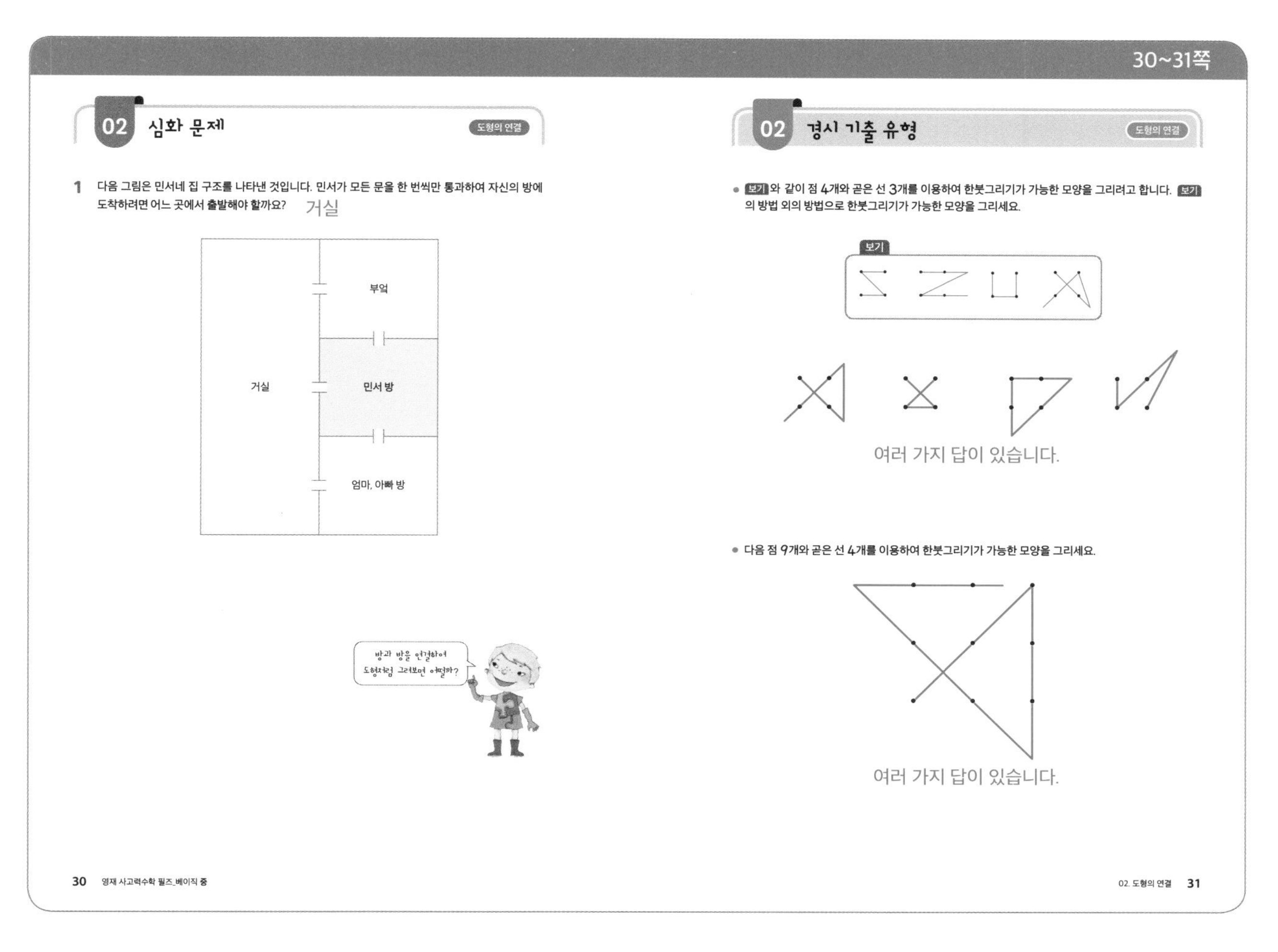
30~31쪽

02 심화 문제 (도형의 연결)

1 다음 그림은 민서네 집 구조를 나타낸 것입니다. 민서가 모든 문을 한 번씩만 통과하여 자신의 방에 도착하려면 어느 곳에서 출발해야 할까요? 거실

02 경시 기출 유형 (도형의 연결)

● 보기 와 같이 점 4개와 곧은 선 3개를 이용하여 한붓그리기가 가능한 모양을 그리려고 합니다. 보기 의 방법 외의 방법으로 한붓그리기가 가능한 모양을 그리세요.

여러 가지 답이 있습니다.

● 다음 점 9개와 곧은 선 4개를 이용하여 한붓그리기가 가능한 모양을 그리세요.

여러 가지 답이 있습니다.

1 **1)** 각 방을 점으로 문을 선으로 바꾸어 하나의 도형과 같이 그립니다.

2) 홀수점이 되는 방을 찾습니다.

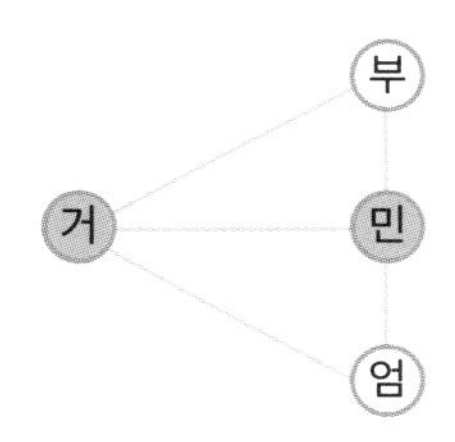

3) 홀수점이 2개이므로 민서 방에 도착하려면 거실에서 출발해야 합니다.

● 점을 이어 만들 수 있는 사각형 안에서 한정되지 않고 선을 그을 수 있도록 생각을 확장합니다.

03 길이 비교

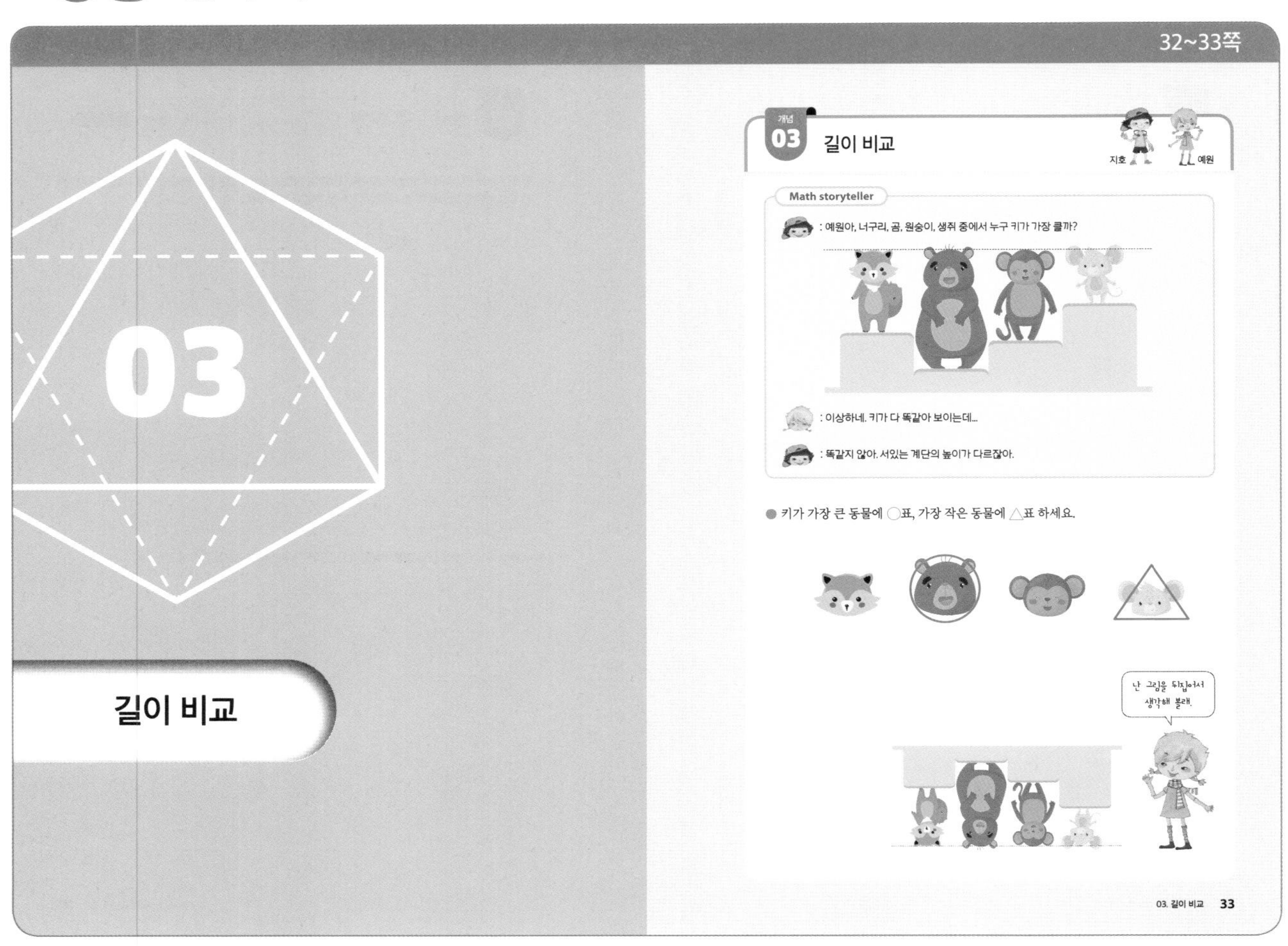
32~33쪽

03

길이 비교

개념 03 길이 비교

지호 예원

Math storyteller

: 예원아, 너구리, 곰, 원숭이, 생쥐 중에서 누구 키가 가장 클까?

: 이상하네. 키가 다 똑같아 보이는데...

: 똑같지 않아. 서있는 계단의 높이가 다르잖아.

● 키가 가장 큰 동물에 ◯표, 가장 작은 동물에 △표 하세요.

03. 길이 비교 33

머리 끝의 높이가 모두 같으므로 발의 위치가 더 아래에 있는 동물의 키가 가장 큽니다.

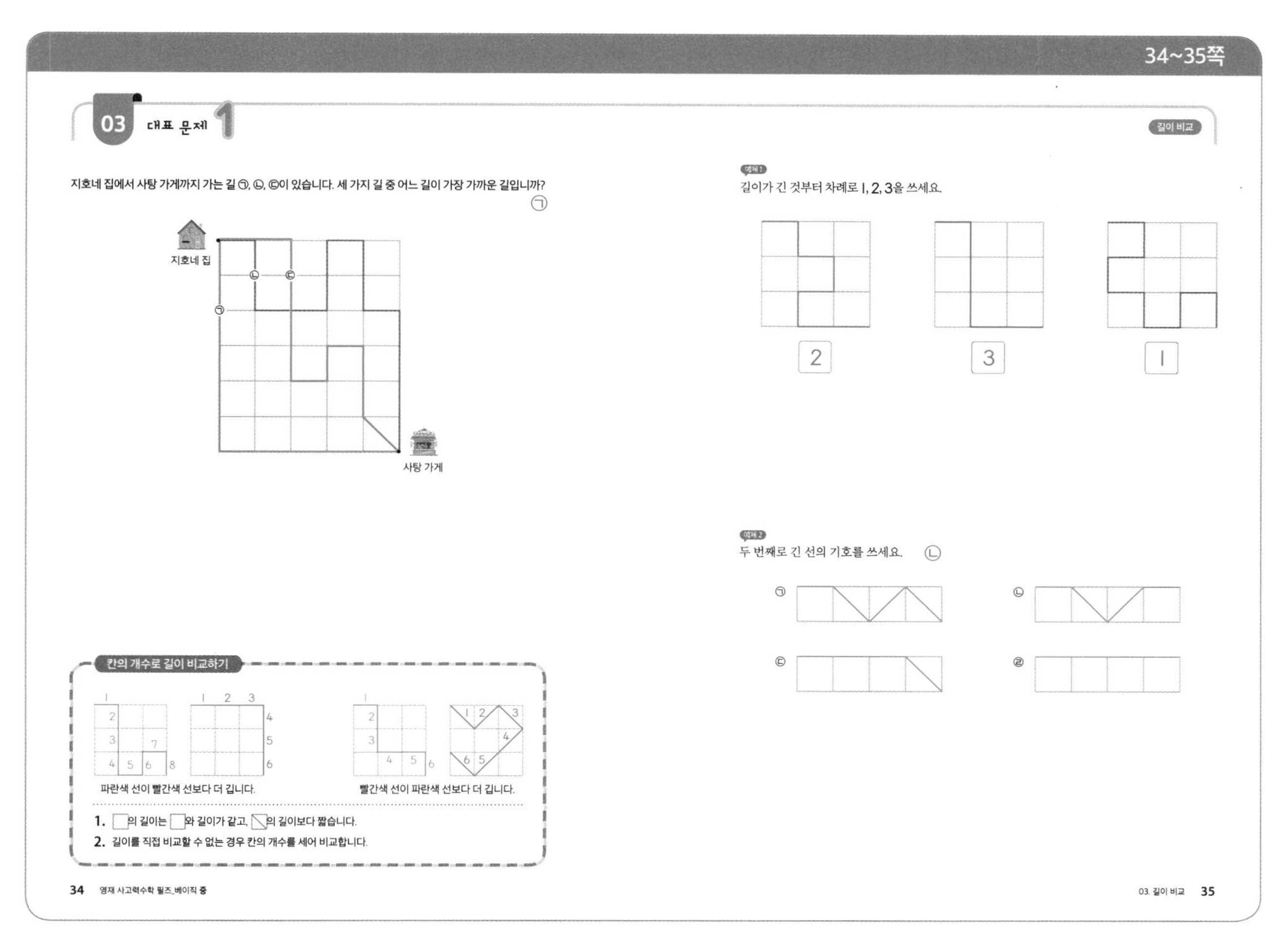

1) 각 길의 칸의 개수를 셉니다.

㉠ □ 11칸 ㉡ □ 15칸 ㉢ □ 11칸+◸ 1칸

2) 가장 가까운 길은 ㉠입니다.

예제 1

칸의 개수가 많을수록 길이가 깁니다.

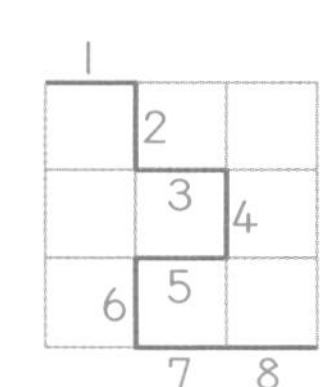

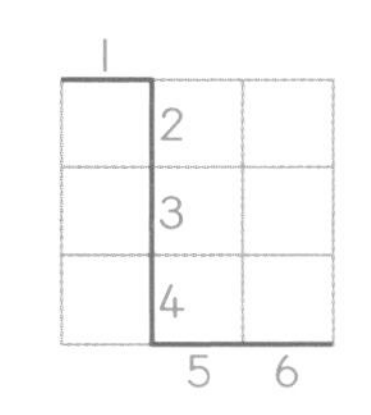

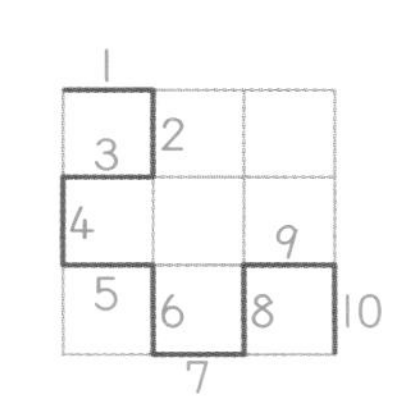

예제 2

1) 칸의 개수는 모두 4칸입니다.

㉠ □ 1칸+◸ 3칸 ㉡ □ 2칸+◸ 2칸

㉢ □ 3칸+◸ 1칸 ㉣ □ 4칸

2) 대각선의 개수가 많을수록 깁니다. 가장 긴 것부터 나열하면 ㉠, ㉡, ㉢, ㉣입니다.

3) 두 번째 긴 선은 ㉡입니다.

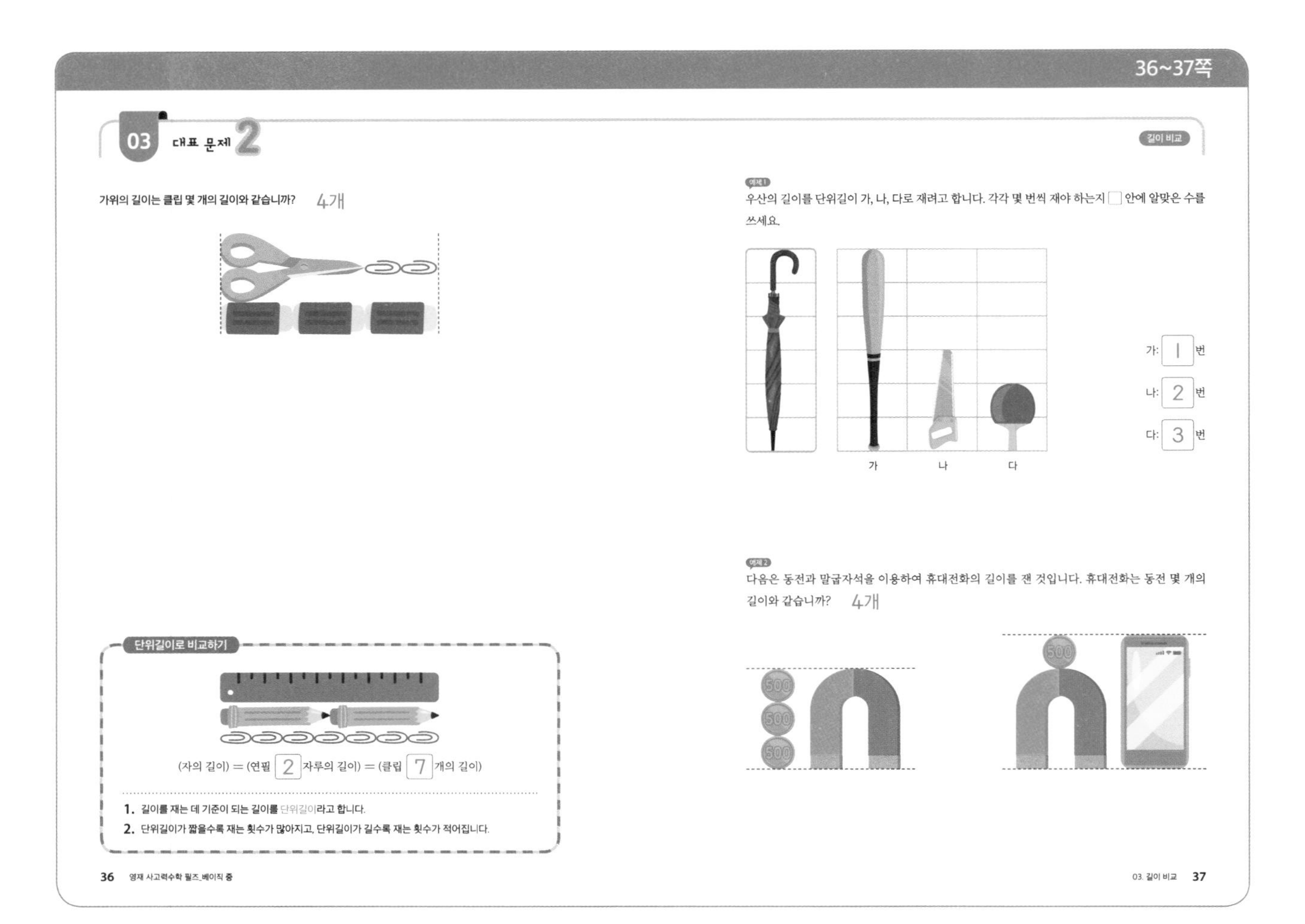
36~37쪽

03 대표 문제 2

길이 비교

가위의 길이는 클립 몇 개의 길이와 같습니까? 4개

단위길이로 비교하기

(자의 길이) = (연필 2 자루의 길이) = (클립 7 개의 길이)

1. 길이를 재는 데 기준이 되는 길이를 단위길이라고 합니다.
2. 단위길이가 짧을수록 재는 횟수가 많아지고, 단위길이가 길수록 재는 횟수가 적어집니다.

예제 1
우산의 길이를 단위길이 가, 나, 다로 재려고 합니다. 각각 몇 번씩 재야 하는지 □ 안에 알맞은 수를 쓰세요.

가 나 다

가: 1 번
나: 2 번
다: 3 번

예제 2
다음은 동전과 말굽자석을 이용하여 휴대전화의 길이를 잰 것입니다. 휴대전화는 동전 몇 개의 길이와 같습니까? 4개

36 영재 사고력수학 필즈_베이직 중

03. 길이 비교 37

1) (지우개 1개)=(클립 2개)

2) (가위 1개)=(지우개 2개)=(클립 4개)

예제 1

1) 우산의 길이는 모눈 6칸입니다.

2) **가**의 길이는 모눈 6칸, **나**의 길이는 모눈 3칸, **다**의 길이는 모눈 2칸입니다.

3) 따라서 우산의 길이는 **가**로 1번, **나**로 2번, **다**로 3번씩 재야 합니다.

예제 2

1) (말굽자석 1개)=(동전 3개)

2) (휴대전화 1개)=(말굽자석 1개)+(동전 1개)
=(동전 4개)

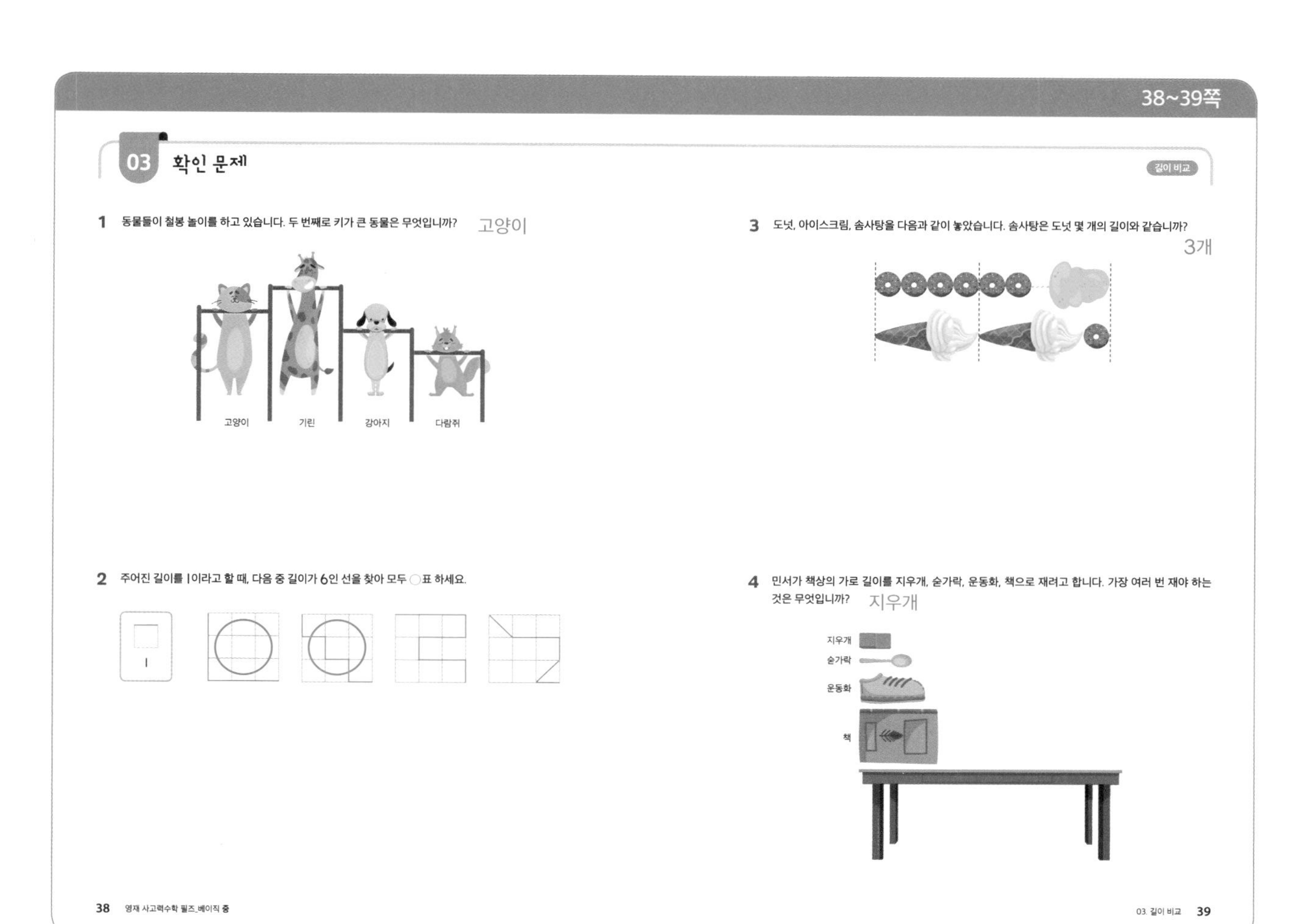
03 확인 문제

길이 비교

1 동물들이 철봉 놀이를 하고 있습니다. 두 번째로 키가 큰 동물은 무엇입니까? 고양이

2 주어진 길이를 1이라고 할 때, 다음 중 길이가 6인 선을 찾아 모두 ○표 하세요.

3 도넛, 아이스크림, 솜사탕을 다음과 같이 놓았습니다. 솜사탕은 도넛 몇 개의 길이와 같습니까? 3개

4 민서가 책상의 가로 길이를 지우개, 숟가락, 운동화, 책으로 재려고 합니다. 가장 여러 번 재야 하는 것은 무엇입니까? 지우개

38 영재 사고력수학 필즈_베이직 중 03 길이 비교 39

1 **1)** 동물들의 발의 높이가 모두 같으므로 높은 철봉에 매달려 있는 동물일수록 키가 큽니다.

2) 키가 큰 동물부터 차례로 쓰면 기린, 고양이, 강아지, 다람쥐입니다.

2 선이 지나는 모눈의 각 칸에 수를 써서 길이가 6인 선을 찾습니다.

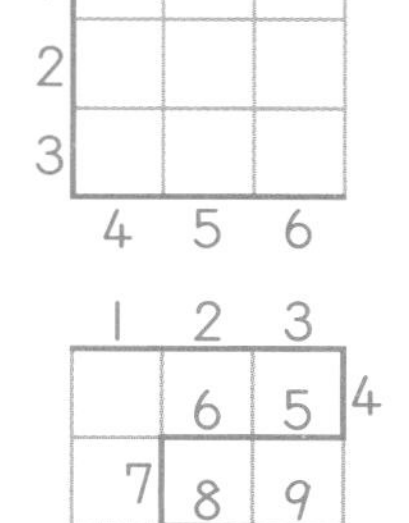

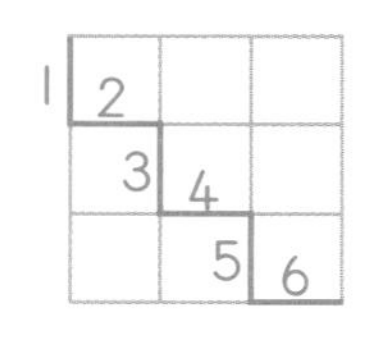

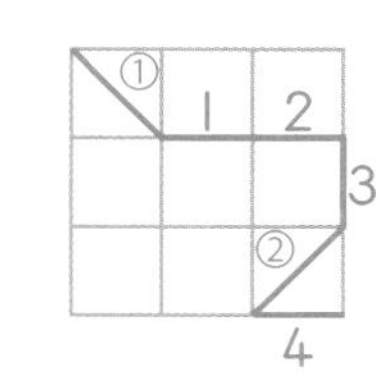

3 **1)** (아이스크림 1개)=(도넛 4개)

2) (도넛 2개)+(솜사탕 1개)
=(아이스크림 1개) +(도넛 1개)=(도넛 5개)

3) (솜사탕 1개)=(도넛 3개)

4 **1)** 단위길이가 짧을수록 재는 횟수가 많아집니다.

2) 가장 짧은 것이 지우개이므로, 지우개로 잴 때 가장 여러 번 재야 합니다.

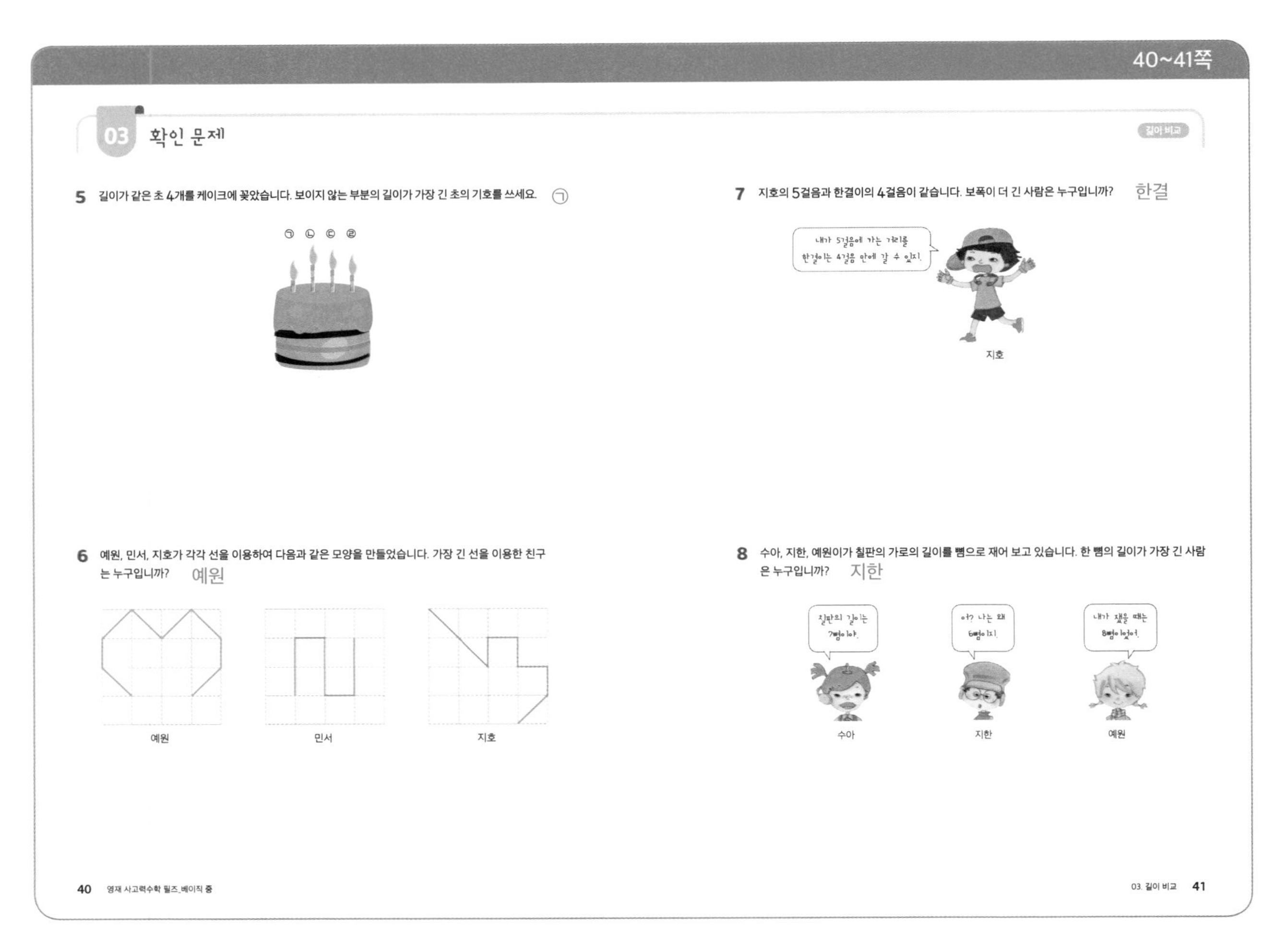

40~41쪽

03 확인 문제

길이 비교

5 길이가 같은 초 4개를 케이크에 꽂았습니다. 보이지 않는 부분의 길이가 가장 긴 초의 기호를 쓰세요. ㉠

6 예원, 민서, 지호가 각각 선을 이용하여 다음과 같은 모양을 만들었습니다. 가장 긴 선을 이용한 친구는 누구입니까? 예원

7 지호의 5걸음과 한결이의 4걸음이 같습니다. 보폭이 더 긴 사람은 누구입니까? 한결

8 수아, 지한, 예원이가 칠판의 가로의 길이를 뼘으로 재어 보고 있습니다. 한 뼘의 길이가 가장 긴 사람은 누구입니까? 지한

40 영재 사고력수학 필즈_베이직 중

03. 길이 비교 41

5 **1)** 초의 길이가 모두 같으므로 보이는 부분이 짧을수록 보이지 않는 부분의 길이가 더 깁니다.

2) 보이는 부분이 가장 짧은 것은 ㉠입니다.

6 **1)** 칸의 개수가 모두 8개입니다.

2) 칸의 개수가 같으므로 대각선의 개수가 가장 많은 선이 가장 깁니다.

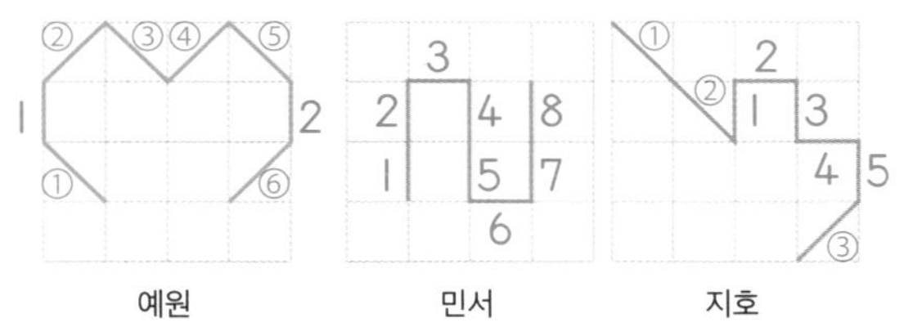

3) 대각선의 개수는 예원이가 6개로 가장 많으므로, 예원이의 선이 가장 깁니다.

7 지호의 5걸음과 한결이의 4걸음이 같다면 한결이의 보폭이 더 깁니다.

지호	지호	지호	지호	지호
한결	한결	한결	한결	

8 뼘의 길이가 길수록 적은 횟수로 칠판의 가로 길이를 잴 수 있습니다.

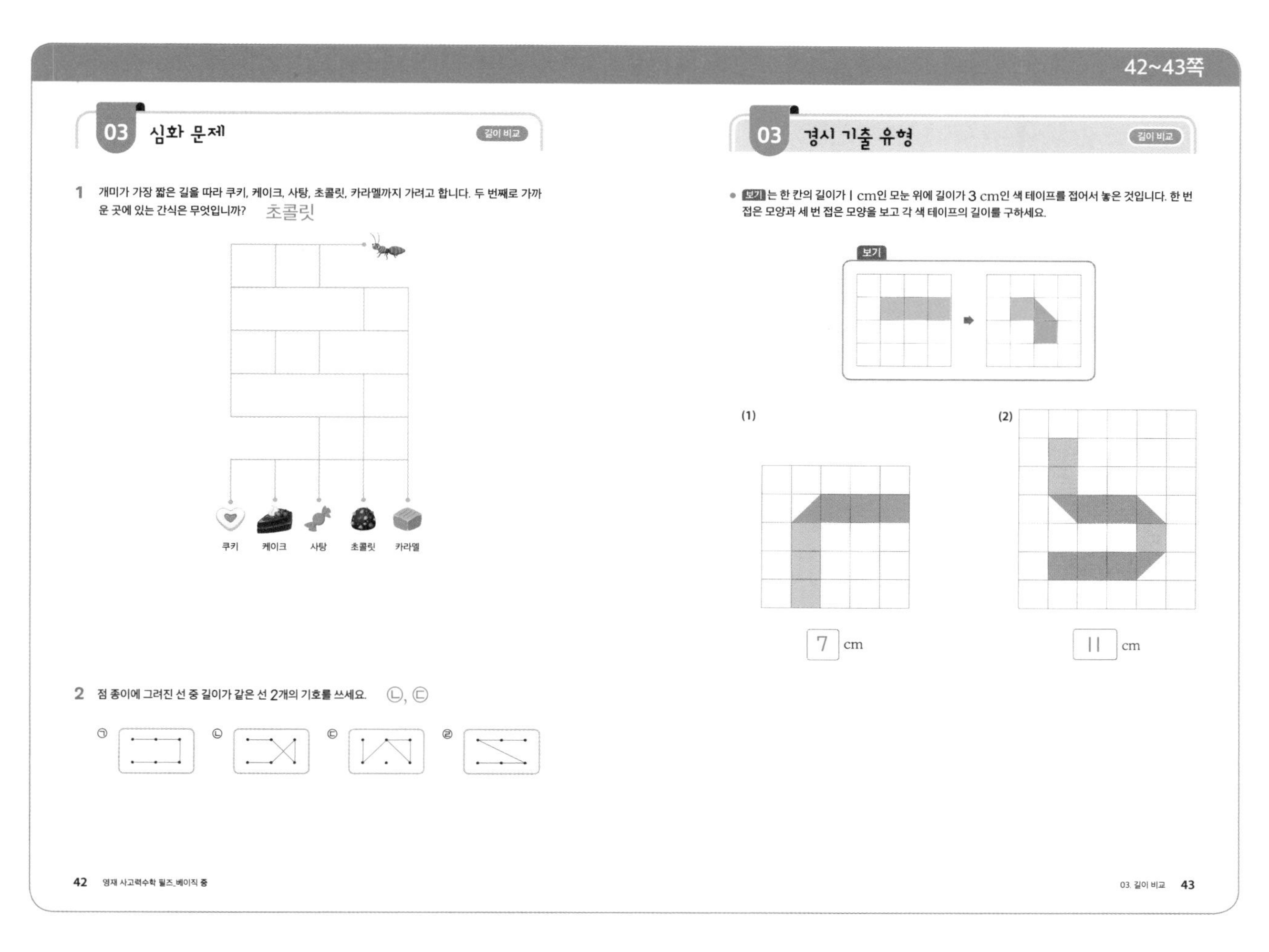

1 1) 쿠키: 13칸 케이크: 12칸 사탕: 11칸
초콜릿: 10칸 카라멜: 9칸
2) 두 번째로 가까운 곳에 있는 간식은 초콜릿입니다.

2 ㉡과 ㉢은 •—•이 3개, ╲이 2개로 길이가 같습니다.

● (1)

(2)

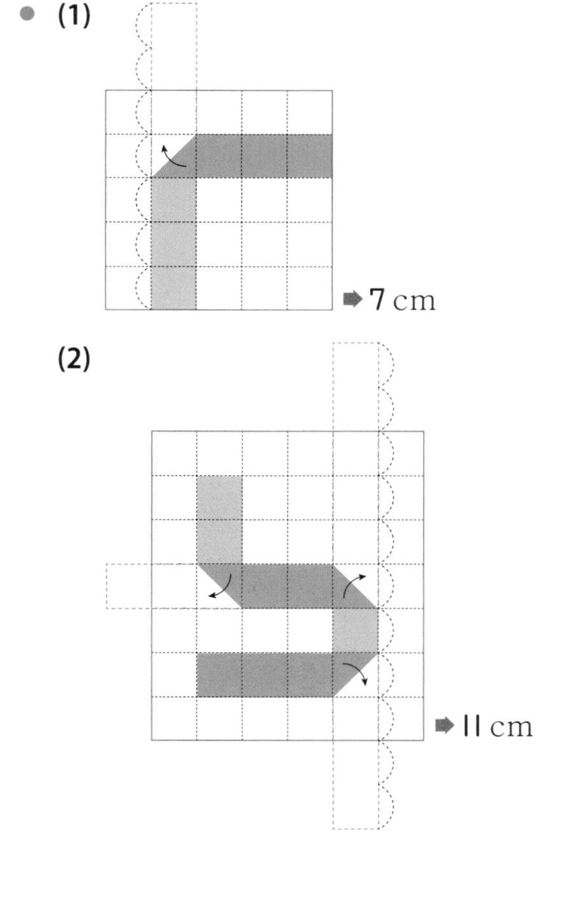

04 무게 비교

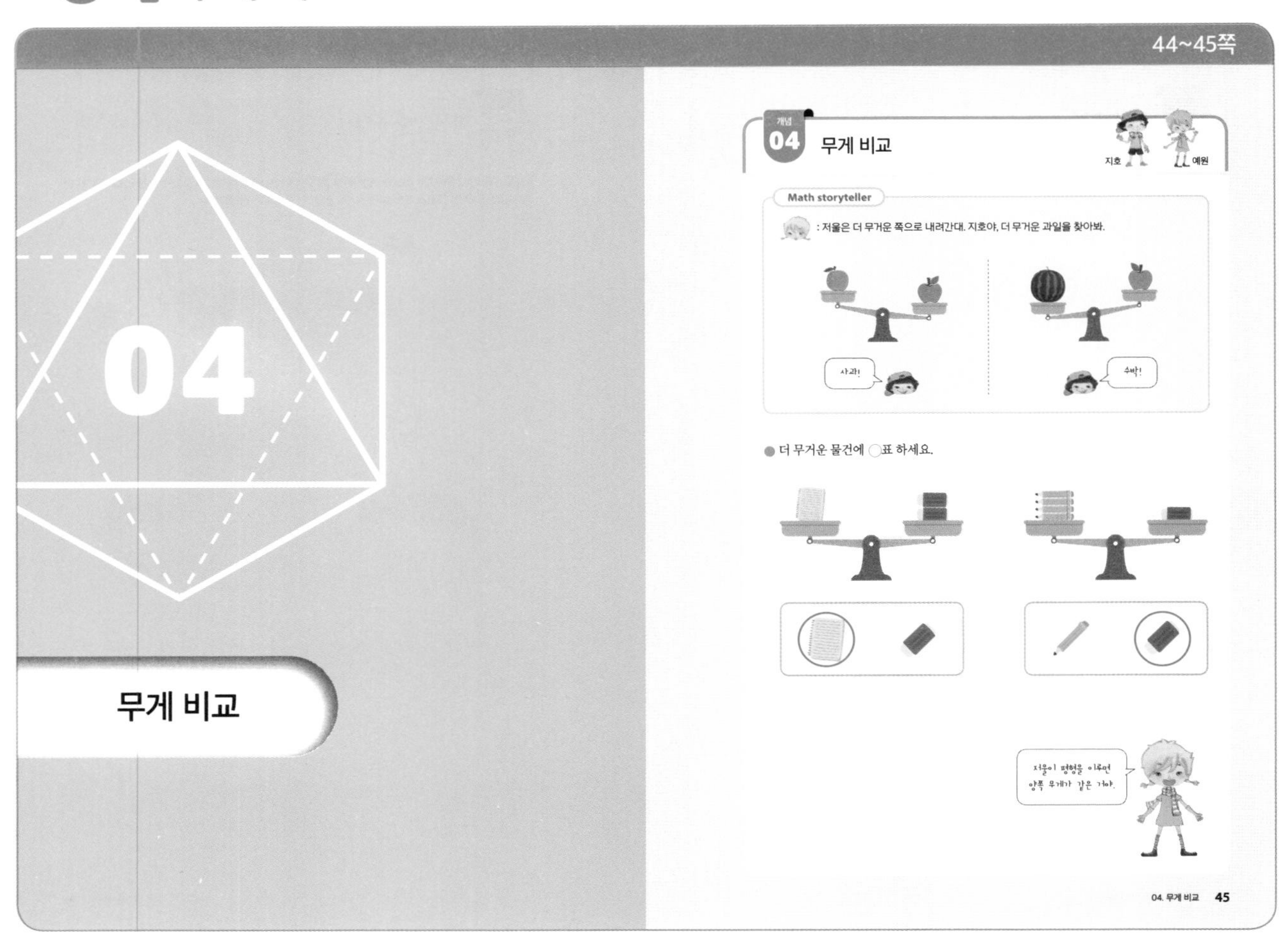

1) 양팔 저울이 수평을 이루는 것은 양쪽의 무게가 같기 때문입니다.

2) 수첩 1개와 지우개 2개의 무게가 같으므로 수첩 1개는 지우개 1개보다 무겁습니다.

3) 연필 4자루와 지우개 1개의 무게가 같으므로 연필 1자루는 지우개 1개보다 가볍습니다.

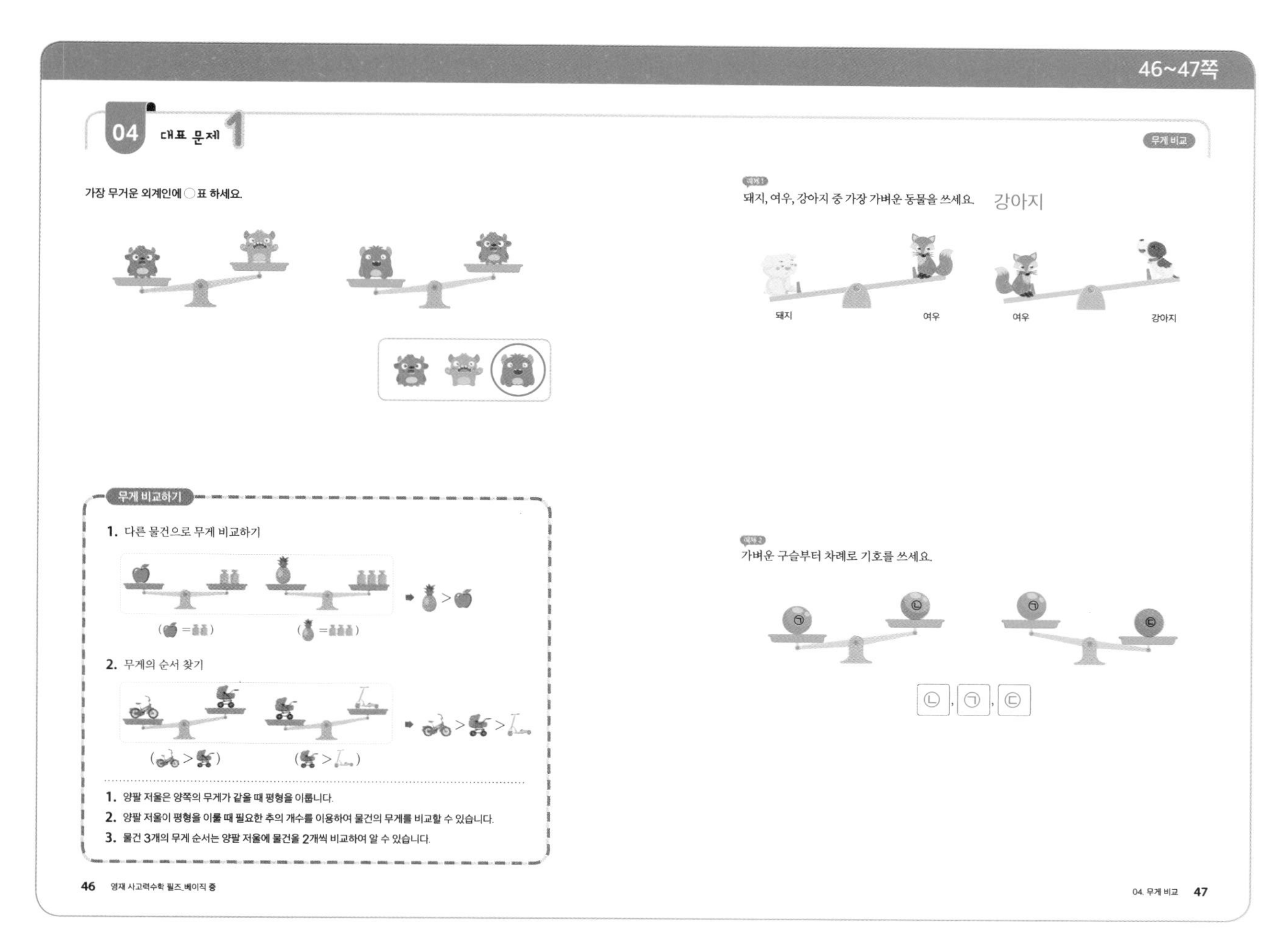
46~47쪽

04 대표 문제 1

무게 비교

가장 무거운 외계인에 ○표 하세요.

무게 비교하기

1. 다른 물건으로 무게 비교하기

2. 무게의 순서 찾기

1. 양팔 저울은 양쪽의 무게가 같을 때 평형을 이룹니다.
2. 양팔 저울이 평형을 이룰 때 필요한 추의 개수를 이용하여 물건의 무게를 비교할 수 있습니다.
3. 물건 3개의 무게 순서는 양팔 저울에 물건을 2개씩 비교하여 알 수 있습니다.

예제 1 돼지, 여우, 강아지 중 가장 가벼운 동물을 쓰세요. 강아지

돼지 여우 여우 강아지

예제 2 가벼운 구슬부터 차례로 기호를 쓰세요.

㉡, ㉠, ㉢

46 영재 사고력수학 필즈_베이직 중

04. 무게 비교 47

무거운 순서대로 나열해 보면 다음과 같습니다.

예제 1

가벼운 동물부터 차례로 쓰면 강아지, 여우, 돼지입니다.

예제 2

1) 왼쪽 저울에서 ㉠ > ㉡, 오른쪽 저울에서 ㉠ < ㉢임을 알 수 있습니다.

2) 따라서 가벼운 구슬부터 차례로 쓰면 ㉡, ㉠, ㉢입니다.

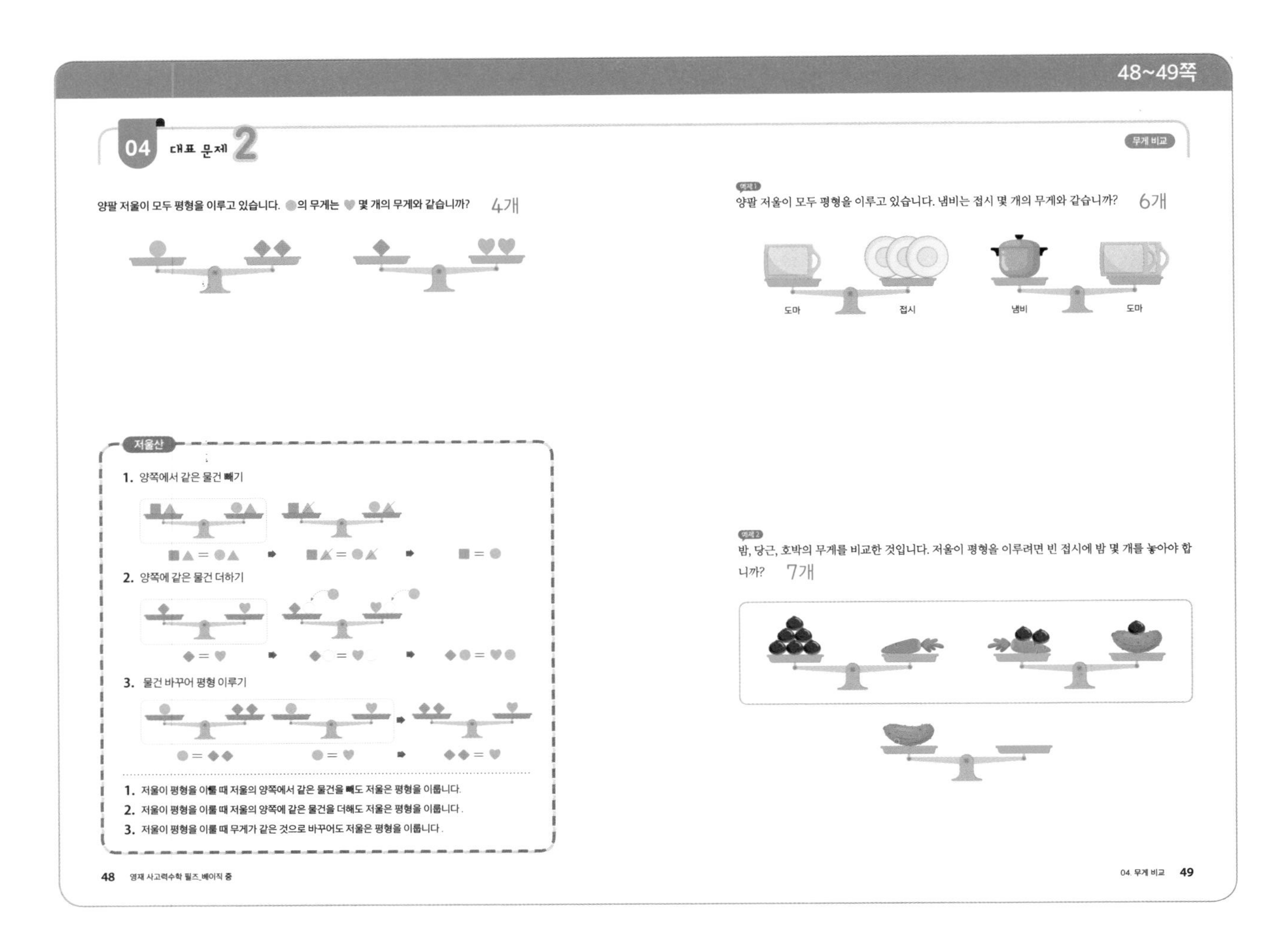
48~49쪽

04 대표 문제 2

무게 비교

양팔 저울이 모두 평형을 이루고 있습니다. ●의 무게는 ♥ 몇 개의 무게와 같습니까? 4개

저울산

1. 양쪽에서 같은 물건 빼기

■▲＝●▲ ➡ ■▲＝●▲ ➡ ■＝●

2. 양쪽에 같은 물건 더하기

◆＝♥ ➡ ◆●＝♥● ➡ ◆●＝♥●

3. 물건 바꾸어 평형 이루기

●＝◆◆ ●＝♥ ➡ ◆◆＝♥

1. 저울이 평형을 이룰 때 저울의 양쪽에서 같은 물건을 빼도 저울은 평형을 이룹니다.
2. 저울이 평형을 이룰 때 저울의 양쪽에 같은 물건을 더해도 저울은 평형을 이룹니다.
3. 저울이 평형을 이룰 때 무게가 같은 것으로 바꾸어도 저울은 평형을 이룹니다.

예제 1

양팔 저울이 모두 평형을 이루고 있습니다. 냄비는 접시 몇 개의 무게와 같습니까? 6개

예제 2

밤, 당근, 호박의 무게를 비교한 것입니다. 저울이 평형을 이루려면 빈 접시에 밤 몇 개를 놓아야 합니까? 7개

48 영재 사고력수학 필즈_베이직 중

04. 무게 비교 49

1) ●＝◆◆, ◆＝♥♥

2) ◆◆＝♥♥♥♥

3) ●＝◆◆＝♥♥♥♥

예제 1

1) (도마 1개)＝(접시 3개), (냄비 1개)＝(도마 2개)

2) (도마 2개)＝(접시 3개)＋(접시 3개)＝(접시 6개)

3) (냄비 1개)＝(도마 2개)＝(접시 6개)

예제 2

1) (밤 6개)＝(당근 1개),
(당근 1개)＋(밤 2개)＝(호박 1개)＋(밤 1개)

2) (당근 1개)＋(밤 2개)＝(호박 1개)＋(밤 1개)
➡ (당근 1개)＋(밤 1개)＝(호박 1개)
➡ (밤 6개)＋(밤 1개)＝(호박 1개)
➡ (밤 7개)＝(호박 1개)

04 확인 문제

무게 비교

1 선우, 윤주, 재한이가 시소를 타고 있습니다. 가장 가벼운 친구는 누구입니까? 선우

3 다음 모빌을 보고 두 번째로 무거운 인형의 이름을 쓰세요. 하마

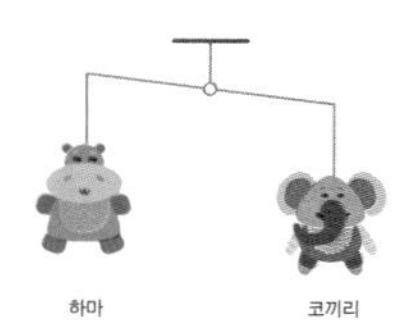

2 양팔 저울이 모두 평형을 이루고 있습니다. 빈 접시에 ● 몇 개를 올려야 하는지 구하세요. 2개

4 양팔 저울이 평형을 이룰 때 초콜릿의 무게를 구하세요. 5 kg

2 kg 3 kg

1 1) 시소는 내려간 쪽이 더 무겁습니다.

2) 윤주가 선우보다 무겁습니다.
재한이가 윤주보다 무겁습니다.

3) 선우가 가장 가볍습니다.

2 1) ■▲=●

2) ■■▲▲=■▲+■▲=●+●=●●

3 1) 모빌은 기울어진 쪽이 더 무겁습니다.

2) 하마가 토끼보다 무겁습니다.
코끼리가 하마보다 무겁습니다.

3) 무거운 인형부터 쓰면 코끼리, 하마, 토끼입니다.

4 1) 

=2 kg, =3 kg

2) 

=+=2+3=5 (kg)

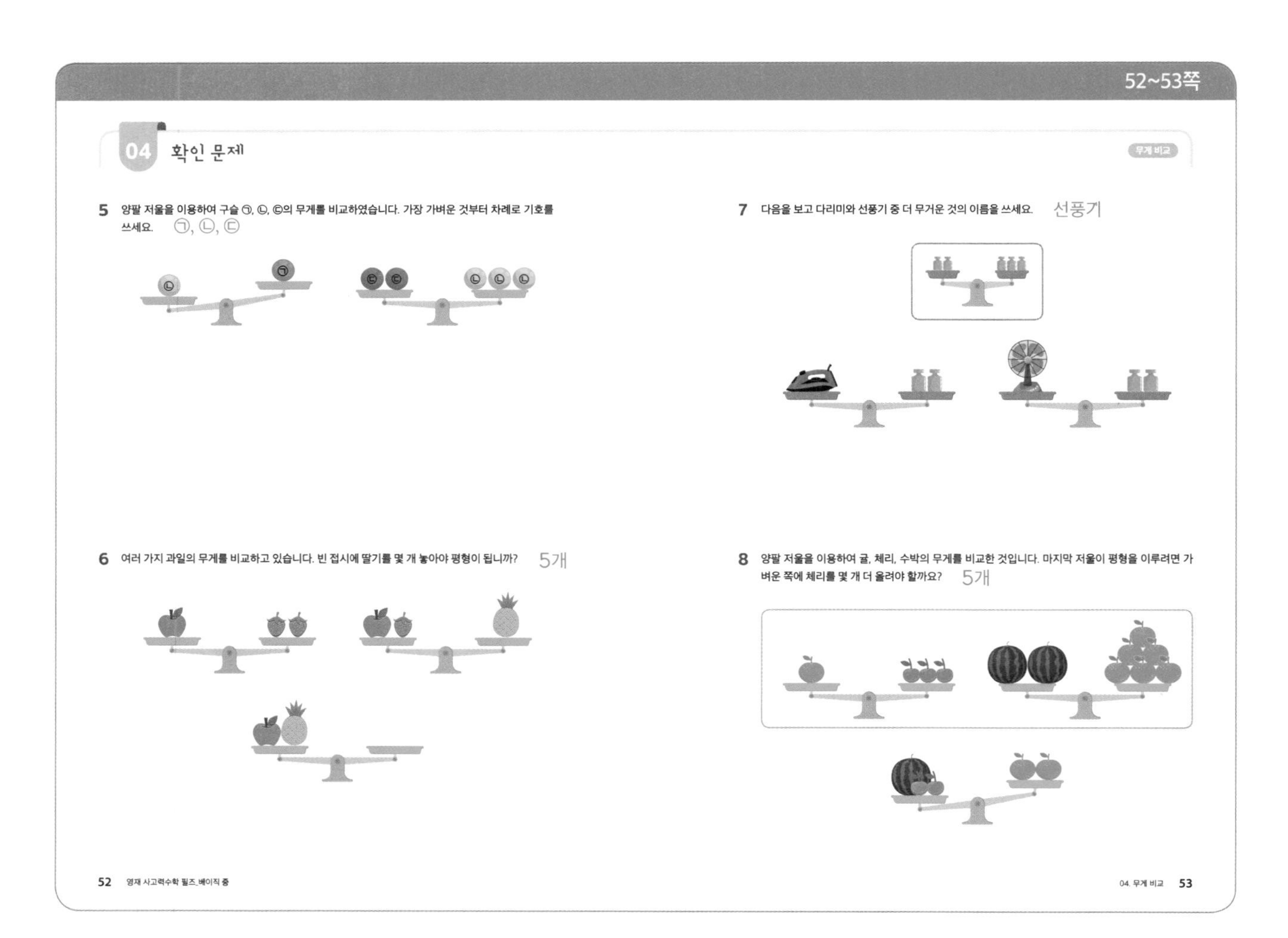

5 **1)** 왼쪽 저울에서 ㉠<㉡, 오른쪽 저울에서 ㉡<㉢임을 알 수 있습니다.

2) 따라서 가벼운 구슬부터 차례로 ㉠, ㉡, ㉢입니다.

6 **1)** (사과 1개)=(딸기 2개),
(사과 1개)+(딸기 1개)=(파인애플 1개)

2) (사과 1개)+(딸기 1개)=(파인애플 1개)
➡ (딸기 2개)+(딸기 1개)=(파인애플 1개)
➡ (딸기 3개)=(파인애플 1개)

3) (사과 1개)+(파인애플 1개)
=(딸기 2개)+(딸기 3개)=(딸기 5개)

7 **1)** (빨간색 추 2개)=(초록색 추 3개)
➡ (빨간색 추 2개)>(초록색 추 2개)

2) 따라서 빨간색 추 2개와 무게가 같은 선풍기가 더 무겁습니다.

8 **1)** (귤 1개)=(체리 3개), (수박 2개)=(귤 6개)

2) (수박 2개)=(귤 6개)
➡ (수박 1개)=(귤 3개)=(체리 9개)

3) (수박 1개)+(체리 2개)
=(체리 9개)+(체리 2개)=(체리 11개)

4) (체리 11개)=(귤 2개)+□
➡ (체리 11개)=(체리 6개)+□
➡ □=(체리 5개)

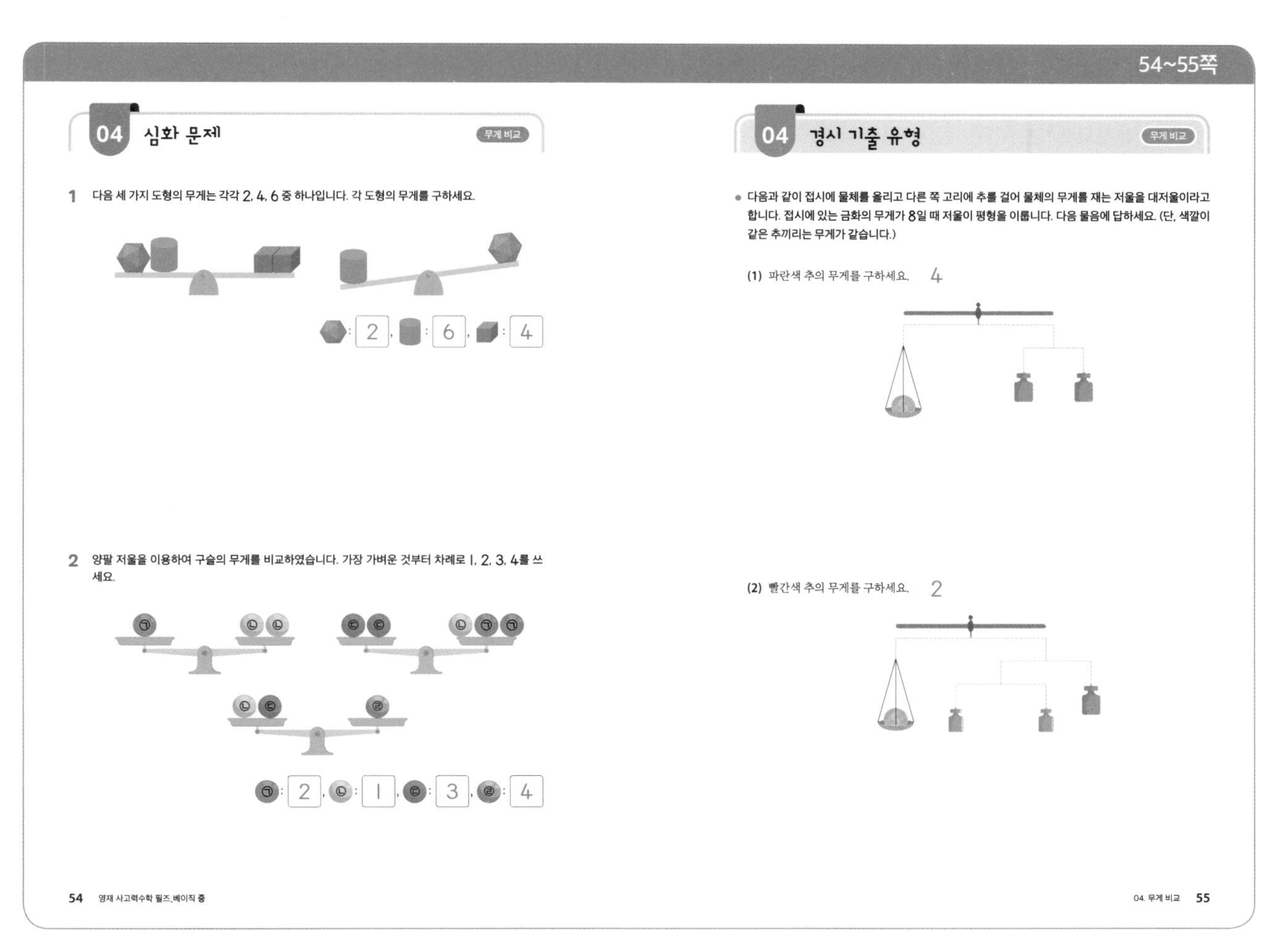

54~55쪽

04 심화 문제 (무게 비교)

1 다음 세 가지 도형의 무게는 각각 2, 4, 6 중 하나입니다. 각 도형의 무게를 구하세요.

: 2, : 6, : 4

2 양팔 저울을 이용하여 구슬의 무게를 비교하였습니다. 가장 가벼운 것부터 차례로 1, 2, 3, 4를 쓰세요.

㉠: 2, ㉡: 1, ㉢: 3, ㉣: 4

04 경시 기출 유형 (무게 비교)

● 다음과 같이 접시에 물체를 올리고 다른 쪽 고리에 추를 걸어 물체의 무게를 재는 저울을 대저울이라고 합니다. 접시에 있는 금화의 무게가 8일 때 저울이 평형을 이룹니다. 다음 물음에 답하세요. (단, 색깔이 같은 추끼리는 무게가 같습니다.)

(1) 파란색 추의 무게를 구하세요. 4

(2) 빨간색 추의 무게를 구하세요. 2

54 영재 사고력수학 필즈_베이직 중

04. 무게 비교 55

1 1) = , >

2) 의 무게는 과 무게의 중간입니다.

\> >

2 1) ㉠=㉡㉡ ➡ ㉠>㉡

2) ㉢㉢=㉡㉠㉠ ➡ ㉢㉢=㉡㉡㉡㉡㉡ ➡ ㉢>㉡, ㉢>㉠

3) ㉡㉢=㉣ ➡ ㉡<㉣, ㉢<㉣

4) ㉡<㉠<㉢<㉣

● (1)

1) 파란색 추 2개는 금화 1개의 무게와 같습니다.

2) $8=4+4$

3) 파란색 추 1개의 무게는 4입니다.

(2)

1) 빨간색 추 2개는 파란색 추 1개의 무게와 같습니다.

2) $4=2+2$

3) 빨간색 추 1개의 무게는 2입니다.

05 포함 관계

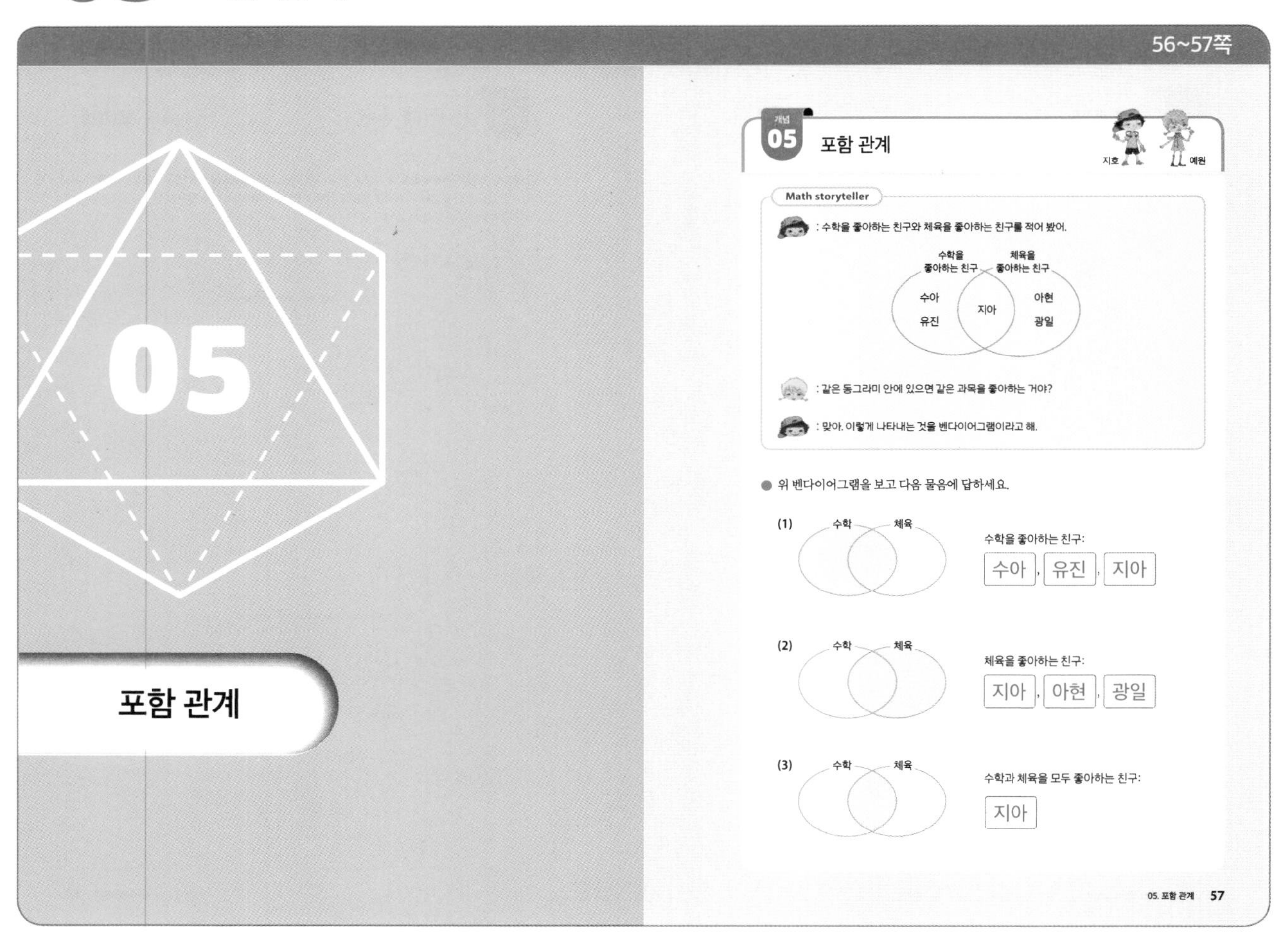

56~57쪽
05
포함 관계
개념
05
포함 관계
Math storyteller
: 수학을 좋아하는 친구와 체육을 좋아하는 친구를 적어 봤어.
수학을
좋아하는 친구
체육을
좋아하는 친구
수아
유진
지아
아현
광일
: 같은 동그라미 안에 있으면 같은 과목을 좋아하는 거야?
: 맞아. 이렇게 나타내는 것을 벤다이어그램이라고 해.
● 위 벤다이어그램을 보고 다음 물음에 답하세요.
(1) 수학 체육
수학을 좋아하는 친구:
수아, 유진, 지아
(2) 수학 체육
체육을 좋아하는 친구:
지아, 아현, 광일
(3) 수학 체육
수학과 체육을 모두 좋아하는 친구:
지아
05. 포함 관계 57

1) 벤다이어그램은 속성이 같은 것을 같은 원 안에 넣어 나타내는 그림입니다.

2) 문제에서는 벤다이어그램의 색칠한 부분에 적힌 이름을 묻고 있습니다.

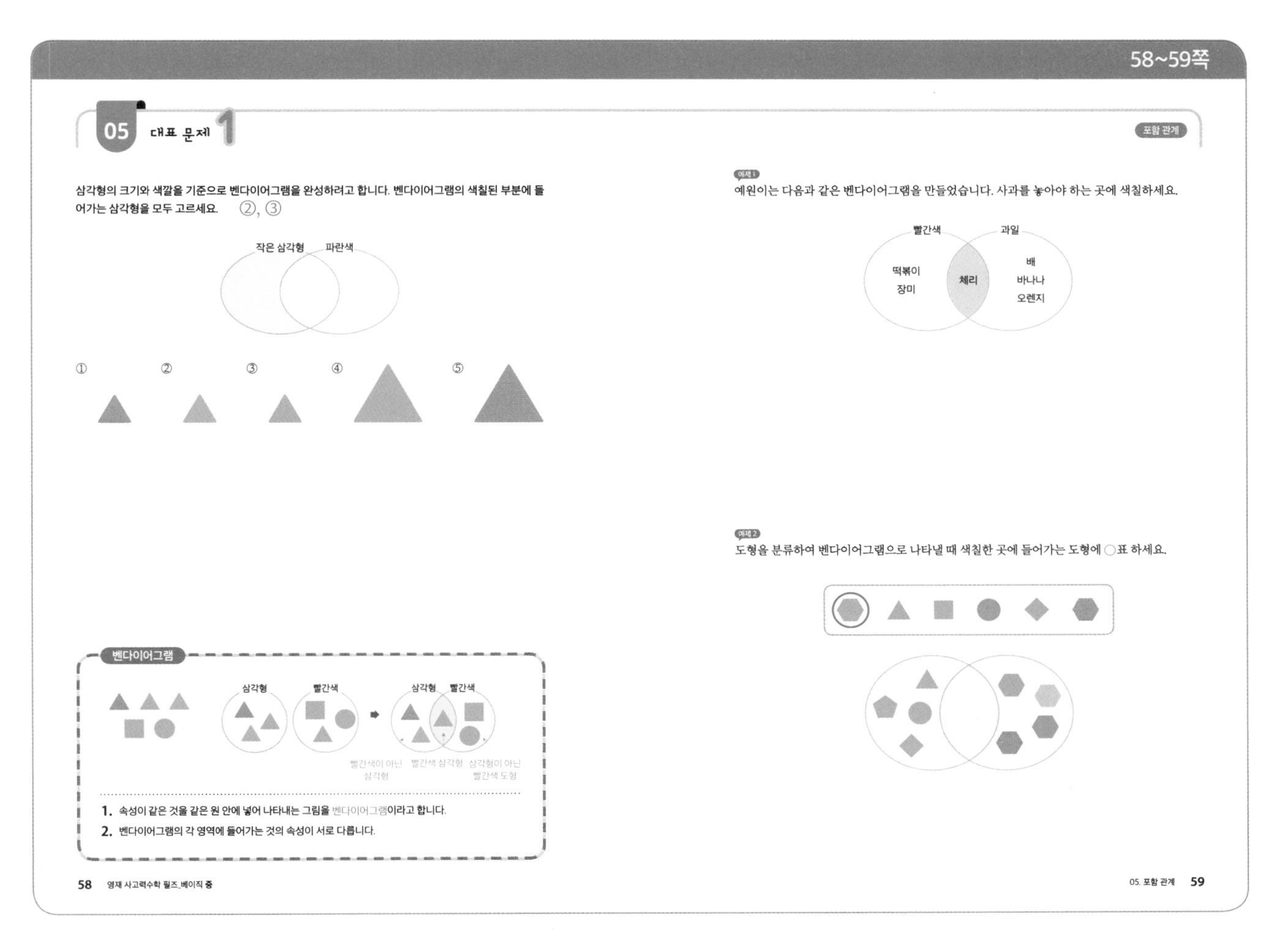

58~59쪽

05 대표 문제 1

포함 관계

삼각형의 크기와 색깔을 기준으로 벤다이어그램을 완성하려고 합니다. 벤다이어그램의 색칠된 부분에 들어가는 삼각형을 모두 고르세요. ②, ③

벤다이어그램

1. 속성이 같은 것을 같은 원 안에 넣어 나타내는 그림을 벤다이어그램이라고 합니다.
2. 벤다이어그램의 각 영역에 들어가는 것의 속성이 서로 다릅니다.

예제 1

예원이는 다음과 같은 벤다이어그램을 만들었습니다. 사과를 놓아야 하는 곳에 색칠하세요.

예제 2

도형을 분류하여 벤다이어그램으로 나타낼 때 색칠한 곳에 들어가는 도형에 ○표 하세요.

58 영재 사고력수학 필즈_베이직 중

05. 포함 관계 59

색칠된 부분에는 파란색이 아닌 작은 삼각형이 들어갑니다.

예제 1

사과는 빨간색이면서 과일이므로 두 원이 겹치는 곳에 들어갑니다.

예제 2

1) 왼쪽 원에 있는 모양의 공통점은 노란색입니다.
2) 오른쪽 원에 있는 모양의 공통점은 육각형입니다.
3) 겹치는 곳에는 노란색 육각형이 들어갑니다.

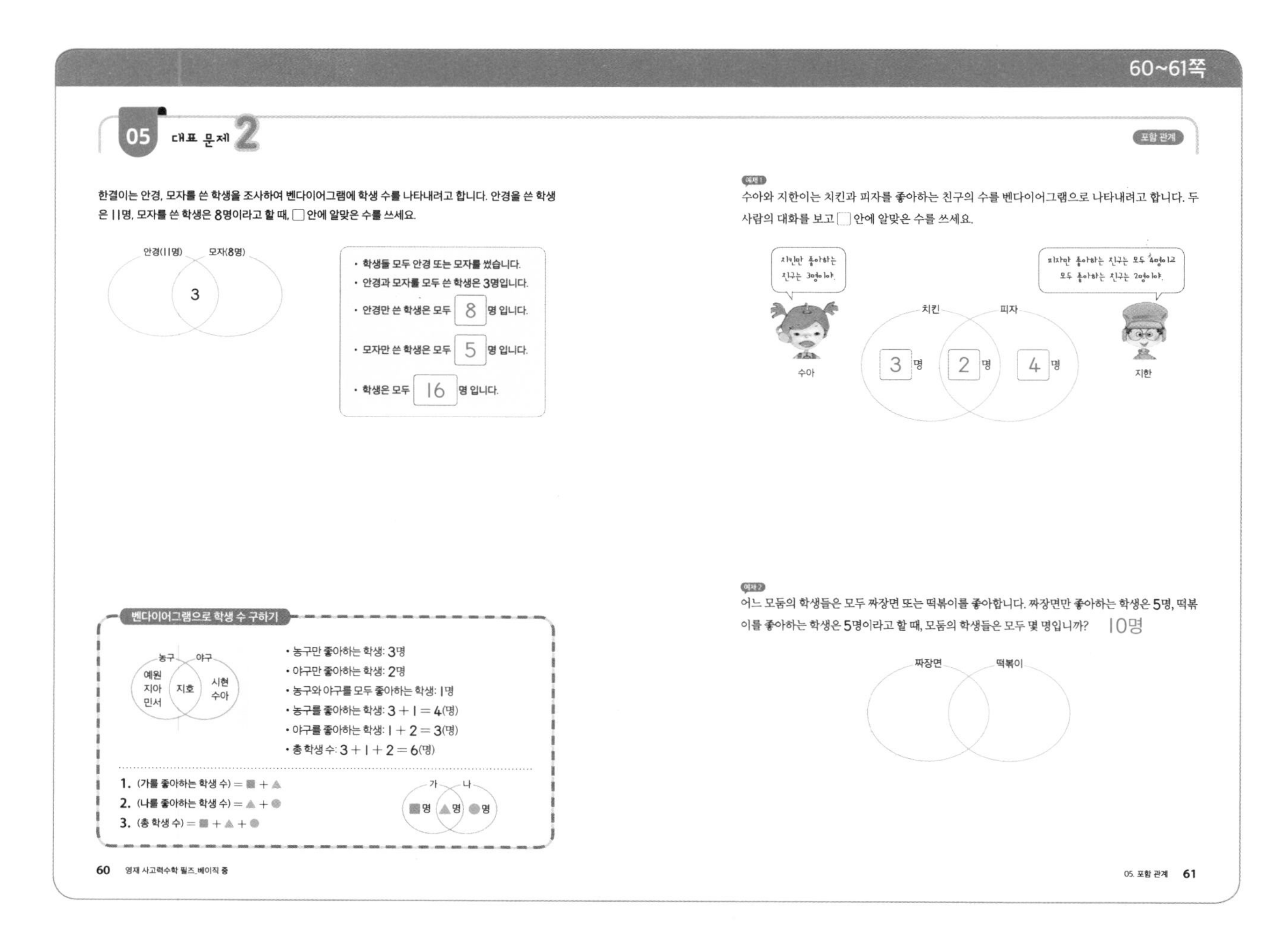
05 대표 문제 2

포함 관계

한결이는 안경, 모자를 쓴 학생을 조사하여 벤다이어그램에 학생 수를 나타내려고 합니다. 안경을 쓴 학생은 11명, 모자를 쓴 학생은 8명이라고 할 때, □ 안에 알맞은 수를 쓰세요.

안경(11명) 모자(8명) 3

- 학생들 모두 안경 또는 모자를 썼습니다.
- 안경과 모자를 모두 쓴 학생은 3명입니다.
- 안경만 쓴 학생은 모두 8 명 입니다.
- 모자만 쓴 학생은 모두 5 명 입니다.
- 학생은 모두 16 명 입니다.

벤다이어그램으로 학생 수 구하기

농구 야구 / 예원 지아 민서 / 지호 / 시현 수아

- 농구만 좋아하는 학생: 3명
- 야구만 좋아하는 학생: 2명
- 농구와 야구를 모두 좋아하는 학생: 1명
- 농구를 좋아하는 학생: 3+1=4(명)
- 야구를 좋아하는 학생: 1+2=3(명)
- 총 학생 수: 3+1+2=6(명)

1. (가를 좋아하는 학생 수)=■+▲
2. (나를 좋아하는 학생 수)=▲+●
3. (총 학생 수)=■+▲+●

예제 1 수아와 지한이는 치킨과 피자를 좋아하는 친구의 수를 벤다이어그램으로 나타내려고 합니다. 두 사람의 대화를 보고 □ 안에 알맞은 수를 쓰세요.

치킨 피자 3 명 2 명 4 명

예제 2 어느 모둠의 학생들은 모두 짜장면 또는 떡볶이를 좋아합니다. 짜장면만 좋아하는 학생은 5명, 떡볶이를 좋아하는 학생은 5명이라고 할 때, 모둠의 학생들은 모두 몇 명입니까? 10명

짜장면 떡볶이

60 영재 사고력수학 필즈_베이직 중 05. 포함 관계 61

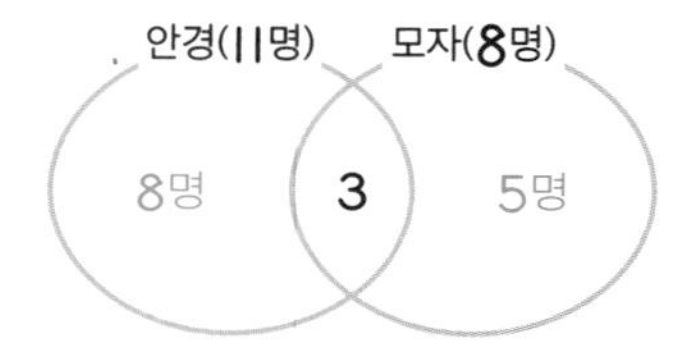

1) 안경만 쓴 학생: $11-3=8$(명)

2) 모자만 쓴 학생: $8-3=5$(명)

3) 총 학생 수: $8+3+5=16$(명)

예제 1

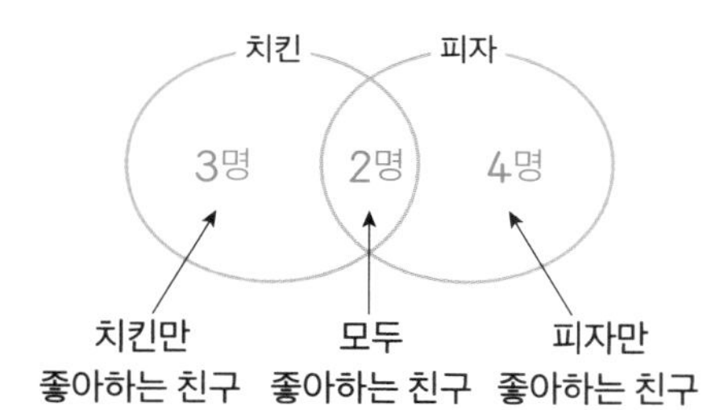

예제 2

1) (모둠의 학생)

=(짜장면만 좋아하는 학생)+(떡볶이를 좋아하는 학생)

2) $5+5=10$(명)

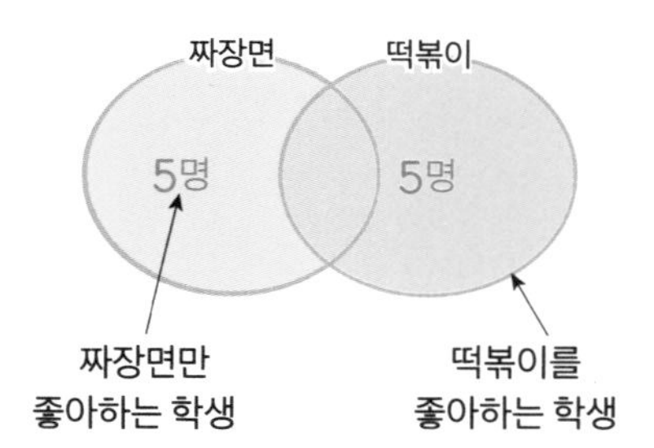

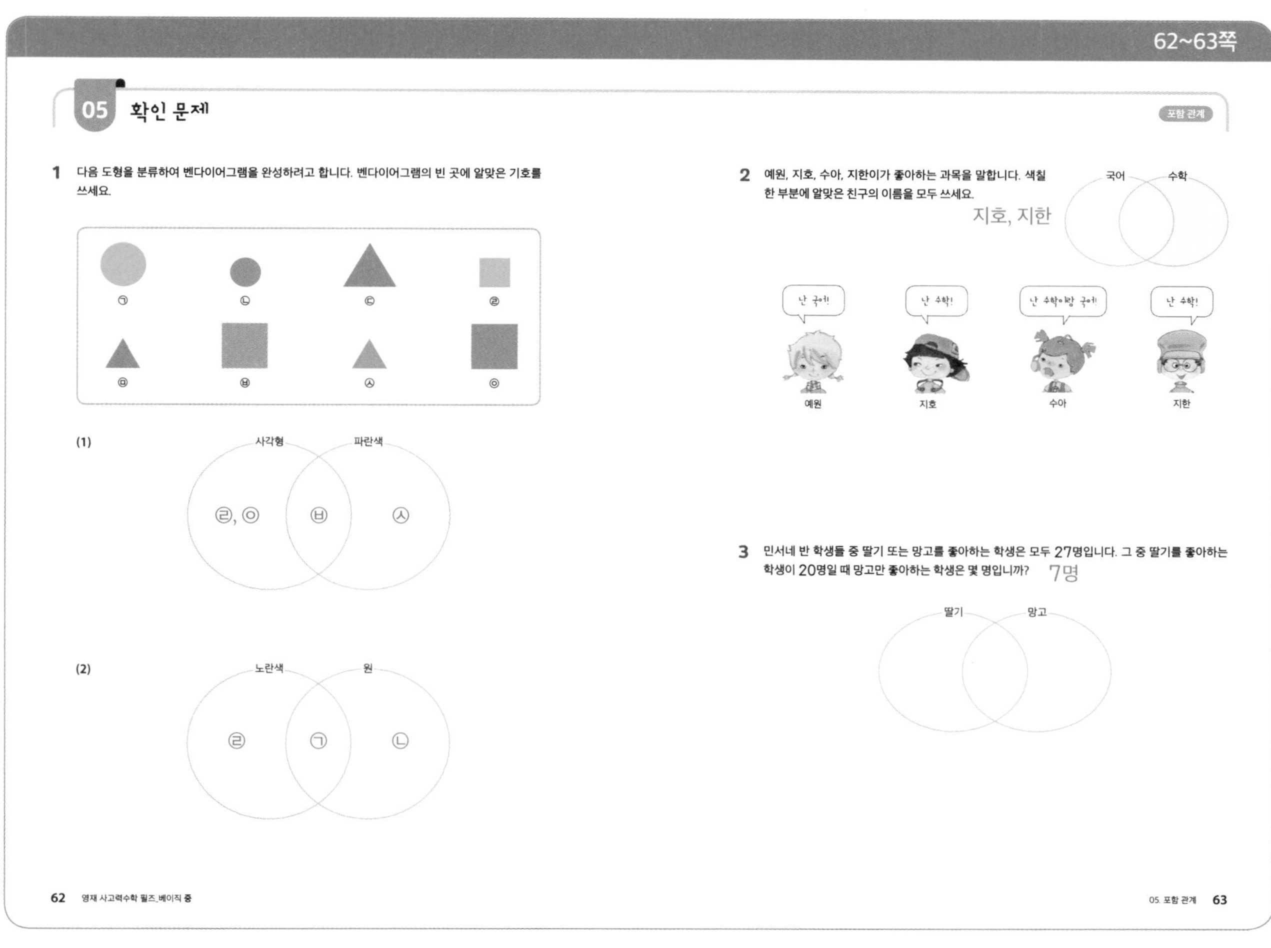

05 확인 문제
포함 관계
1 다음 도형을 분류하여 벤다이어그램을 완성하려고 합니다. 벤다이어그램의 빈 곳에 알맞은 기호를 쓰세요.
(1)
사각형
파란색
ㄹ, ㅇ
ㅂ
ㅅ
(2)
노란색
원
ㄹ
ㄱ
ㄴ
2 예원, 지호, 수아, 지한이가 좋아하는 과목을 말합니다. 색칠한 부분에 알맞은 친구의 이름을 모두 쓰세요.
지호, 지한
국어
수학
예원
지호
수아
지한
3 민서네 반 학생들 중 딸기 또는 망고를 좋아하는 학생은 모두 27명입니다. 그 중 딸기를 좋아하는 학생이 20명일 때 망고만 좋아하는 학생은 몇 명입니까? 7명
딸기
망고
62 영재 사고력수학 필즈_베이직 중
05. 포함 관계 63

1 (1)

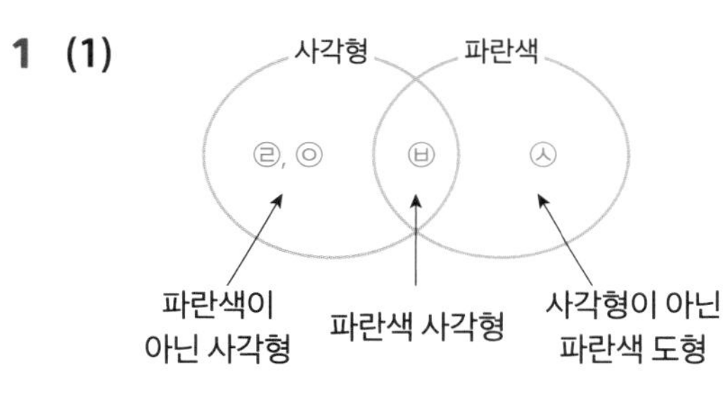

(2)

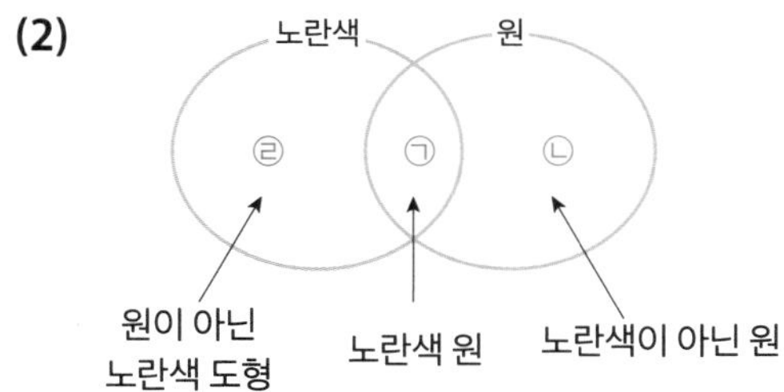

2 1) 벤다이어그램의 색칠한 부분에는 수학만 좋아하는 학생이 들어갑니다.

2) 수학만 좋아하는 학생은 지호와 지한입니다.

3 1) 모든 학생은 ■+▲+★=27(명)입니다.

2) 딸기를 좋아하는 학생은 ■+▲=20(명)입니다.

3) 망고만 좋아하는 학생은 ★=27−20=7(명)입니다.

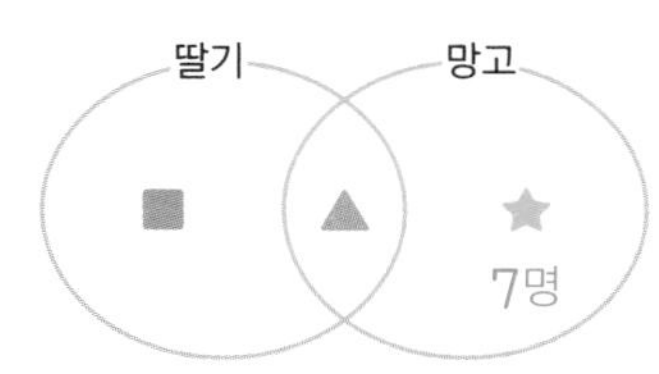

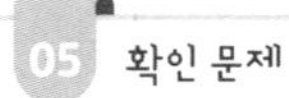

포함 관계

4 민서는 발레 학원과 태권도 학원을 다니는 친구들을 조사하여 각 학원에 다니는 친구의 수를 벤다이어그램으로 나타내려고 합니다. 다음을 읽고 □ 안에 알맞은 수를 쓰세요.

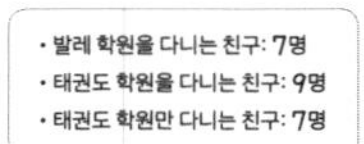

• 발레 학원을 다니는 친구: 7명
• 태권도 학원을 다니는 친구: 9명
• 태권도 학원만 다니는 친구: 7명

5 어느 모둠 친구들이 좋아하는 수를 조사한 표입니다. 수를 분류하여 벤다이어그램에 나타내려고 할 때 색칠한 곳에 알맞은 수를 모두 쓰세요.

이름	좋아하는 수	이름	좋아하는 수
허예원	99	나광일	7
서연우	13	이도	1
황인서	5	전준오	14
황현서	24	박채현	22
이하린	3	정서윤	81

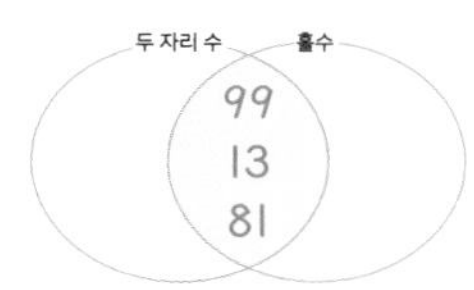

6 지한이네 반 학생들은 모두 형제가 있습니다. 남자 형제가 있는 학생은 10명, 여자 형제가 있는 학생은 9명입니다. 여자 형제와 남자 형제가 모두 있는 학생이 4명일 때, 지한이네 반 학생들은 모두 몇 명입니까? 15명

7 어느 모둠의 학생 12명이 모두 줄넘기 또는 훌라후프를 좋아합니다. 줄넘기를 좋아하는 학생은 9명, 훌라후프를 좋아하는 학생은 8명이라고 할 때, 줄넘기와 훌라후프를 모두 좋아하는 학생은 몇 명입니까? 5명

64 영재 사고력수학 필즈_베이직 중 05. 포함 관계 65

4 1) (모두 다니는 학생)$=9-7=2$(명)

2) (발레 학원만 다니는 학생)

$=$(발레 학원을 다니는 학생)$-$(모두 다니는 학생)

$=7-2=5$(명)

5 1) 색칠한 부분에는 홀수인 두 자리 수가 들어갑니다.

2) 두 자리 홀수는 99, 13, 81입니다.

6 1) 남자 형제만 있는 학생: $10-4=6$(명)

2) 여자 형제만 있는 학생: $9-4=5$(명)

3) 총 학생 수: $6+4+5=15$(명)

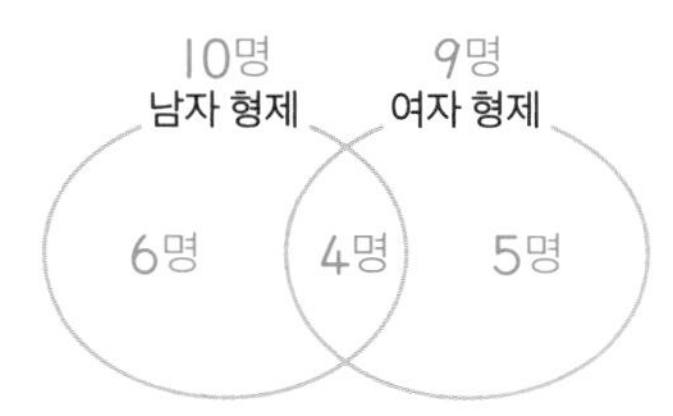

7 1) 벤다이어그램으로 만듭니다.

2) ★$+$■$=9$명

3) ▲$=12-9=3$(명)

4) ■$=8-$▲$=8-3=5$(명)

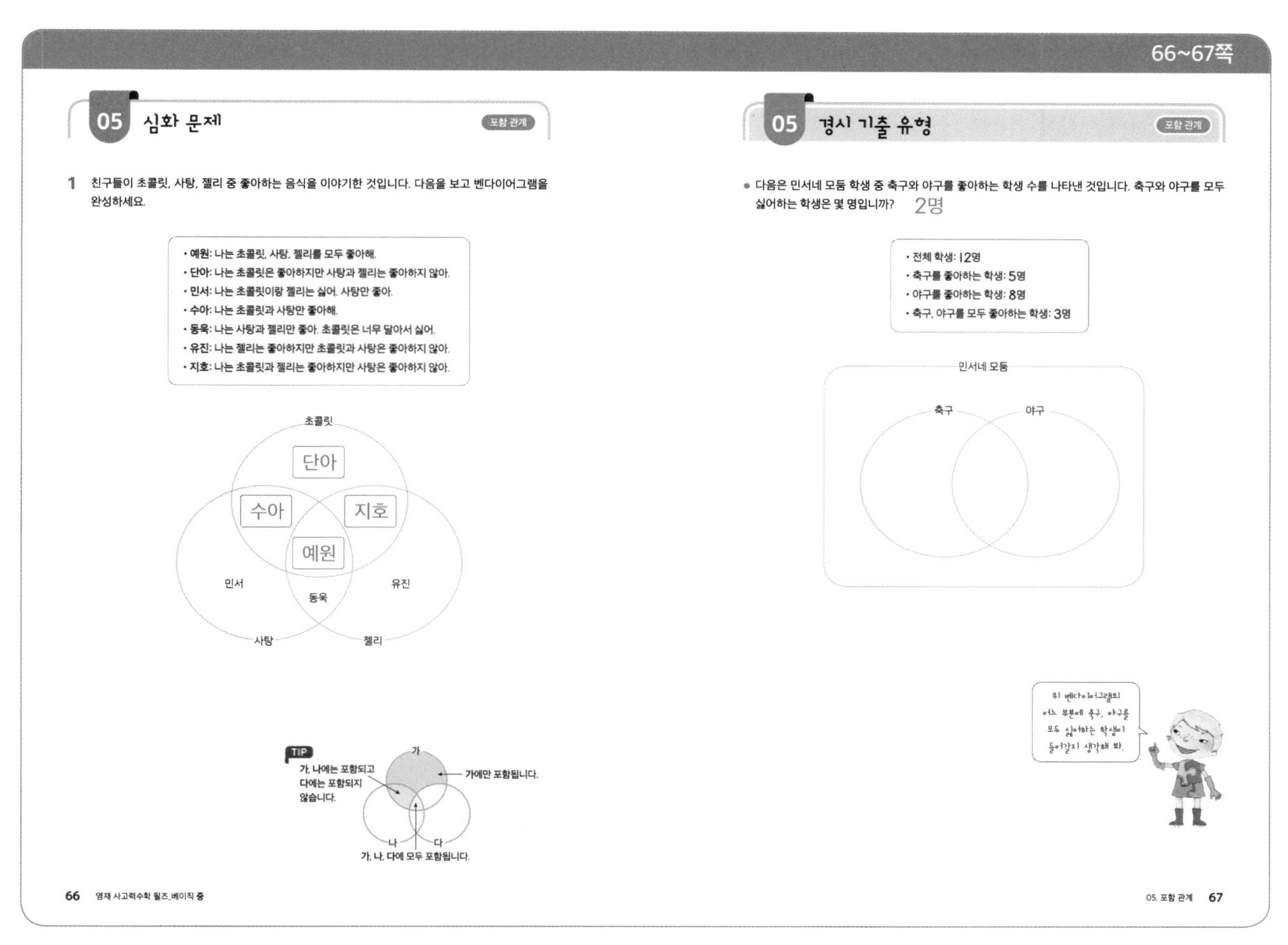

66~67쪽
05 심화 문제
포함 관계
1 친구들이 초콜릿, 사탕, 젤리 중 좋아하는 음식을 이야기한 것입니다. 다음을 보고 벤다이어그램을 완성하세요.
• 예원: 나는 초콜릿, 사탕, 젤리를 모두 좋아해.
• 단아: 나는 초콜릿은 좋아하지만 사탕과 젤리는 좋아하지 않아.
• 민서: 나는 초콜릿이랑 젤리는 싫어. 사탕만 좋아.
• 수아: 나는 초콜릿과 사탕만 좋아해.
• 동욱: 나는 사탕과 젤리만 좋아. 초콜릿은 너무 달아서 싫어.
• 유진: 나는 젤리는 좋아하지만 초콜릿과 사탕은 좋아하지 않아.
• 지호: 나는 초콜릿과 젤리는 좋아하지만 사탕은 좋아하지 않아.
초콜릿
단아
수아
지호
예원
민서
동욱
유진
사탕
젤리
TIP
가, 나에는 포함되고 다에는 포함되지 않습니다.
가에만 포함됩니다.
가, 나, 다에 모두 포함됩니다.
66 영재 사고력수학 필즈_베이직 중
05 경시 기출 유형
포함 관계
• 다음은 민서네 모둠 학생 중 축구와 야구를 좋아하는 학생 수를 나타낸 것입니다. 축구와 야구를 모두 싫어하는 학생은 몇 명입니까? 2명
• 전체 학생: 12명
• 축구를 좋아하는 학생: 5명
• 야구를 좋아하는 학생: 8명
• 축구, 야구를 모두 좋아하는 학생: 3명
민서네 모둠
축구
야구
05. 포함 관계 67

1

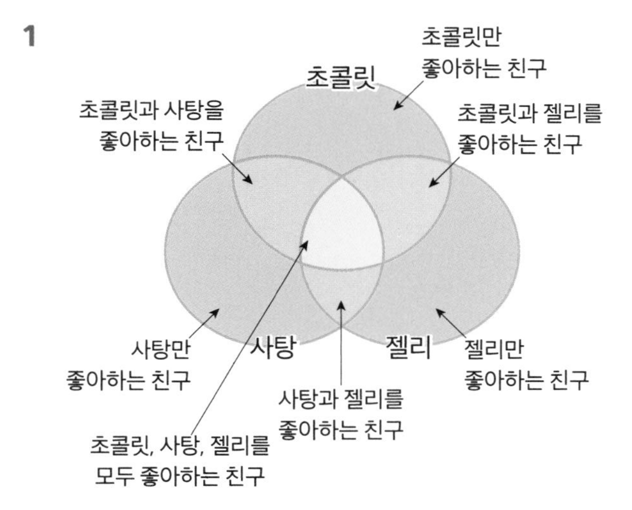

● 1) 축구만 좋아하는 학생: $5-3=2$(명)

2) 야구만 좋아하는 학생: $8-3=5$(명)

3) 축구 또는 야구를 좋아하는 학생: $2+3+5=10$(명)

4) 축구, 야구를 모두 싫어하는 학생: $12-10=2$(명)

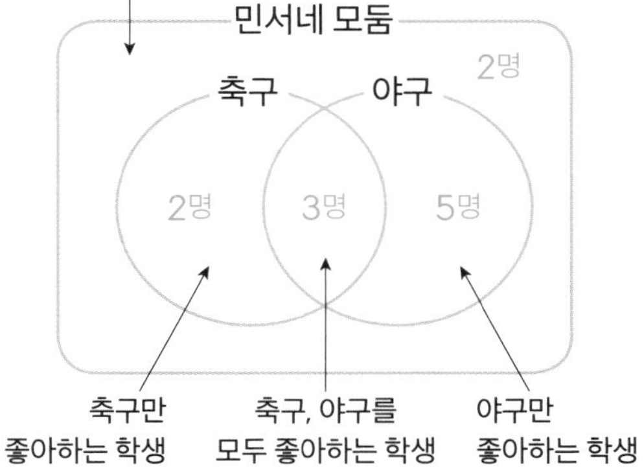

06 님 게임

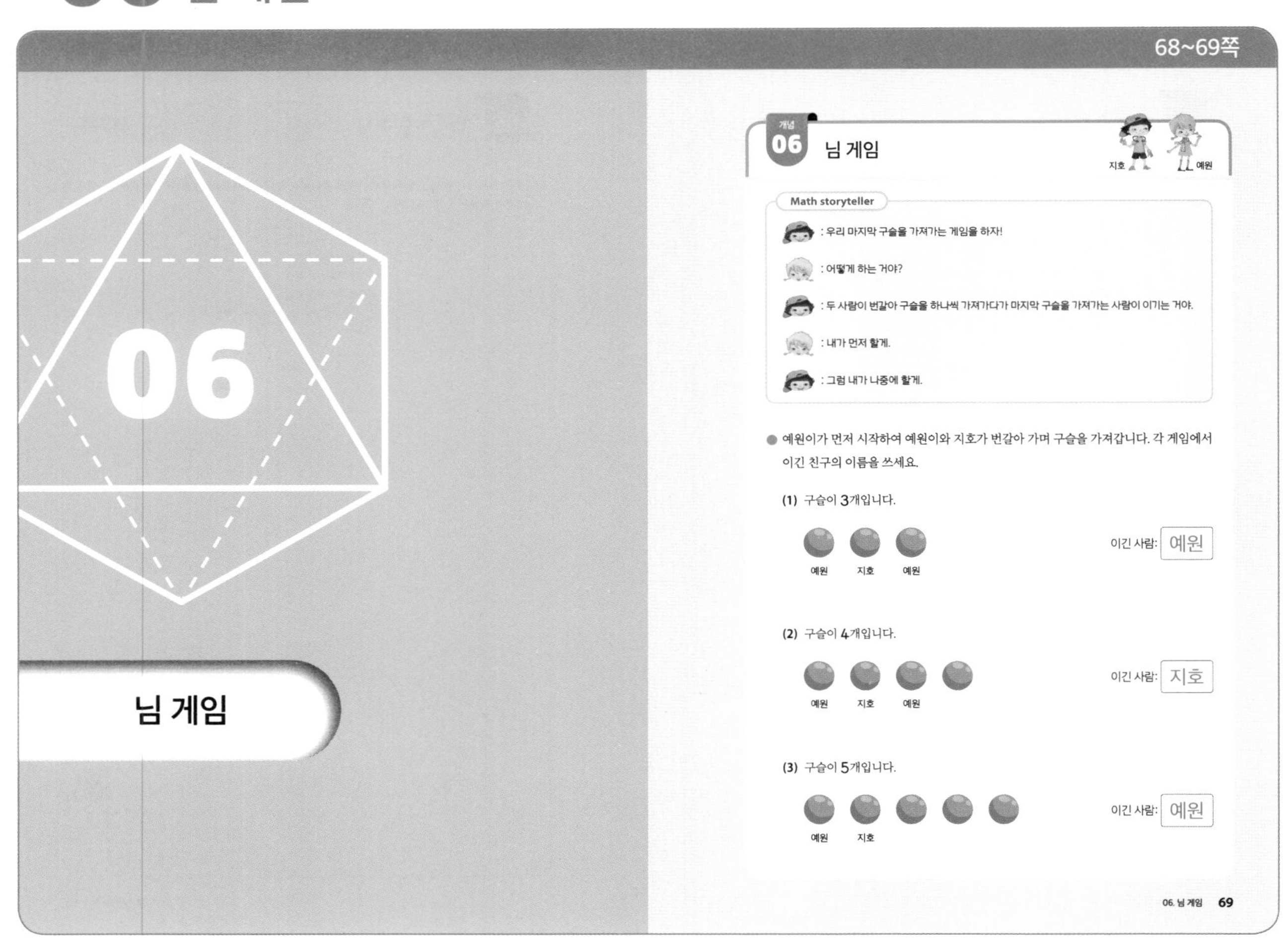

68~69쪽

06

님 게임

개념 06 님 게임

지호 예원

Math storyteller

지호: 우리 마지막 구슬을 가져가는 게임을 하자!

예원: 어떻게 하는 거야?

지호: 두 사람이 번갈아 구슬을 하나씩 가져가다가 마지막 구슬을 가져가는 사람이 이기는 거야.

예원: 내가 먼저 할게.

지호: 그럼 내가 나중에 할게.

● 예원이가 먼저 시작하여 예원이와 지호가 번갈아 가며 구슬을 가져갑니다. 각 게임에서 이긴 친구의 이름을 쓰세요.

(1) 구슬이 3개입니다.

예원 지호 예원

이긴 사람: 예원

(2) 구슬이 4개입니다.

예원 지호 예원

이긴 사람: 지호

(3) 구슬이 5개입니다.

예원 지호

이긴 사람: 예원

06. 님 게임 69

구슬이 홀수 개이면 먼저 시작한 예원, 구슬이 짝수 개이면 나중에 시작한 지호가 항상 이깁니다.

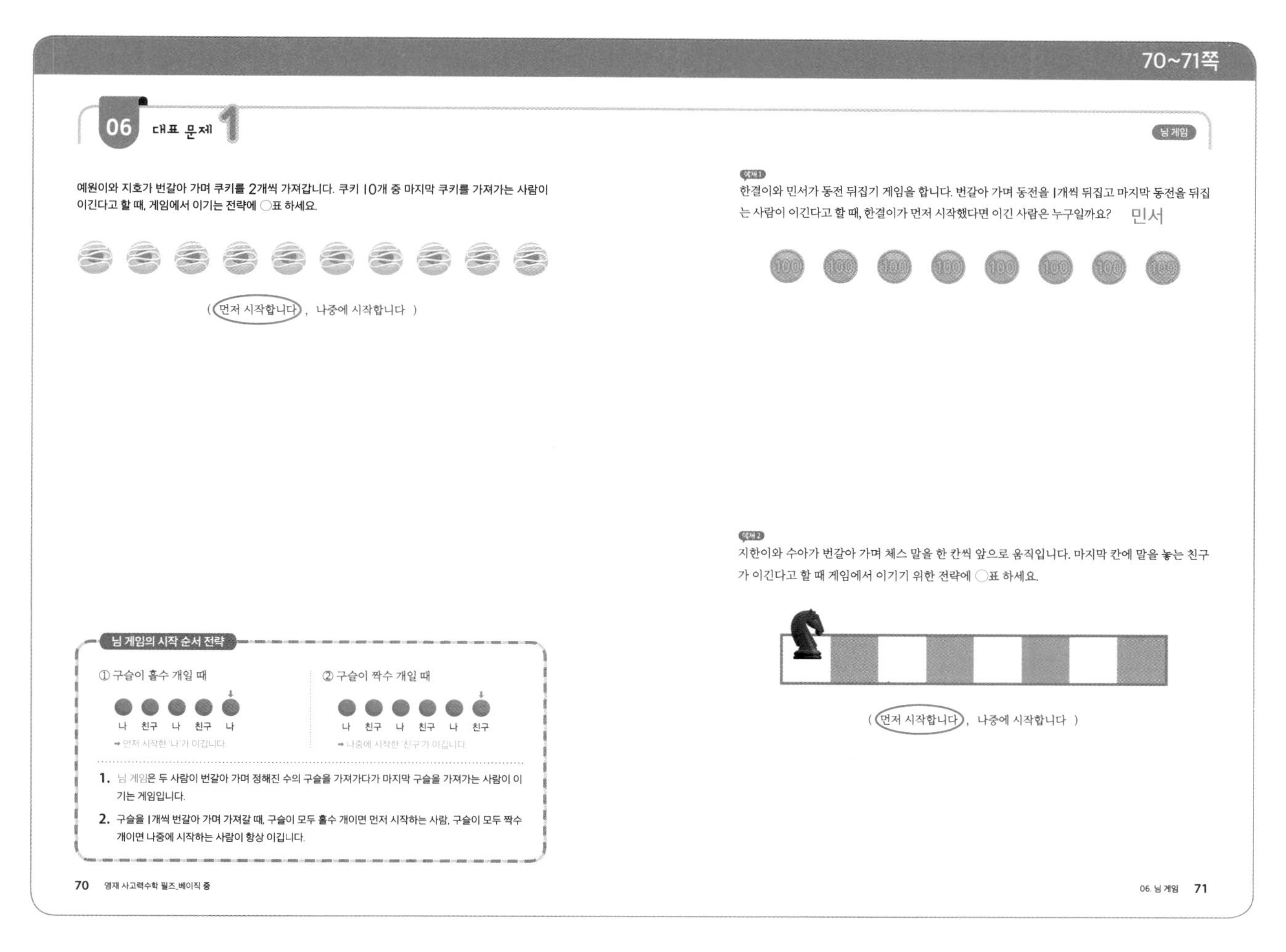
70~71쪽

06 대표 문제 1

님 게임

예원이와 지호가 번갈아 가며 쿠키를 2개씩 가져갑니다. 쿠키 10개 중 마지막 쿠키를 가져가는 사람이 이긴다고 할 때, 게임에서 이기는 전략에 ○표 하세요.

(먼저 시작합니다 , 나중에 시작합니다)

님 게임의 시작 순서 전략

① 구슬이 홀수 개일 때

나 친구 나 친구 나

➡ 먼저 시작한 '나'가 이깁니다.

② 구슬이 짝수 개일 때

나 친구 나 친구 나 친구

➡ 나중에 시작한 '친구'가 이깁니다.

1. 님 게임은 두 사람이 번갈아 가며 정해진 수의 구슬을 가져가다가 마지막 구슬을 가져가는 사람이 이기는 게임입니다.

2. 구슬을 1개씩 번갈아 가며 가져갈 때, 구슬이 모두 홀수 개이면 먼저 시작하는 사람, 구슬이 모두 짝수 개이면 나중에 시작하는 사람이 항상 이깁니다.

예제 1

한결이와 민서가 동전 뒤집기 게임을 합니다. 번갈아 가며 동전을 1개씩 뒤집고 마지막 동전을 뒤집는 사람이 이긴다고 할 때, 한결이가 먼저 시작했다면 이긴 사람은 누구일까요? 민서

예제 2

지한이와 수아가 번갈아 가며 체스 말을 한 칸씩 앞으로 움직입니다. 마지막 칸에 말을 놓는 친구가 이긴다고 할 때 게임에서 이기기 위한 전략에 ○표 하세요.

(먼저 시작합니다 , 나중에 시작합니다)

70 영재 사고력수학 필즈_베이직 중

06. 님 게임 71

1) 2개씩 5묶음이므로 묶음이 홀수 개입니다.

2) 홀수 개이면 먼저 시작하는 사람이 항상 마지막 쿠키를 가져갈 수 있습니다.

예제 1

1) 동전이 홀수 개이면 먼저 시작한 사람, 짝수 개이면 나중에 시작하는 사람이 항상 이깁니다.

2) 동전이 8개이므로 나중에 시작한 민서가 이깁니다.

예제 2

1) 말을 7번 움직이면 마지막 칸에 도착합니다.

2) 홀수 번 움직여야 하므로 먼저 시작한 사람이 이깁니다.

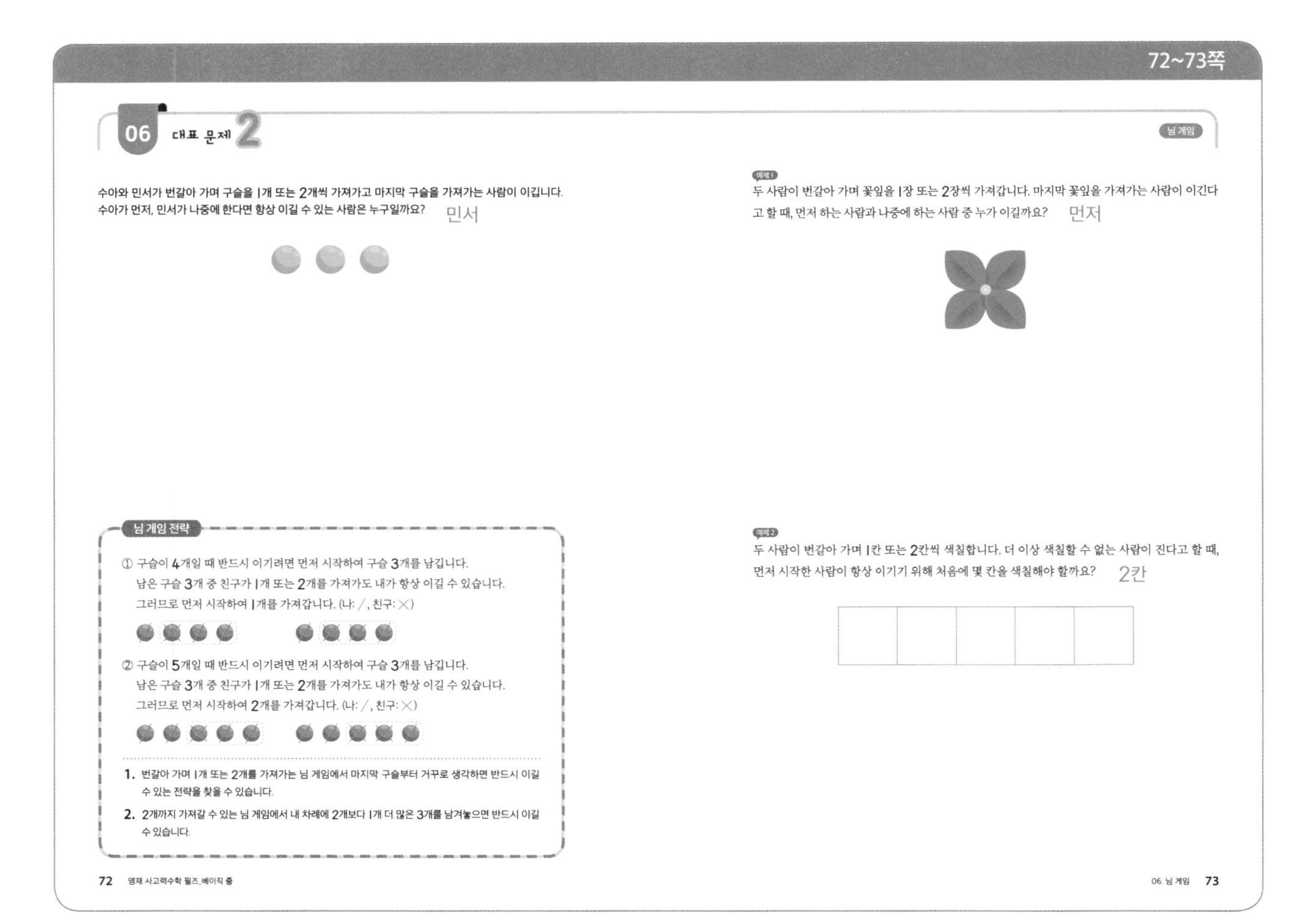
72~73쪽

06 대표 문제 2

님 게임

수아와 민서가 번갈아 가며 구슬을 1개 또는 2개씩 가져가고 마지막 구슬을 가져가는 사람이 이깁니다. 수아가 먼저, 민서가 나중에 한다면 항상 이길 수 있는 사람은 누구일까요? 민서

님 게임 전략

① 구슬이 4개일 때 반드시 이기려면 먼저 시작하여 구슬 3개를 남깁니다.
남은 구슬 3개 중 친구가 1개 또는 2개를 가져가도 내가 항상 이길 수 있습니다.
그러므로 먼저 시작하여 1개를 가져갑니다. (나: /, 친구: ×)

② 구슬이 5개일 때 반드시 이기려면 먼저 시작하여 구슬 3개를 남깁니다.
남은 구슬 3개 중 친구가 1개 또는 2개를 가져가도 내가 항상 이길 수 있습니다.
그러므로 먼저 시작하여 2개를 가져갑니다. (나: /, 친구: ×)

1. 번갈아 가며 1개 또는 2개를 가져가는 님 게임에서 마지막 구슬부터 거꾸로 생각하면 반드시 이길 수 있는 전략을 찾을 수 있습니다.
2. 2개까지 가져갈 수 있는 님 게임에서 내 차례에 2개보다 1개 더 많은 3개를 남겨놓으면 반드시 이길 수 있습니다.

72 영재 사고력수학 필즈_베이직 중

예제 1
두 사람이 번갈아 가며 꽃잎을 1장 또는 2장씩 가져갑니다. 마지막 꽃잎을 가져가는 사람이 이긴다고 할 때, 먼저 하는 사람과 나중에 하는 사람 중 누가 이길까요? 먼저

예제 2
두 사람이 번갈아 가며 1칸 또는 2칸씩 색칠합니다. 더 이상 색칠할 수 없는 사람이 진다고 할 때, 먼저 시작한 사람이 항상 이기기 위해 처음에 몇 칸을 색칠해야 할까요? 2칸

06. 님 게임 73

1) 구슬 3개 중 먼저 시작한 사람이 1개를 가져가면 나중에 시작한 사람은 2개를 가져가서 이깁니다.
2) 구슬 3개 중 먼저 시작한 사람이 2개를 가져가면 나중에 시작한 사람은 1개를 가져가서 이깁니다.
3) 나중에 시작한 사람이 항상 이길 수 있습니다.

예제 1

1) 2장까지 가져갈 수 있을 때 3장을 남기는 사람이 이깁니다.
2) 먼저 시작해서 처음에 1장을 가져가면 항상 이길 수 있습니다.

예제 2

1) 최대 2칸까지 색칠할 수 있을 때 3칸을 남기는 사람이 이깁니다.
2) 모두 5칸이므로 3칸을 남기려면 먼저 시작해서 2칸을 색칠해야 합니다.

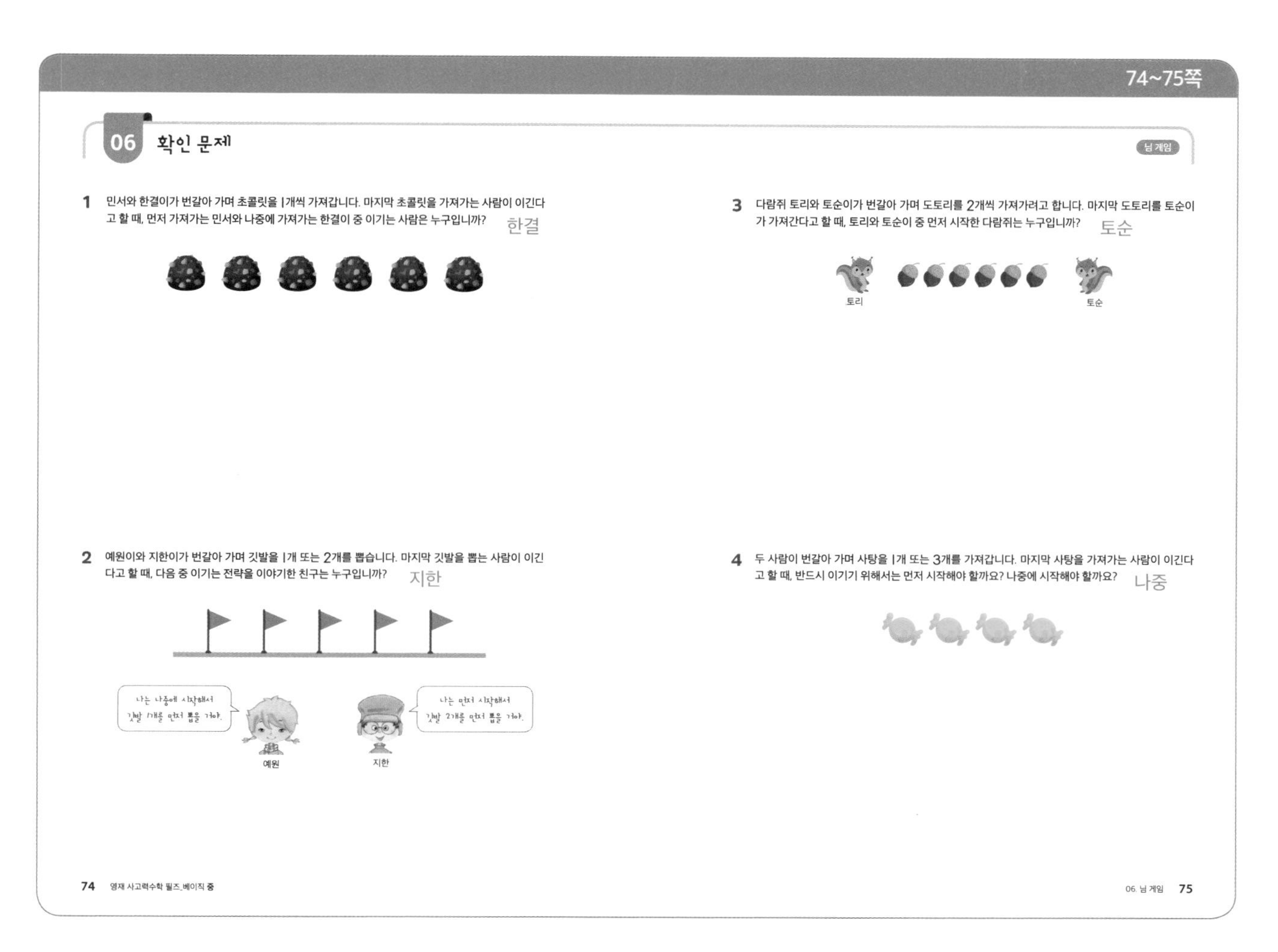

74~75쪽

06 확인 문제

님 게임

1 민서와 한결이가 번갈아 가며 초콜릿을 1개씩 가져갑니다. 마지막 초콜릿을 가져가는 사람이 이긴다고 할 때, 먼저 가져가는 민서와 나중에 가져가는 한결이 중 이기는 사람은 누구입니까? 한결

2 예원이와 지한이가 번갈아 가며 깃발을 1개 또는 2개를 뽑습니다. 마지막 깃발을 뽑는 사람이 이긴다고 할 때, 다음 중 이기는 전략을 이야기한 친구는 누구입니까? 지한

나는 나중에 시작해서 깃발 1개를 먼저 뽑을 거야.
예원
지한
나는 먼저 시작해서 깃발 2개를 먼저 뽑을 거야.

3 다람쥐 토리와 토순이가 번갈아 가며 도토리를 2개씩 가져가려고 합니다. 마지막 도토리를 토순이가 가져간다고 할 때, 토리와 토순이 중 먼저 시작한 다람쥐는 누구입니까? 토순

토리
토순

4 두 사람이 번갈아 가며 사탕을 1개 또는 3개를 가져갑니다. 마지막 사탕을 가져가는 사람이 이긴다고 할 때, 반드시 이기기 위해서는 먼저 시작해야 할까요? 나중에 시작해야 할까요? 나중

74 영재 사고력수학 필즈_베이직 중

06. 님 게임 75

1 **1)** 1개씩 가져가는 님 게임에서 초콜릿이 짝수 개이면 나중에 시작한 사람이 이깁니다.

2) 나중에 시작한 한결이가 이깁니다.

2 **1)** 1개 또는 2개를 가져가는 님 게임에서 깃발 3개를 남기는 사람이 이깁니다.

2) 예원이와 지한이 중 깃발 3개를 남기는 사람은 지한입니다.

3 **1)** 도토리 6개를 2개씩 번갈아 가며 가져가면 마지막 도토리를 가져가는 다람쥐는 먼저 시작한 다람쥐입니다.

2) 따라서 먼저 시작한 다람쥐는 토순이입니다.

4 **1)** 먼저 시작한 사람이 1개를 가져가면 나중에 시작한 사람이 3개를 모두 가져가서 이깁니다.

2) 먼저 시작한 사람이 3개를 가져가면 나중에 시작한 사람이 1개를 가져가서 이깁니다.

3) 따라서 나중에 시작한 사람이 항상 이길 수 있습니다.

님 게임

5 두 사람이 쿠키 상자를 선택한 후 상자 안 쿠키를 번갈아 가며 1개 또는 2개를 가져가는 님 게임을 하려고 합니다. 마지막 쿠키를 가져가는 사람이 이긴다고 할 때, 나중에 하는 사람이 반드시 이길 수 있는 상자의 기호를 쓰세요. ㉢

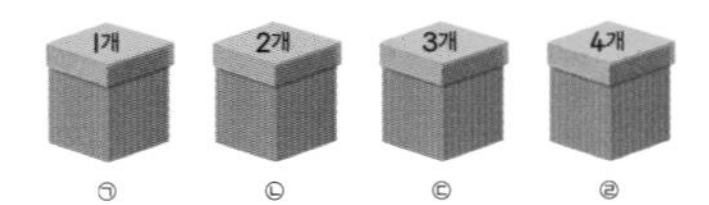

6 두 사람이 구슬 4개를 이용하여 마지막 구슬을 가져가는 사람이 이기는 님 게임을 하려고 합니다. 다음 중 먼저 시작한 사람이 항상 이길 수 있는 규칙을 고르세요. ㉢

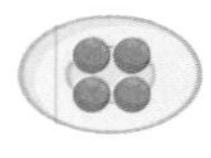

㉠ 번갈아 가며 구슬을 1개씩 가져갑니다.
㉡ 번갈아 가며 구슬을 2개씩 가져갑니다.
㉢ 번갈아 가며 구슬을 1개 또는 2개씩 가져갑니다.

7 지한이와 민서가 다음 규칙에 따라 게임을 합니다. 지한이가 항상 이기려면 게임을 먼저 시작해야 할까요? 나중에 시작해야 할까요? 먼저

규칙
- 두 사람이 번갈아 가며 달력의 1일부터 순서대로 날짜를 지웁니다.
- 자신의 차례에 날짜를 2개씩 지웁니다.
- 30일을 지우는 사람이 이깁니다.

4월

일	월	화	수	목	금	토
1	2	3	4	5	6	7
8	9	10	11	12	13	14
15	16	17	18	19	20	21
22	23	24	25	26	27	28
29	30					

8 두 사람이 번갈아 가며 1부터 13까지의 수를 하나씩 차례로 부르는 게임을 합니다. 마지막 수를 부르는 사람이 진다고 할 때 반드시 이기기 위해서는 먼저 시작해야 할까요? 나중에 시작해야 할까요? 나중

76 영재 사고력수학 필즈_베이직 중 · 06. 님 게임 77

5 1) 상자 ㉠, ㉡은 먼저 시작한 사람이 처음에 쿠키를 모두 가져갈 수 있으므로 먼저 시작한 사람이 항상 이길 수 있습니다.

2) 상자 ㉢은 먼저 시작한 사람이 몇 개를 가져가든 나중에 시작한 사람이 남은 쿠키를 모두 가져갈 수 있으므로 나중에 하는 사람이 항상 이길 수 있습니다.

3) 상자 ㉣은 먼저 시작한 사람이 처음에 1개를 가져가면 나중에 시작한 사람이 몇 개를 가져가든 남는 쿠키가 있습니다. 남은 쿠키를 먼저 시작한 사람이 가져가면 되므로 먼저 시작한 사람이 항상 이길 수 있습니다.

6 1) 규칙 ㉠은 구슬 개수가 짝수 개일 때 나중에 시작한 사람이 항상 이길 수 있는 규칙입니다.

2) 규칙 ㉡은 구슬 개수가 나중에 시작한 사람이 항상 이길 수 있는 규칙입니다.

3) 규칙 ㉢은 먼저 시작하여 구슬 1개를 가져가면 항상 이길 수 있는 규칙입니다.

7 1) 4월은 30일까지 있고, 한 번에 날짜를 2개씩 지우므로 모두 15번 지웁니다.

2) 15번을 지우므로 먼저 시작한 사람이 마지막 날짜를 지울 수 있습니다.

8 1) 수 13개를 하나씩 부르고, 마지막 수를 부르는 사람이 지는 게임은 12를 부르는 사람이 이기는 게임과 같습니다.

2) 수를 짝수 개 부르는 게임에서는 나중에 시작한 사람이 항상 이길 수 있습니다.

78~79쪽

06 심화 문제 님 게임

1 두 사람이 번갈아 가며 인형을 1개부터 5개까지 가져갈 수 있습니다. 마지막 인형을 가져가는 사람이 이긴다고 할 때 먼저 시작한 사람과 나중에 시작한 사람 중 항상 이길 수 있는 사람은 누구입니까? 나중

2 상자 안에 쿠키가 5개 있습니다. 두 사람이 번갈아 가며 쿠키를 1개부터 3개까지 꺼낼 수 있습니다. 먼저 시작한 사람이 처음에 쿠키 몇 개를 꺼내면 항상 마지막 쿠키를 꺼낼 수 있습니까? 1개

06 경시 기출 유형 님 게임

• 예원이는 검은색 바둑돌을 오른쪽으로, 지한이는 흰색 바둑돌을 왼쪽으로 1칸 또는 2칸씩 옮깁니다. 두 사람이 번갈아 가며 바둑돌을 옮기고, 더 이상 옮길 수 없는 사람이 진다고 할 때 먼저 시작한 예원이가 처음에 몇 칸을 움직여야 항상 이길 수 있습니까? 2칸

• 민서와 수아가 번갈아 가며 바둑돌을 1개 또는 2개를 놓습니다. 한 칸에 1개씩 왼쪽부터 차례로 놓는다고 할 때, 먼저 시작한 민서와 나중에 시작한 수아 중 어떤 친구가 6번 칸에 항상 놓을 수 있을까요? 수아

1	2	3	4	5	6

78 영재 사고력수학 필즈_베이직 중

06. 님 게임 79

1 1) 먼저 시작한 사람이 1개부터 5개까지 몇 개를 가져가든 나중에 시작한 사람이 남은 인형을 모두 가져갈 수 있습니다.
2) 따라서 나중에 시작한 사람이 항상 이길 수 있습니다.

2 1) 먼저 시작한 사람이 1개를 가져가면 남은 쿠키 4개 중 나중 사람이 몇 개를 가져가든 쿠키가 남아 먼저 시작한 사람이 가져갈 쿠키가 있습니다.
2) 먼저 시작한 사람이 쿠키를 2개 또는 3개 가져가면 나중에 시작한 사람은 남은 쿠키를 모두 가져갈 수 있습니다.
3) 따라서 먼저 시작한 사람이 항상 이기려면 나중에 시작한 사람이 남은 쿠키를 모두 가져갈 수 없도록 처음 시작할 때 1개만 가져가야 합니다.

● 1) 번갈아 가며 1개 또는 2개를 가져가는 님 게임과 같은 규칙입니다.
2) 먼저 시작한 사람이 2칸을 움직이면 항상 이길 수 있습니다.

● 1) 번갈아 가며 1개 또는 2개를 가져가는 님 게임과 같은 규칙입니다.
2) 마지막 3개를 남기면 이기므로 민서가 1개를 놓으면 수아가 2개, 민서가 2개를 놓으면 수아가 1개를 놓습니다.
3) 남은 4, 5, 6칸에 민서가 바둑돌 몇 개를 놓아도 수아가 6번 칸에 바둑돌을 놓을 수 있습니다.
4) 따라서 나중에 시작한 수아가 항상 이길 수 있습니다.

07 동전과 성냥개비

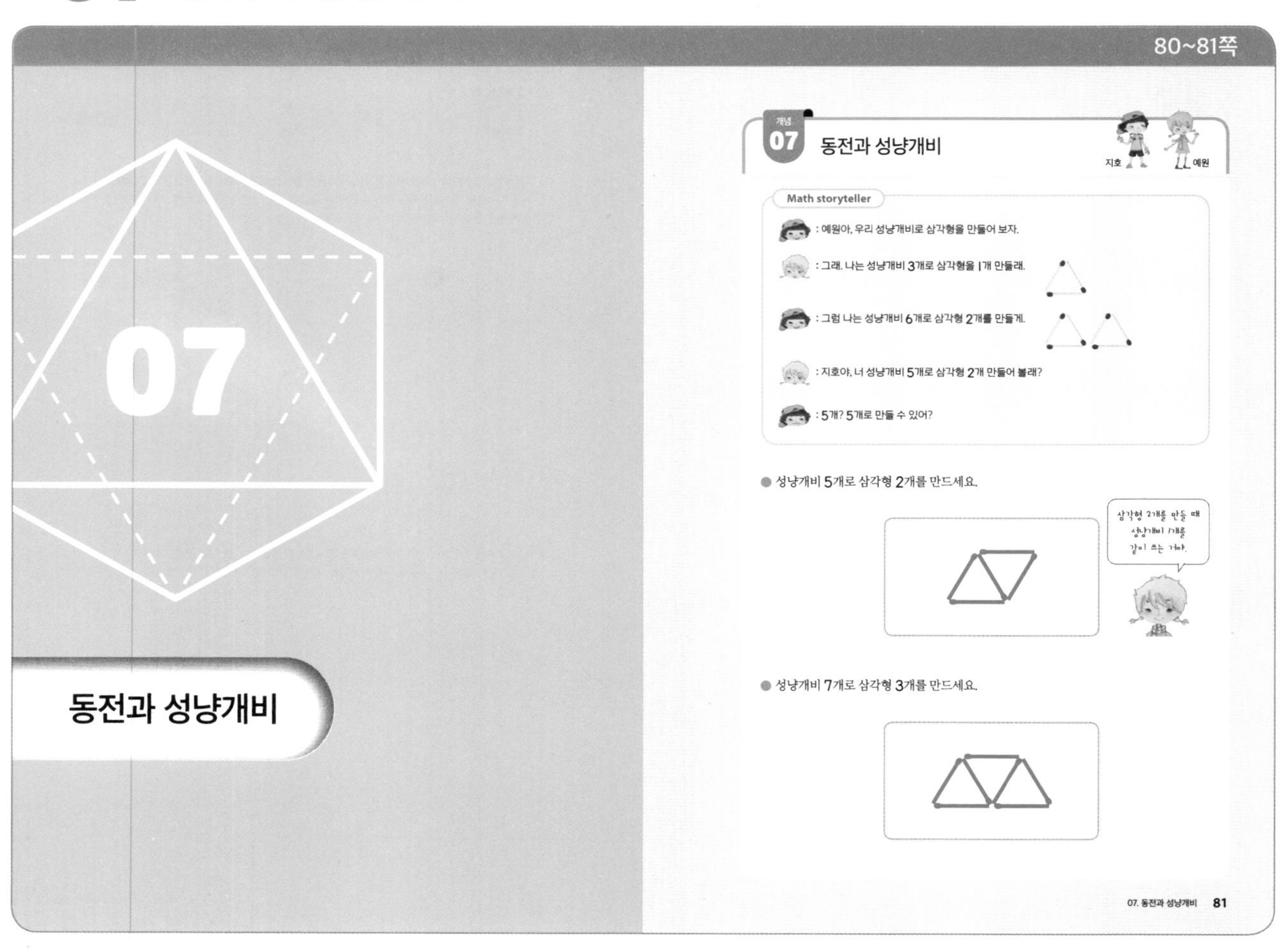

80~81쪽
07
동전과 성냥개비
개념 07
동전과 성냥개비
지호
예원
Math storyteller
: 예원아, 우리 성냥개비로 삼각형을 만들어 보자.
: 그래. 나는 성냥개비 3개로 삼각형을 1개 만들래.
: 그럼 나는 성냥개비 6개로 삼각형 2개를 만들게.
: 지호야, 너 성냥개비 5개로 삼각형 2개 만들어 볼래?
: 5개? 5개로 만들 수 있어?
성냥개비 5개로 삼각형 2개를 만드세요.
삼각형 2개를 만들 때 성냥개비 1개를 같이 쓰는 거야.
성냥개비 7개로 삼각형 3개를 만드세요.
07. 동전과 성냥개비 81

필요한 성냥개비의 개수는 만드는 방법에 따라 달라집니다.

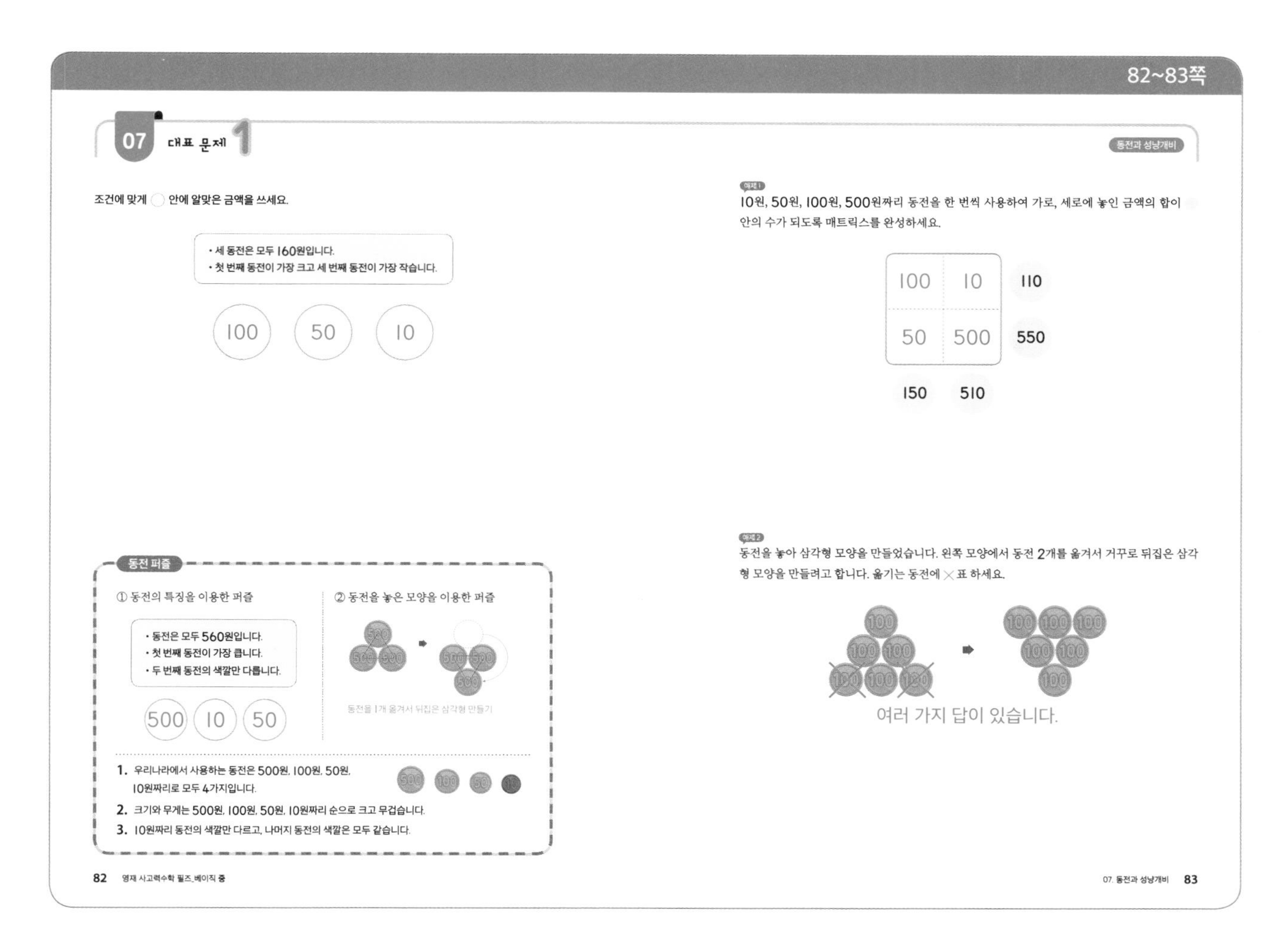
82~83쪽

07 대표 문제 1

동전과 성냥개비

조건에 맞게 ◯ 안에 알맞은 금액을 쓰세요.

- 세 동전은 모두 160원입니다.
- 첫 번째 동전이 가장 크고 세 번째 동전이 가장 작습니다.

100 50 10

동전 퍼즐

① 동전의 특징을 이용한 퍼즐

- 동전은 모두 560원입니다.
- 첫 번째 동전이 가장 큽니다.
- 두 번째 동전의 색깔만 다릅니다.

500 10 50

② 동전을 놓은 모양을 이용한 퍼즐

동전을 1개 옮겨서 뒤집은 삼각형 만들기

1. 우리나라에서 사용하는 동전은 500원, 100원, 50원, 10원짜리로 모두 4가지입니다.
2. 크기와 무게는 500원, 100원, 50원, 10원짜리 순으로 크고 무겁습니다.
3. 10원짜리 동전의 색깔만 다르고, 나머지 동전의 색깔은 모두 같습니다.

예제 1

10원, 50원, 100원, 500원짜리 동전을 한 번씩 사용하여 가로, 세로에 놓인 금액의 합이 ◯ 안의 수가 되도록 매트릭스를 완성하세요.

100	10	110
50	500	550
150	510	

예제 2

동전을 놓아 삼각형 모양을 만들었습니다. 왼쪽 모양에서 동전 2개를 옮겨서 거꾸로 뒤집은 삼각형 모양을 만들려고 합니다. 옮기는 동전에 ╳표 하세요.

여러 가지 답이 있습니다.

82 영재 사고력수학 필즈_베이직 중

07. 동전과 성냥개비 83

1) 동전 3개의 합이 160원이 되려면
$100+50+10=160$(원)입니다.

2) 첫 번째 동전이 가장 크므로 첫 번째 동전이 100원짜리 동전입니다.

3) 세 번째 동전이 가장 작으므로 세 번째 동전이 10원짜리 동전입니다.

예제 1

500원 동전의 위치를 찾으면 남은 칸을 바로 채울 수 있습니다.

예제 2

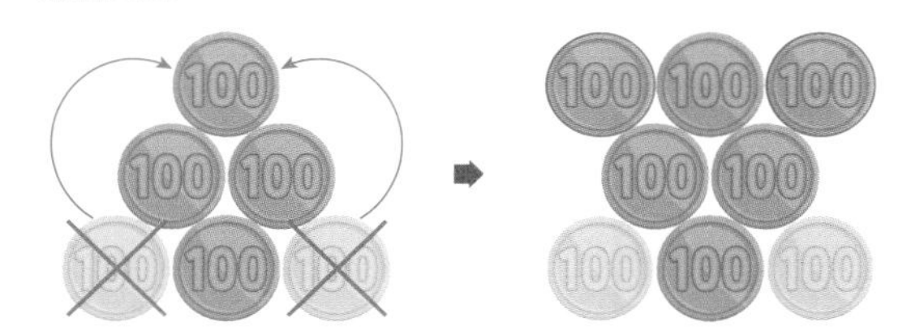

다음은 성냥개비로 만든 집입니다. 왼쪽 집 모양에서 성냥개비 2개를 옮겨 방향을 바꾼 오른쪽 집 모양을 만들었습니다. 옮기는 성냥개비에 ╳표 하세요.

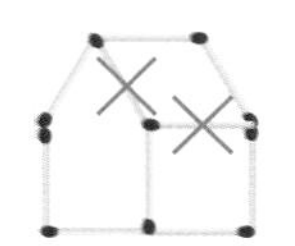

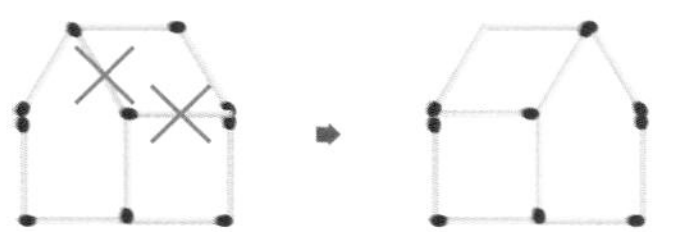

동전과 성냥개비

예제 1
왼쪽 모양은 성냥개비 9개로 삼각형 4개를 만든 것입니다. 왼쪽 모양에서 성냥개비 2개를 옮겨 크기와 모양이 같은 삼각형 3개가 되도록 만들었습니다. 옮긴 성냥개비에 ╳표 하세요.

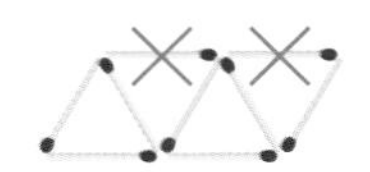

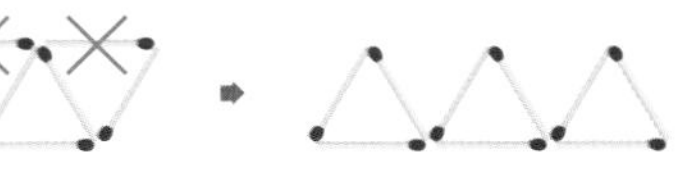

예제 2
다음 모양은 성냥개비 8개로 사각형 1개를 만든 것입니다. 성냥개비 4개를 더하여 크기와 모양이 같은 사각형 4개가 되도록 만들어 보세요.

성냥개비 퍼즐

① 성냥개비 방향 바꾸기 퍼즐

성냥개비 2개를 옮겨서 물고기 방향 바꾸기

② 성냥개비 도형 퍼즐

성냥개비 8개 성냥개비 7개

만드는 방법에 따라 필요한 성냥개비의 개수가 다름

1. 성냥개비로 만든 모양은 성냥개비 몇 개를 옮기거나 빼고 더해서 다양한 모양으로 바꿀 수 있습니다.
2. 도형을 만들 때 사용하는 성냥개비의 길이는 모두 같습니다.
3. 성냥개비로 도형을 만들 때 남는 성냥개비가 있으면 안 됩니다.

84 영재 사고력수학 필즈_베이직 중 07. 동전과 성냥개비 85

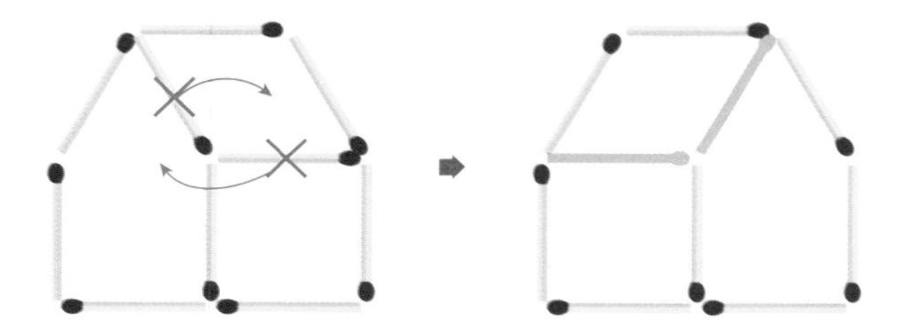

예제 1

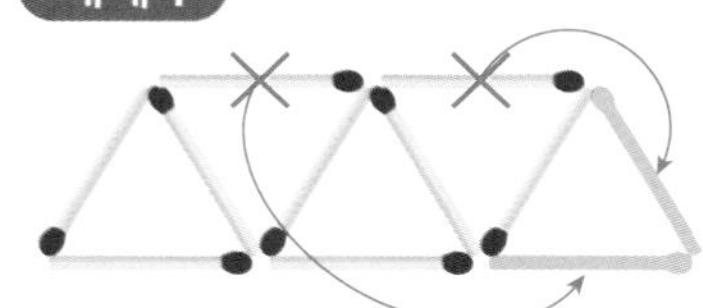

예제 2

크기와 모양이 같은 사각형의 수를 세므로 가장 작은 사각형이 4개가 되도록 만듭니다.

07 확인 문제

동전과 성냥개비

1 예원이는 동전 3개를 한 줄로 놓았습니다. 세 동전은 모두 110원이고, 첫 번째 동전만 색이 다르다고 할 때 ◯ 안에 알맞은 금액을 쓰세요.

10 50 50

3 왼쪽 모양은 성냥개비로 만든 물고기입니다. 왼쪽 모양에서 성냥개비 3개를 옮겨 물고기 방향을 바꾸려고 합니다. 옮기는 성냥개비에 모두 ╳ 표 하세요.

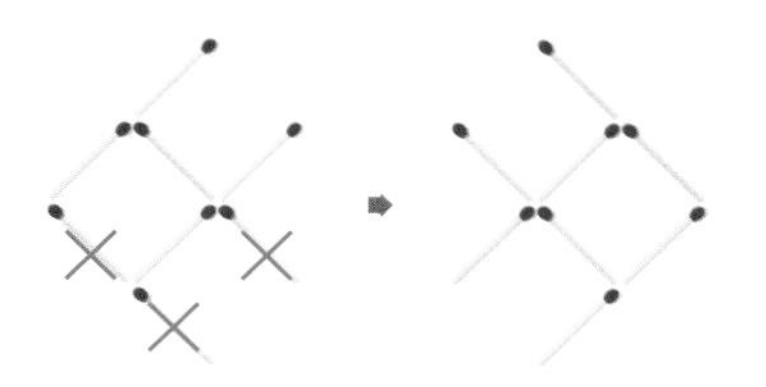

2 동전을 놓아 만든 삼각형 모양에서 동전을 가장 적게 옮겨서 거꾸로 뒤집은 삼각형 모양을 만들려고 합니다. 옮기는 동전에 ╳ 표 하세요.

4 빼빼로로 만든 모양에서 지호가 빼빼로 3개를 먹었더니 크기와 모양이 같은 삼각형 4개만 남았습니다. 지호가 먹은 빼빼로에 모두 ╳ 표 하세요.

여러 가지 답이 있습니다.

1 1) 동전 3개의 합이 110원이 경우는
50원+50원+10원=110(원)입니다.

2) 첫 번째 동전만 색이 다르므로 첫 번째 동전은 10원짜리 동전입니다.

2

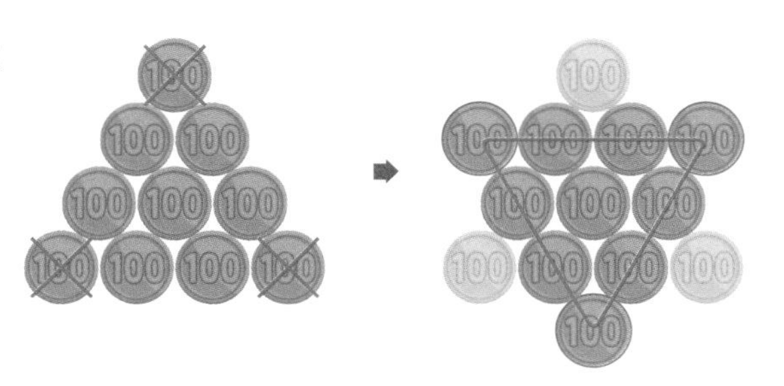

3

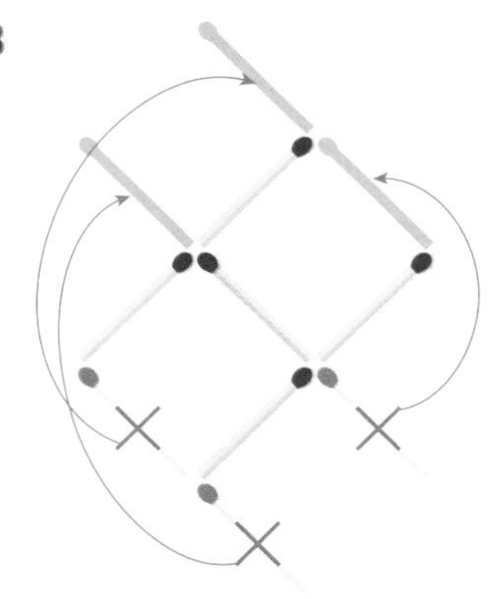

4

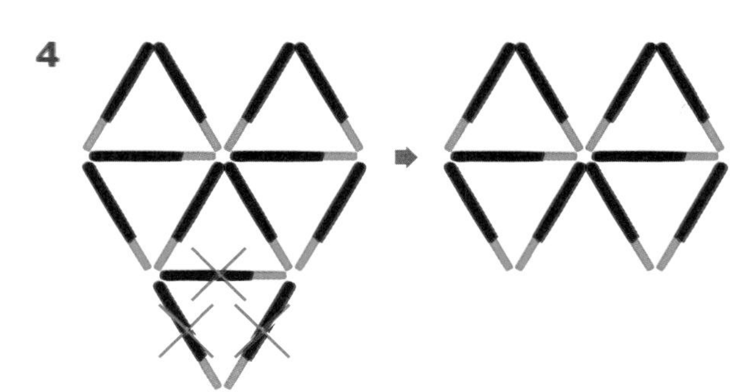

5 왼쪽 모양은 성냥개비로 만든 뒤집어진 의자입니다. 왼쪽 모양에서 성냥개비 2개를 옮겨 똑바로 세운 모양을 만들었습니다. 옮긴 성냥개비에 모두 ×표 하세요.

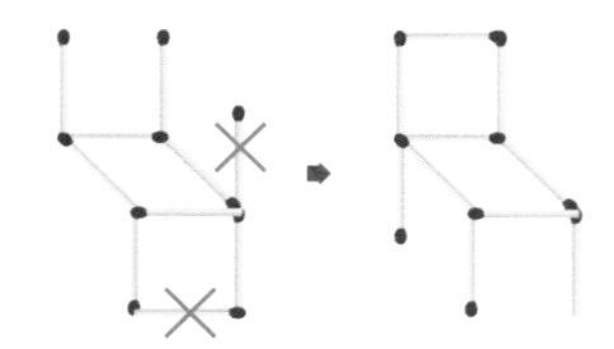

6 성냥개비로 만든 다음 모양에서 성냥개비 2개를 없애서 크기가 서로 다른 사각형 2개를 만들려고 합니다. 없애는 성냥개비에 모두 ×표 하세요.

여러 가지 답이 있습니다.

7 동전 16개를 사용하여 만든 다음 모양에서 동전을 가장 적게 옮겨 한 줄에 놓인 동전의 개수가 모두 같은 사각형 모양으로 만들려고 합니다. 옮기는 동전은 모두 몇 개입니까? 4개

8 성냥개비 9개를 이용하여 크고 작은 삼각형 5개를 만드세요.

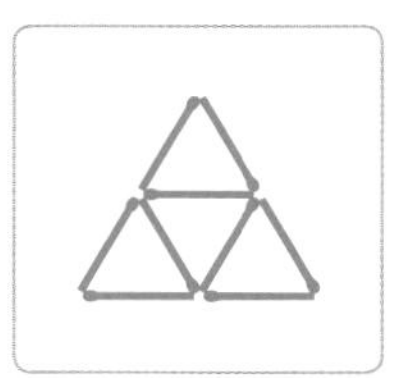

5

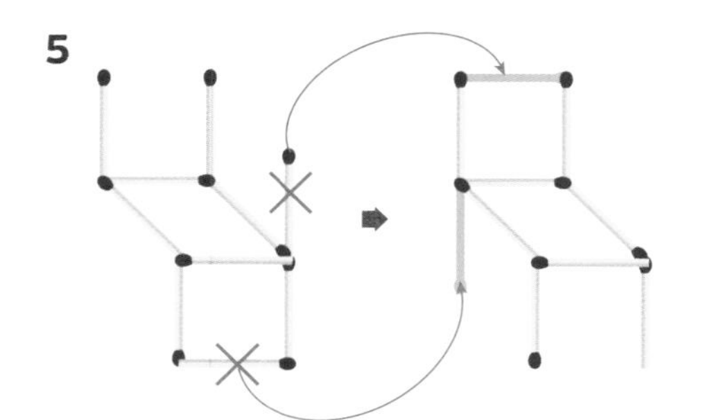

6

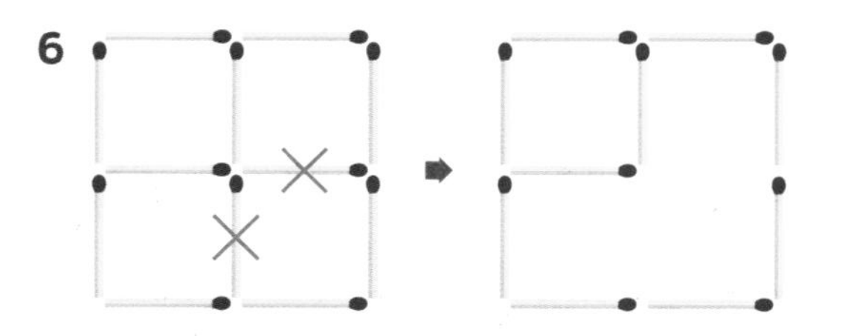

7

8

작은 삼각형 4개와 큰 삼각형 1개, 삼각형을 모두 5개 만들었습니다.

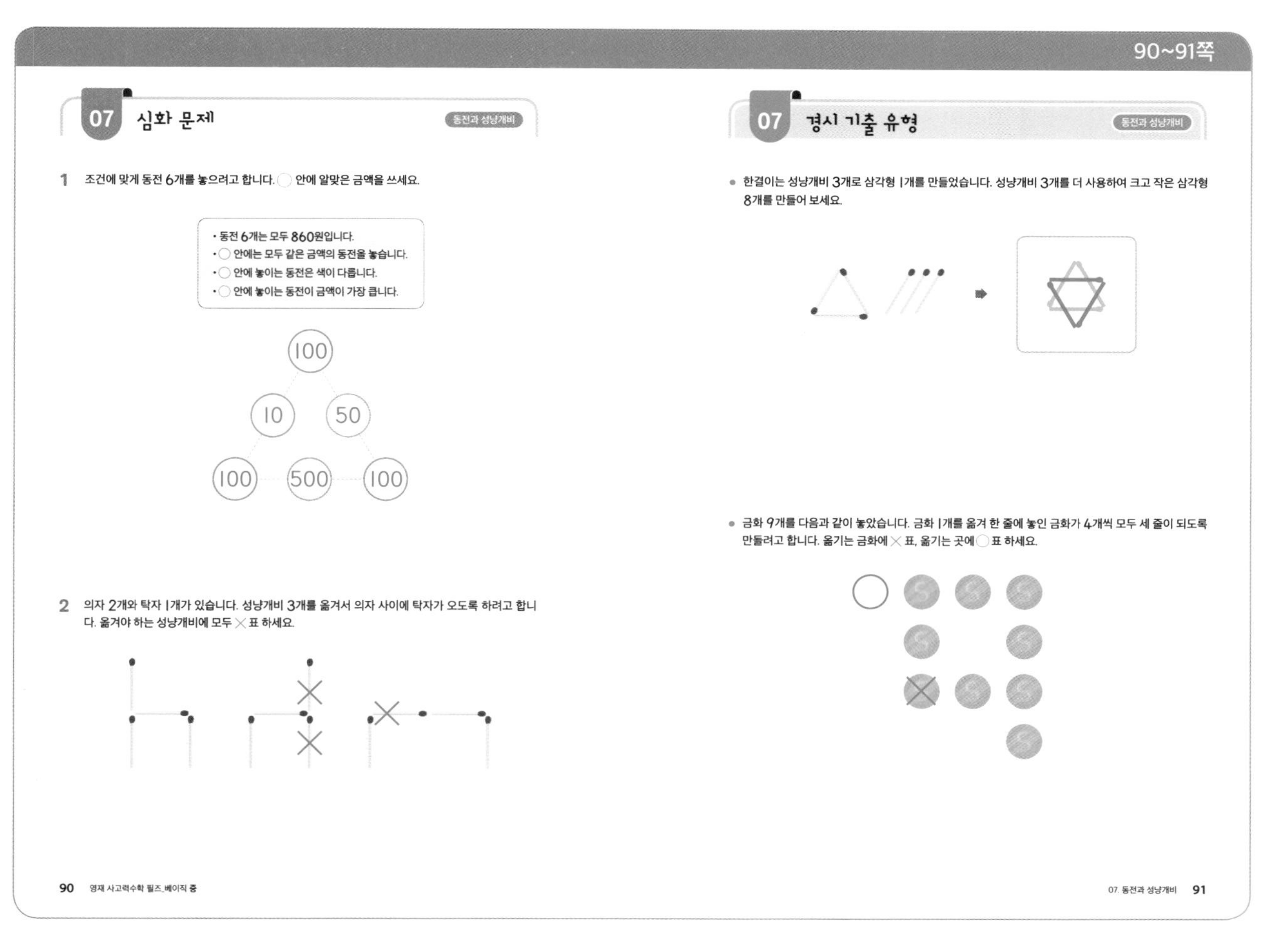
90~91쪽

07 심화 문제 동전과 성냥개비

1 조건에 맞게 동전 6개를 놓으려고 합니다. ◯ 안에 알맞은 금액을 쓰세요.

• 동전 6개는 모두 860원입니다.
• ◯ 안에는 모두 같은 금액의 동전을 놓습니다.
• ◯ 안에 놓이는 동전은 색이 다릅니다.
• ◯ 안에 놓이는 동전이 금액이 가장 큽니다.

2 의자 2개와 탁자 1개가 있습니다. 성냥개비 3개를 옮겨서 의자 사이에 탁자가 오도록 하려고 합니다. 옮겨야 하는 성냥개비에 모두 × 표 하세요.

90 영재 사고력수학 필즈_베이직 중

07 경시 기출 유형 동전과 성냥개비

• 한결이는 성냥개비 3개로 삼각형 1개를 만들었습니다. 성냥개비 3개를 더 사용하여 크고 작은 삼각형 8개를 만들어 보세요.

• 금화 9개를 다음과 같이 놓았습니다. 금화 1개를 옮겨 한 줄에 놓인 금화가 4개씩 모두 세 줄이 되도록 만들려고 합니다. 옮기는 금화에 × 표, 옮기는 곳에 ◯ 표 하세요.

07. 동전과 성냥개비 91

1 1) 동전 6개의 합이 860원인 경우는
$500+100+100+100+50+10$
$=860$(원)

2) ◯에 모두 100원을 놓습니다.

3) ◯에 놓는 동전은 색이 다른 10원입니다.

4) ◯에 놓는 동전은 금액이 가장 큰 500원입니다.

5) ◯에는 남은 동전인 50원을 놓습니다.

2

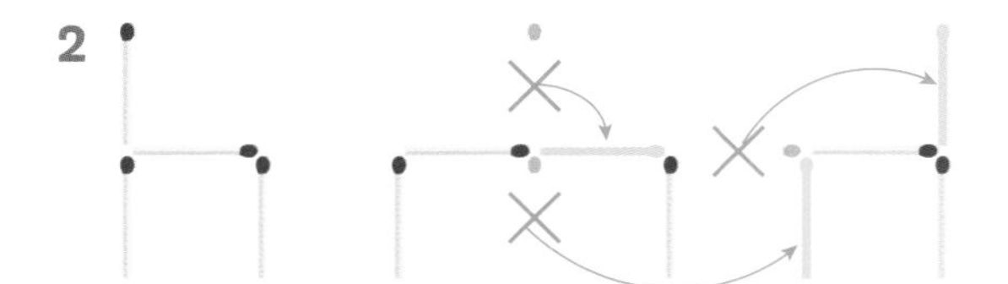

● 작은 삼각형 6개와 큰 삼각형 2개, 삼각형을 모두 8개 만들 수 있습니다.

●

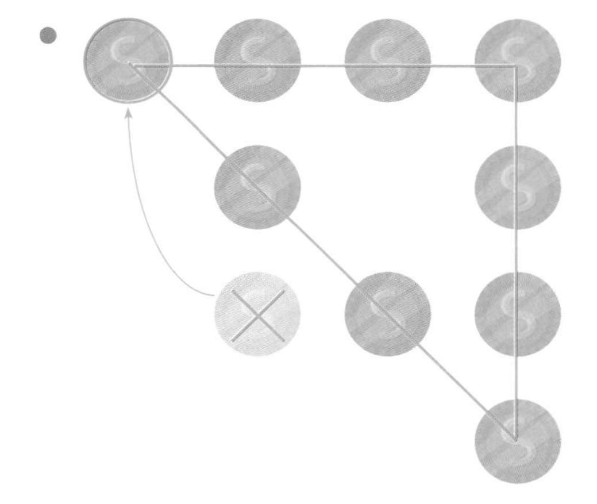

08 리뷰

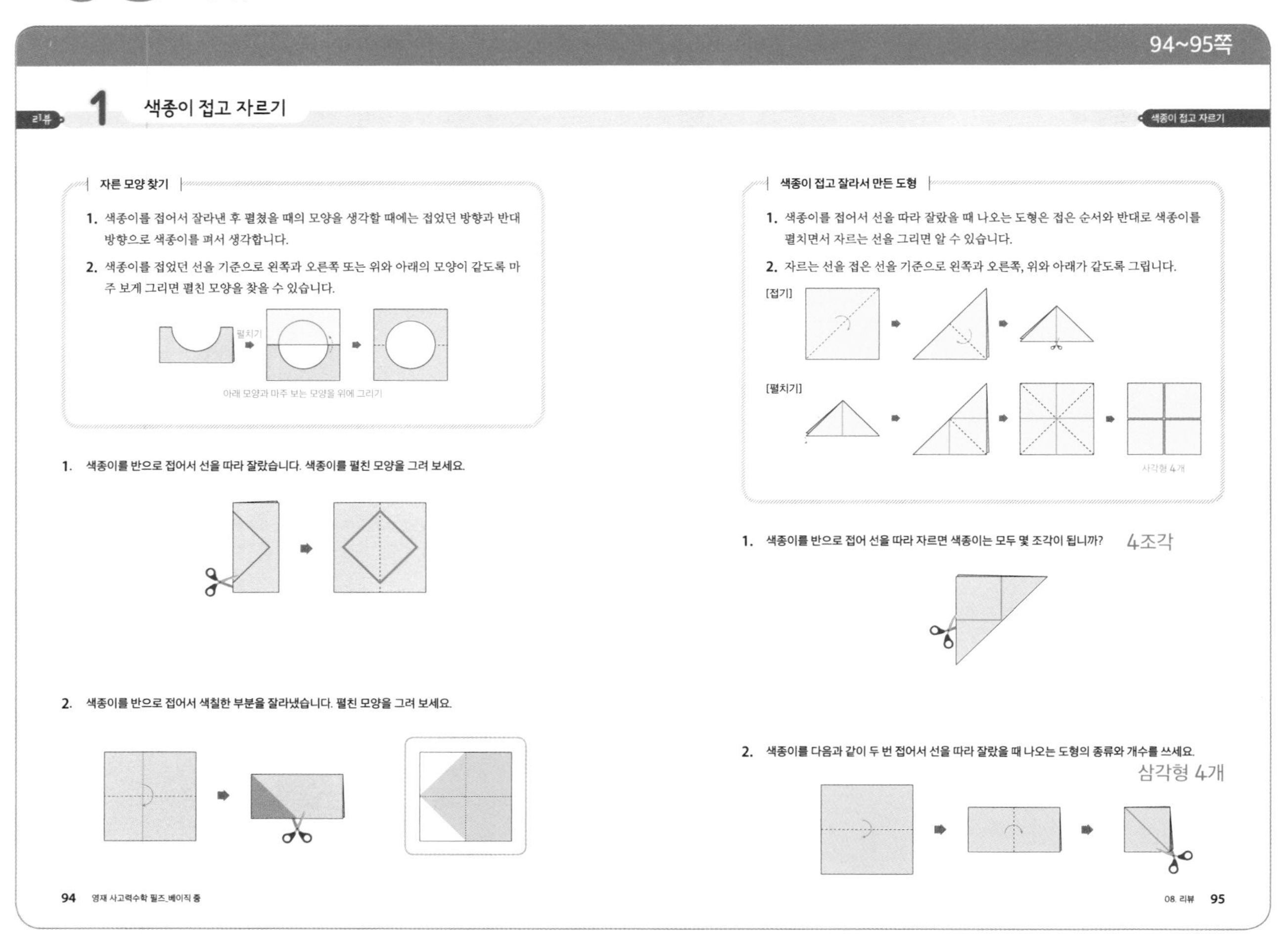

1 색종이를 왼쪽으로 펼친 후 오른쪽과 같은 모양을 왼쪽에 마주 보게 그립니다.

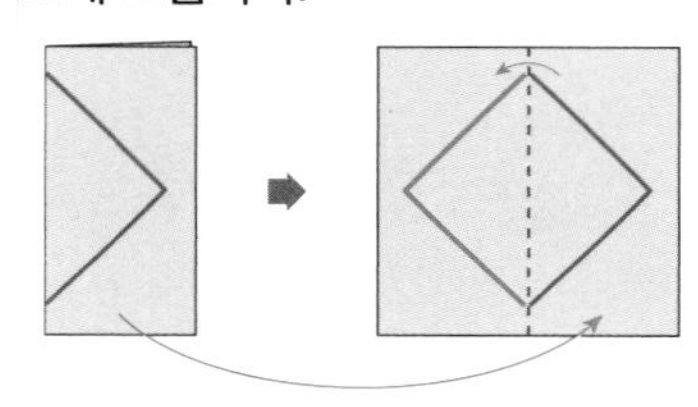

2 색종이를 위로 펼친 후 접은 선을 기준으로 아래와 같은 모양을 위쪽에 마주 보게 그립니다.

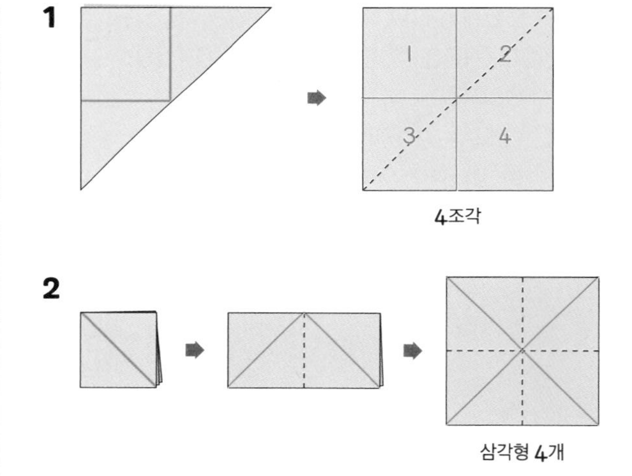

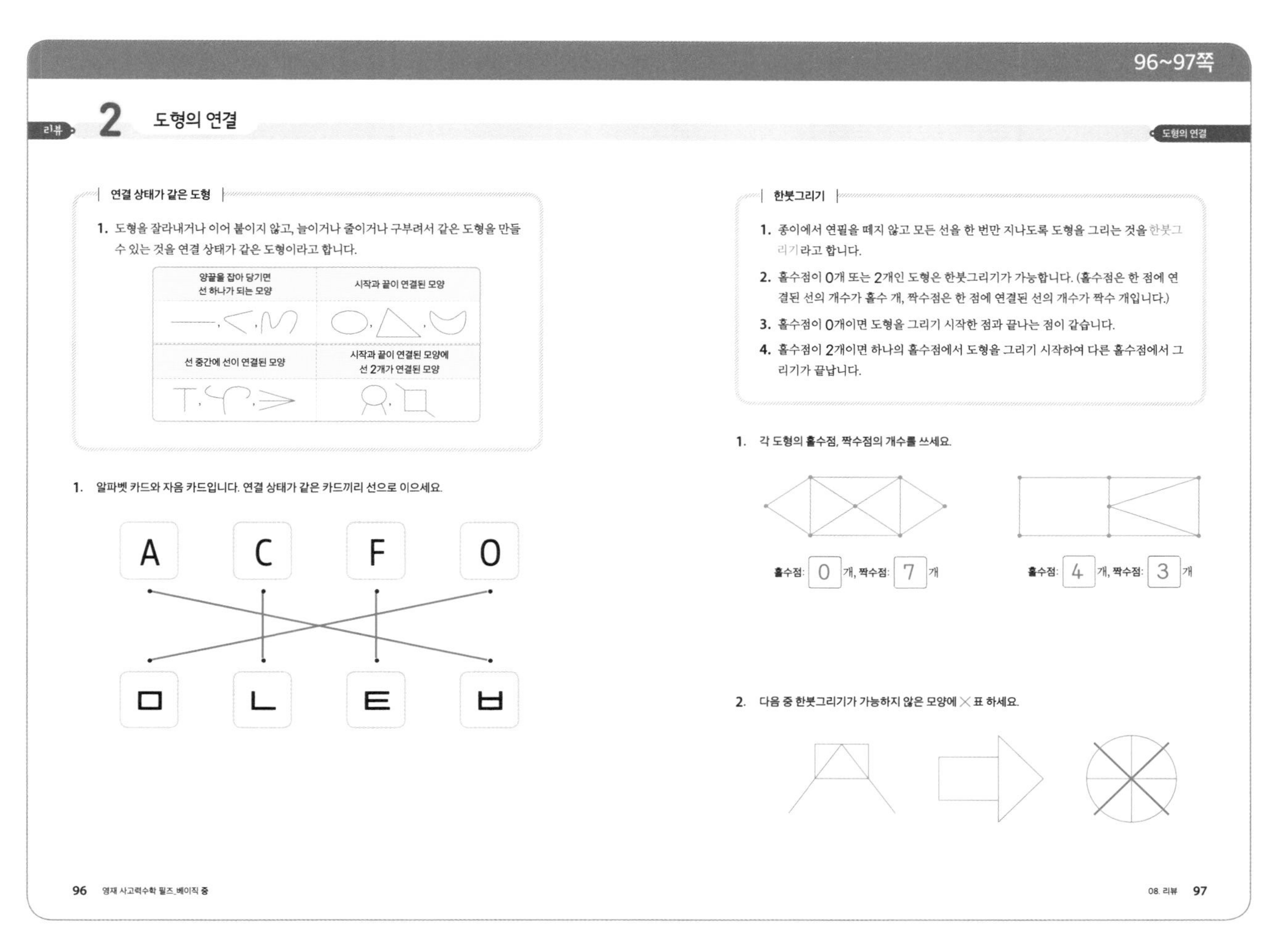

96~97쪽

리뷰 2 도형의 연결

연결 상태가 같은 도형

1. 도형을 잘라내거나 이어 붙이지 않고, 늘이거나 줄이거나 구부려서 같은 도형을 만들 수 있는 것을 연결 상태가 같은 도형이라고 합니다.

양끝을 잡아 당기면 선 하나가 되는 모양	시작과 끝이 연결된 모양
선 중간에 선이 연결된 모양	시작과 끝이 연결된 모양에 선 2개가 연결된 모양

1. 알파벳 카드와 자음 카드입니다. 연결 상태가 같은 카드끼리 선으로 이으세요.

A C F O

ㅁ ㄴ ㅌ ㅂ

한붓그리기

1. 종이에서 연필을 떼지 않고 모든 선을 한 번만 지나도록 도형을 그리는 것을 한붓그리기라고 합니다.
2. 홀수점이 0개 또는 2개인 도형은 한붓그리기가 가능합니다. (홀수점은 한 점에 연결된 선의 개수가 홀수 개, 짝수점은 한 점에 연결된 선의 개수가 짝수 개입니다.)
3. 홀수점이 0개이면 도형을 그리기 시작한 점과 끝나는 점이 같습니다.
4. 홀수점이 2개이면 하나의 홀수점에서 도형을 그리기 시작하여 다른 홀수점에서 그리기가 끝납니다.

1. 각 도형의 홀수점, 짝수점의 개수를 쓰세요.

홀수점: 0 개, 짝수점: 7 개

홀수점: 4 개, 짝수점: 3 개

2. 다음 중 한붓그리기가 가능하지 않은 모양에 ╳ 표 하세요.

96 영재 사고력수학 필즈_베이직 중

08. 리뷰 97

1 1) A와 ㅂ은 시작과 끝이 연결된 모양에 선 2개가 연결된 모양입니다.

2) C와 ㄴ은 양끝을 잡아 당기면 선 하나가 되는 모양입니다.

3) F와 ㅌ은 선 중간에 선 1개가 연결된 모양입니다.

4) O와 ㅁ은 시작과 끝이 연결된 모양입니다.

1

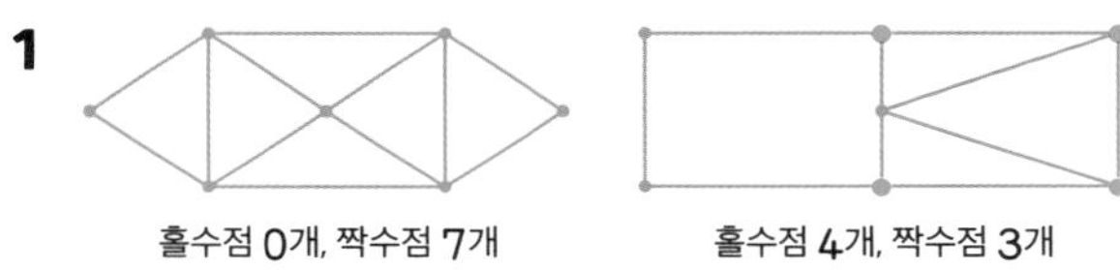

2 1) 홀수점의 개수를 셉니다.

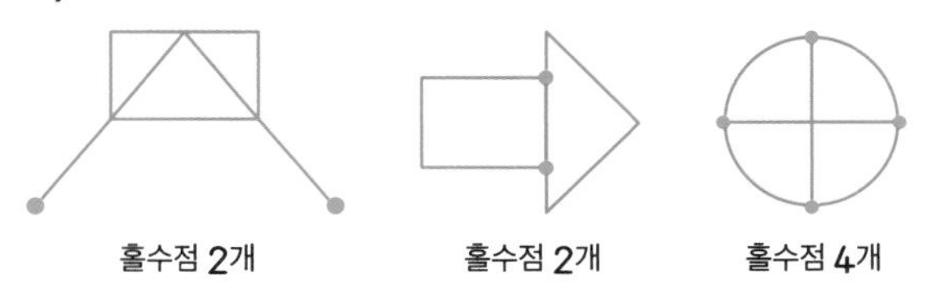

2) 홀수점이 0개 또는 2개일 때 한붓그리기가 가능하므로 마지막 모양은 한붓그리기가 가능하지 않습니다.

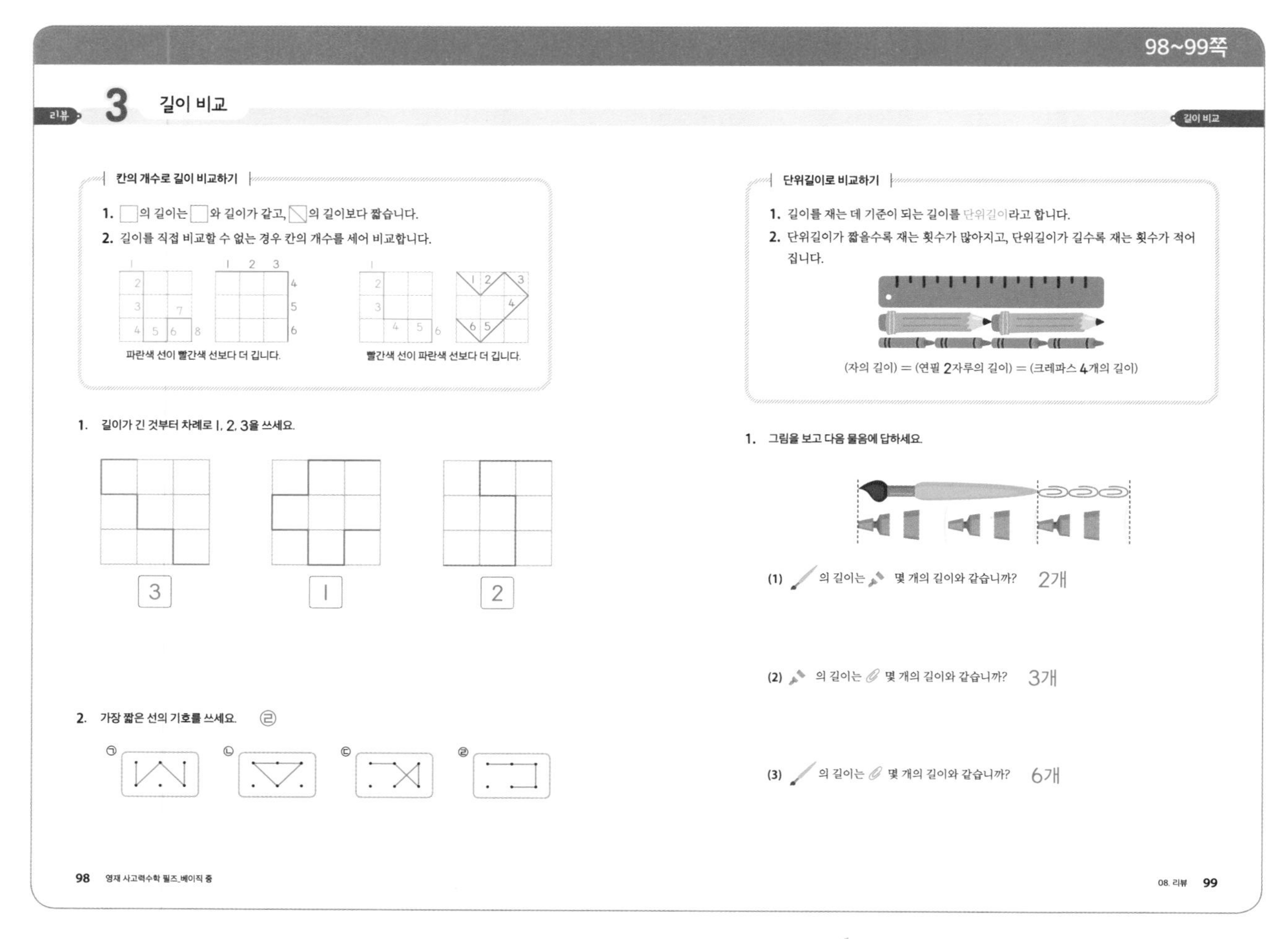

98~99쪽
리뷰
3 길이 비교
길이 비교
칸의 개수로 길이 비교하기
1. 의 길이는 와 길이가 같고, 의 길이보다 짧습니다.
2. 길이를 직접 비교할 수 없는 경우 칸의 개수를 세어 비교합니다.
파란색 선이 빨간색 선보다 더 깁니다.
빨간색 선이 파란색 선보다 더 깁니다.
1. 길이가 긴 것부터 차례로 1, 2, 3을 쓰세요.
3
1
2
2. 가장 짧은 선의 기호를 쓰세요. ㉣
단위길이로 비교하기
1. 길이를 재는 데 기준이 되는 길이를 단위길이라고 합니다.
2. 단위길이가 짧을수록 재는 횟수가 많아지고, 단위길이가 길수록 재는 횟수가 적어집니다.
(자의 길이) = (연필 2자루의 길이) = (크레파스 4개의 길이)
1. 그림을 보고 다음 물음에 답하세요.
(1) 의 길이는 몇 개의 길이와 같습니까? 2개
(2) 의 길이는 몇 개의 길이와 같습니까? 3개
(3) 의 길이는 몇 개의 길이와 같습니까? 6개
98 영재 사고력수학 필즈_베이직 중
08. 리뷰 99

1 칸의 개수가 많을수록 길이가 깁니다.

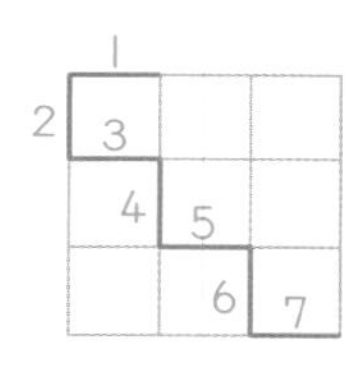
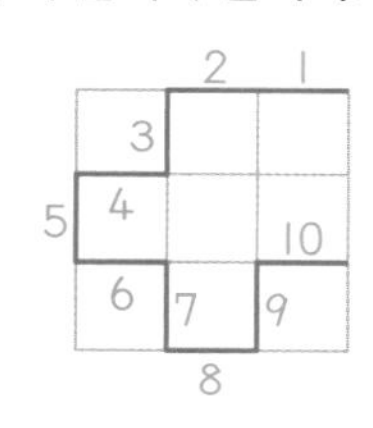
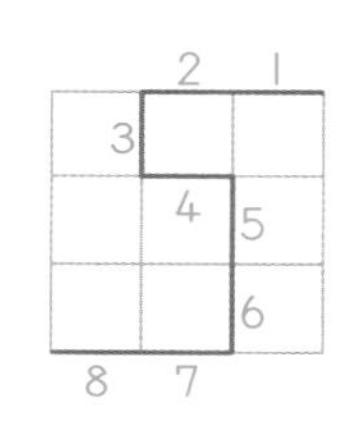

2 **1)** 길이가 모두 4칸이므로, 대각선이 많을수록 길이가 깁니다.

2) ㉣은 •—•이 4개로 길이가 가장 짧습니다.

1 **(1)** (1개)=(2개)

(2) (1개)=(3개)

(3) (1개)=(2개)=(6개)

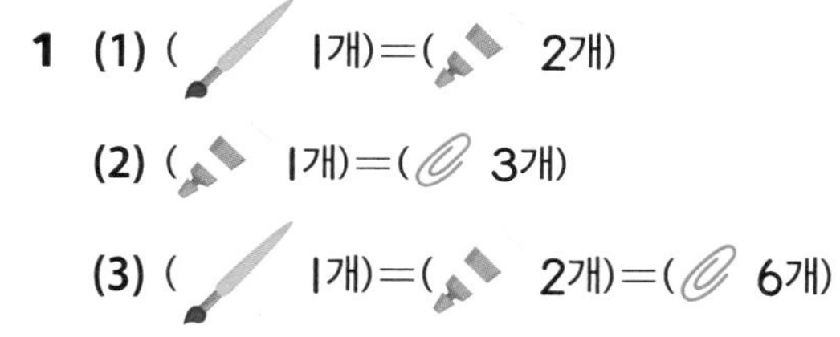

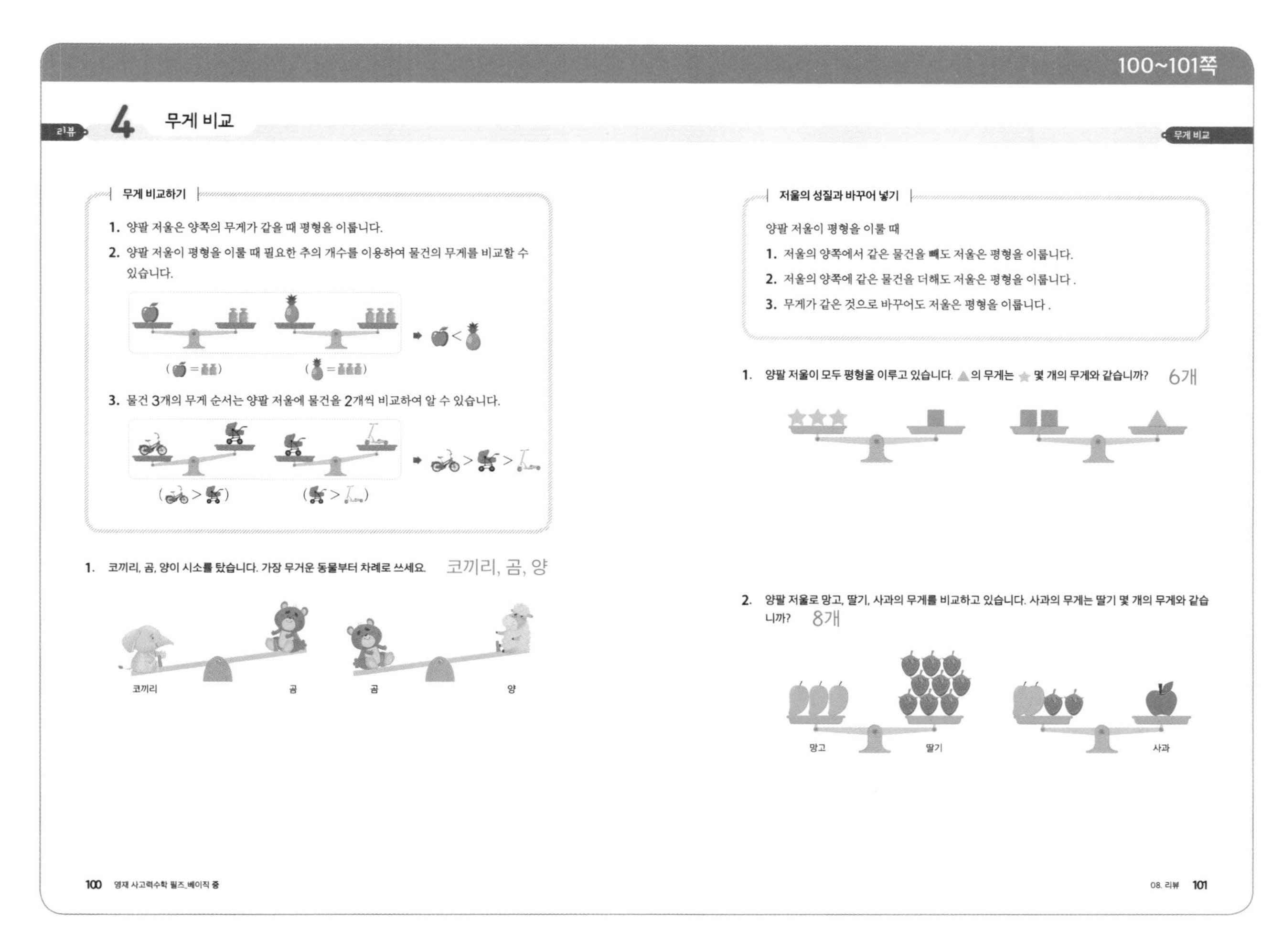

100~101쪽

리뷰 4 무게 비교

무게 비교하기

1. 양팔 저울은 양쪽의 무게가 같을 때 평형을 이룹니다.
2. 양팔 저울이 평형을 이룰 때 필요한 추의 개수를 이용하여 물건의 무게를 비교할 수 있습니다.
3. 물건 3개의 무게 순서는 양팔 저울에 물건을 2개씩 비교하여 알 수 있습니다.

1. 코끼리, 곰, 양이 시소를 탔습니다. 가장 무거운 동물부터 차례로 쓰세요. 코끼리, 곰, 양

코끼리 곰 곰 양

무게 비교

저울의 성질과 바꾸어 넣기

양팔 저울이 평형을 이룰 때
1. 저울의 양쪽에서 같은 물건을 빼도 저울은 평형을 이룹니다.
2. 저울의 양쪽에 같은 물건을 더해도 저울은 평형을 이룹니다.
3. 무게가 같은 것으로 바꾸어도 저울은 평형을 이룹니다.

1. 양팔 저울이 모두 평형을 이루고 있습니다. ▲의 무게는 ★ 몇 개의 무게와 같습니까? 6개

2. 양팔 저울로 망고, 딸기, 사과의 무게를 비교하고 있습니다. 사과의 무게는 딸기 몇 개의 무게와 같습니까? 8개

망고 딸기 사과

100 영재 사고력수학 필즈_베이직 중 08. 리뷰 101

1 1) 왼쪽 시소에서 코끼리는 곰보다 무겁습니다.
2) 오른쪽 시소에서 곰은 양보다 무겁습니다.
3) 가장 무거운 동물부터 차례로 쓰면 코끼리, 곰, 양입니다.

1 1) ★★★=■, ■■=▲
2) ■■=★★★+★★★=★★★★★★
3) ■■=▲=★★★★★★

2 1) (망고 3개)=(딸기 9개) ➡ (망고 1개)=(딸기 3개)
2) (사과 1개)=(망고 2개)+(딸기 2개)
=(딸기 6개)+(딸기 2개)=(딸기 8개)

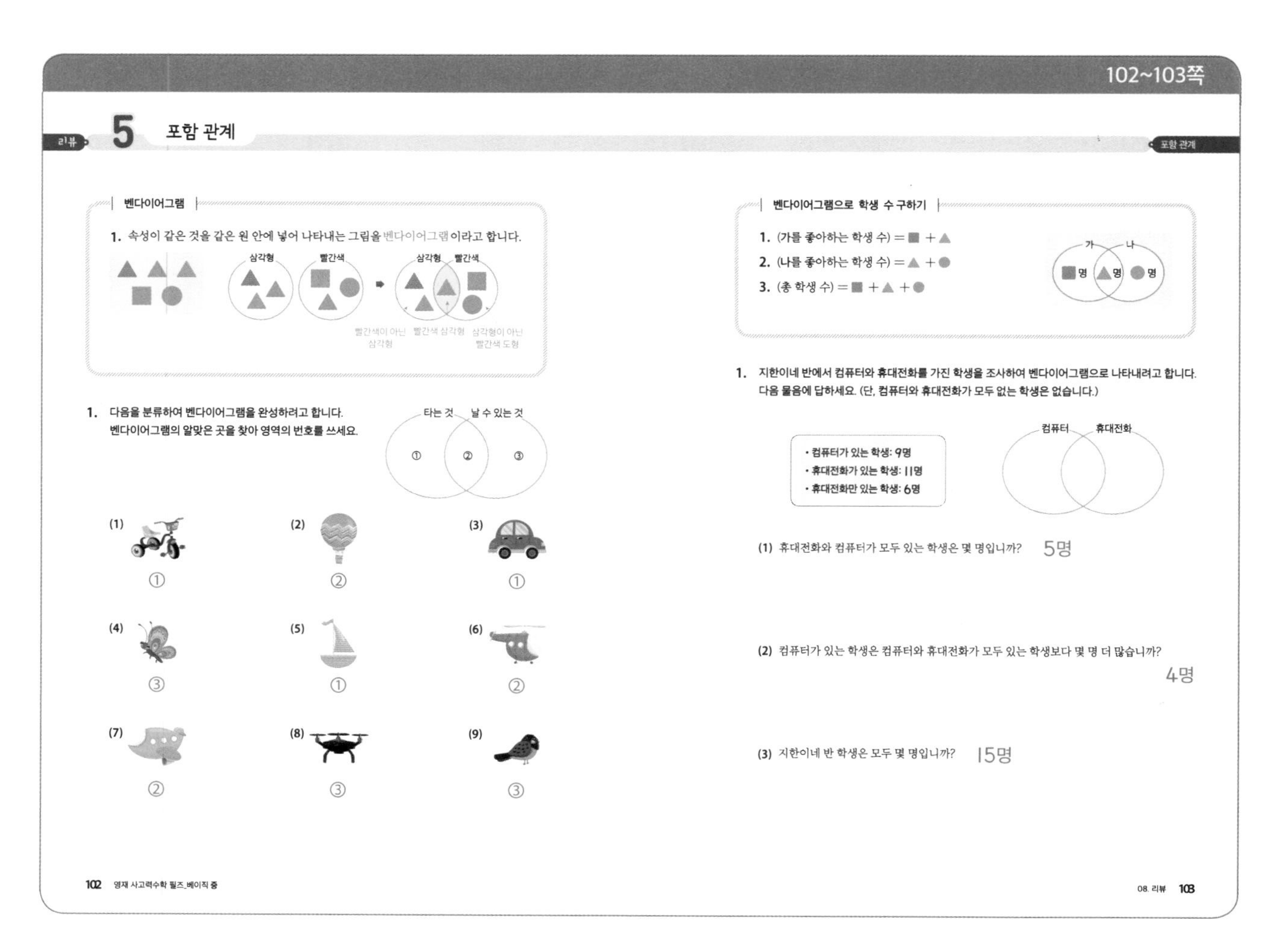
102~103쪽

리뷰 5 포함 관계

벤다이어그램

1. 속성이 같은 것을 같은 원 안에 넣어 나타내는 그림을 벤다이어그램이라고 합니다.

삼각형 빨간색 삼각형 빨간색

빨간색이 아닌 삼각형 빨간색 삼각형 삼각형이 아닌 빨간색 도형

1. 다음을 분류하여 벤다이어그램을 완성하려고 합니다. 벤다이어그램의 알맞은 곳을 찾아 영역의 번호를 쓰세요.

타는 것 날 수 있는 것 ① ② ③

(1) ① (2) ② (3) ①

(4) ③ (5) ① (6) ②

(7) ② (8) ③ (9) ③

벤다이어그램으로 학생 수 구하기

1. (가를 좋아하는 학생 수) = ■ + ▲
2. (나를 좋아하는 학생 수) = ▲ + ●
3. (총 학생 수) = ■ + ▲ + ●

가 나 ■명 ▲명 ●명

1. 지한이네 반에서 컴퓨터와 휴대전화를 가진 학생을 조사하여 벤다이어그램으로 나타내려고 합니다. 다음 물음에 답하세요. (단, 컴퓨터와 휴대전화가 모두 없는 학생은 없습니다.)

• 컴퓨터가 있는 학생: 9명
• 휴대전화가 있는 학생: 11명
• 휴대전화만 있는 학생: 6명

컴퓨터 휴대전화

(1) 휴대전화와 컴퓨터가 모두 있는 학생은 몇 명입니까? 5명

(2) 컴퓨터가 있는 학생은 컴퓨터와 휴대전화가 모두 있는 학생보다 몇 명 더 많습니까? 4명

(3) 지한이네 반 학생은 모두 몇 명입니까? 15명

102 영재 사고력수학 필즈_베이직 중　　08. 리뷰 103

1 **1)** 영역 ①은 자동차와 같이 타는 것 중 날 수 없는 것입니다.

2) 영역 ②는 비행기와 같이 날 수 있는 타는 것입니다.

3) 영역 ③은 새와 같이 날 수 있는 것 중 타지 못하는 것입니다.

1

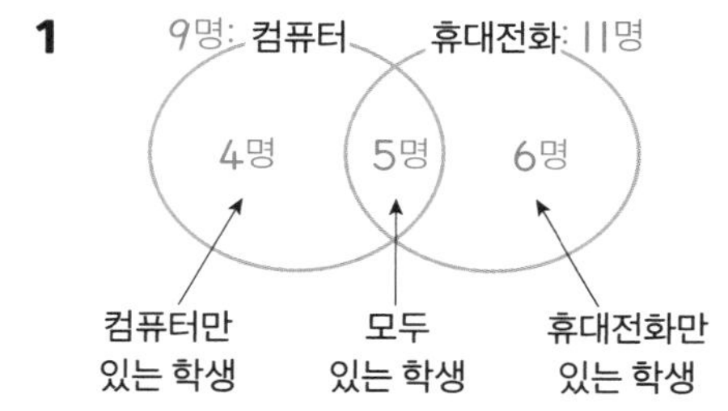

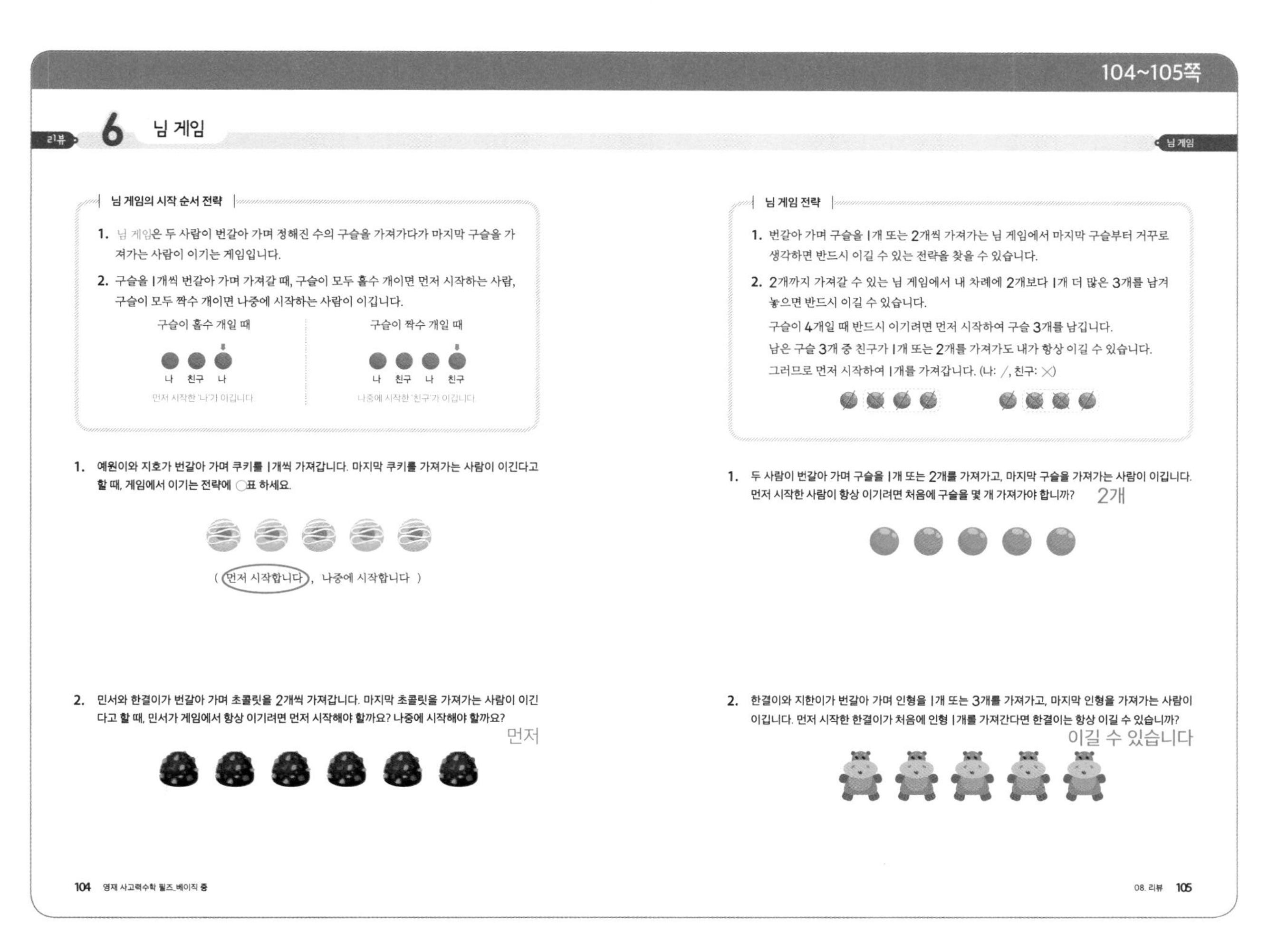

104~105쪽

리뷰 6 님 게임

님 게임

님 게임의 시작 순서 전략

1. 님 게임은 두 사람이 번갈아 가며 정해진 수의 구슬을 가져가다가 마지막 구슬을 가져가는 사람이 이기는 게임입니다.
2. 구슬을 1개씩 번갈아 가며 가져갈 때, 구슬이 모두 홀수 개이면 먼저 시작하는 사람, 구슬이 모두 짝수 개이면 나중에 시작하는 사람이 이깁니다.

구슬이 홀수 개일 때: 나 친구 나 — 먼저 시작한 '나'가 이깁니다.

구슬이 짝수 개일 때: 나 친구 나 친구 — 나중에 시작한 '친구'가 이깁니다.

1. 예원이와 지호가 번갈아 가며 쿠키를 1개씩 가져갑니다. 마지막 쿠키를 가져가는 사람이 이긴다고 할 때, 게임에서 이기는 전략에 ○표 하세요.

(먼저 시작합니다 , 나중에 시작합니다)

2. 민서와 한결이가 번갈아 가며 초콜릿을 2개씩 가져갑니다. 마지막 초콜릿을 가져가는 사람이 이긴다고 할 때, 민서가 게임에서 항상 이기려면 먼저 시작해야 할까요? 나중에 시작해야 할까요? 먼저

님 게임 전략

1. 번갈아 가며 구슬을 1개 또는 2개씩 가져가는 님 게임에서 마지막 구슬부터 거꾸로 생각하면 반드시 이길 수 있는 전략을 찾을 수 있습니다.
2. 2개까지 가져갈 수 있는 님 게임에서 내 차례에 2개보다 1개 더 많은 3개를 남겨 놓으면 반드시 이길 수 있습니다.
   구슬이 4개일 때 반드시 이기려면 먼저 시작하여 구슬 3개를 남깁니다.
   남은 구슬 3개 중 친구가 1개 또는 2개를 가져가도 내가 항상 이길 수 있습니다.
   그러므로 먼저 시작하여 1개를 가져갑니다. (나: /, 친구: ×)

1. 두 사람이 번갈아 가며 구슬을 1개 또는 2개를 가져가고, 마지막 구슬을 가져가는 사람이 이깁니다. 먼저 시작한 사람이 항상 이기려면 처음에 구슬을 몇 개 가져가야 합니까? 2개

2. 한결이와 지한이가 번갈아 가며 인형을 1개 또는 3개를 가져가고, 마지막 인형을 가져가는 사람이 이깁니다. 먼저 시작한 한결이가 처음에 인형 1개를 가져간다면 한결이는 항상 이길 수 있습니까? 이길 수 있습니다

104 영재 사고력수학 필즈_베이직 중 08. 리뷰 105

1 개수가 홀수 개이면 먼저 시작하는 사람이 마지막 쿠키를 가져갈 수 있습니다.

2 1) 초콜릿 6개를 2개씩 가져가는 것은 초콜릿 3개를 1개씩 가져가는 것과 같습니다.
2) 초콜릿 3개를 1개씩 가져가는 님 게임에서는 먼저 시작한 사람이 항상 이길 수 있습니다.

1 1) 먼저 시작하여 구슬 3개를 남기면 나중에 시작한 사람이 구슬을 몇 개 가져가든 마지막 구슬을 가져올 수 있습니다.
2) 따라서 먼저 시작한 사람은 처음에 구슬 2개를 가져가야 합니다.

2 1) 한결이가 인형 4개를 남겨주면 나중 사람이 인형 몇 개를 가져가도 남은 인형을 모두 한결이가 가져가서 이길 수 있습니다.
2) 인형 4개를 남기기 위해 한결이가 처음에 인형 1개를 가져가면 항상 이길 수 있습니다.

106~107쪽

리뷰 **7** 동전과 성냥개비

동전과 성냥개비

동전 퍼즐

1. 우리나라에서 사용하는 동전은 500원, 100원, 50원, 10원짜리로 모두 4가지입니다.
2. 크기와 무게는 500원, 100원, 50원, 10원짜리 순으로 크고 무겁습니다.
3. 10원짜리 동전의 색깔만 다르고, 나머지 동전의 색깔은 모두 같습니다.

1. 10원, 50원, 100원, 500원짜리 동전을 사용하여 가로, 세로에 놓인 금액의 합이 ○ 안의 수가 되도록 매트릭스를 완성하세요.

100	100	10	210
50	500	50	600
50	50	100	200
200	650	160	

2. 금화 9개를 다음과 같이 놓았습니다. 금화 2개를 옮겨 한 줄에 놓인 금화의 개수가 모두 같은 사각형 모양을 만들려고 합니다. 옮기는 금화에 ╳표, 옮기는 곳에 ○표 하세요.

성냥개비 퍼즐

1. 성냥개비로 만든 모양은 성냥개비 몇 개를 옮기거나 빼고 더해서 다양한 모양으로 바꿀 수 있습니다.
2. 도형을 만들 때 사용하는 성냥개비의 길이는 모두 같습니다.
3. 성냥개비로 도형을 만들 때 남는 성냥개비가 있으면 안 됩니다.

1. 성냥개비 6개로 삼각형 2개를 만들었습니다. 성냥개비 2개를 움직여 삼각형 1개를 만들려고 합니다. 옮기는 성냥개비에 ╳표 하고, 만든 모양을 그려 보세요.

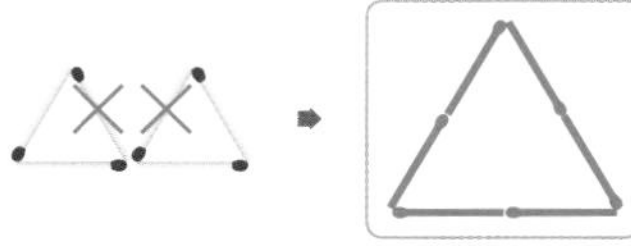

2. 성냥개비 8개로 사각형 2개를 만들었습니다. 성냥개비 4개를 움직여 사각형 1개를 만들려고 합니다. 옮기는 성냥개비에 ╳표 하고, 만든 모양을 그려 보세요.

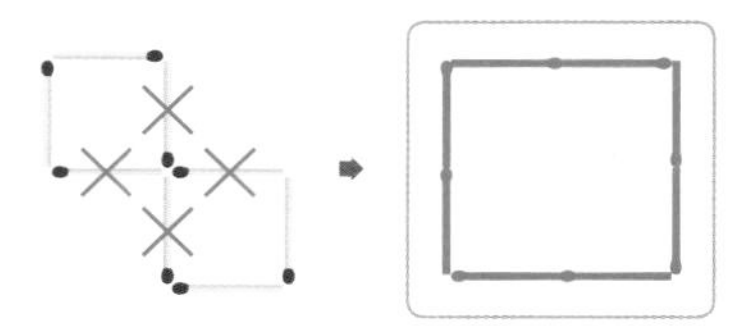

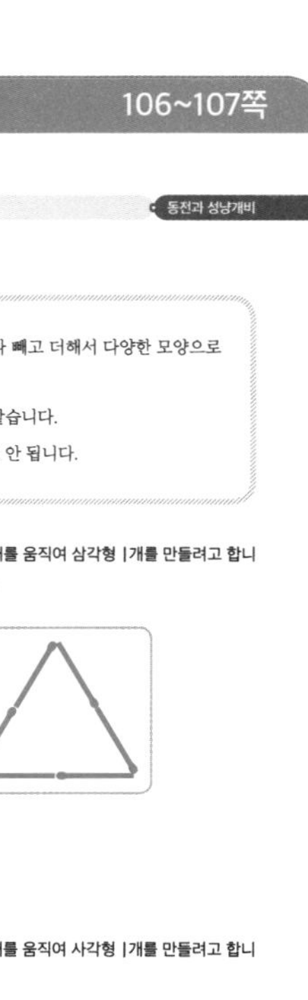

106 영재 사고력수학 필즈_베이직 중 08. 리뷰 107

1 1) 가로 첫 번째 줄 금액의 합이 210원이므로 세 동전 중 10원이 있습니다.

2) 세로 세 번째 줄 금액의 합이 160원이므로 세 동전 중 10원이 있습니다. 따라서 가로 첫 번째 줄 세 번째 칸에 10원을 놓습니다.

3) 가로 두 번째 줄과 세로 두 번째 줄의 금액이 600원, 650원이므로 두 줄이 겹치는 칸인 매트릭스의 중앙에 500원을 놓습니다.

4) 매트릭스의 빈칸에 금액의 합에 맞게 동전을 놓습니다.

2

1

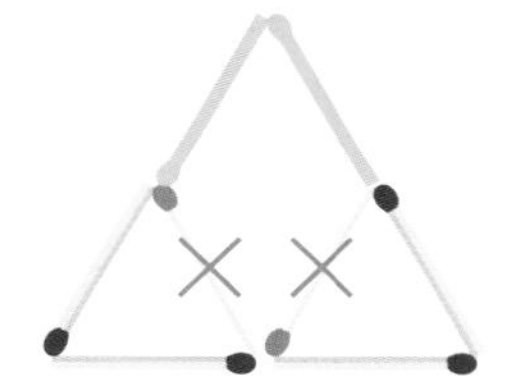

2

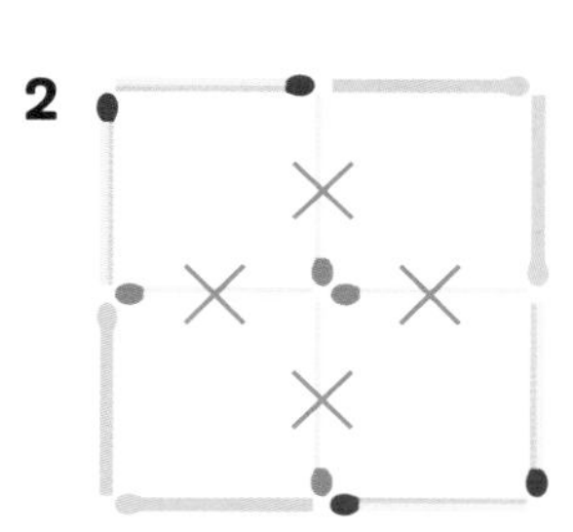

Memo

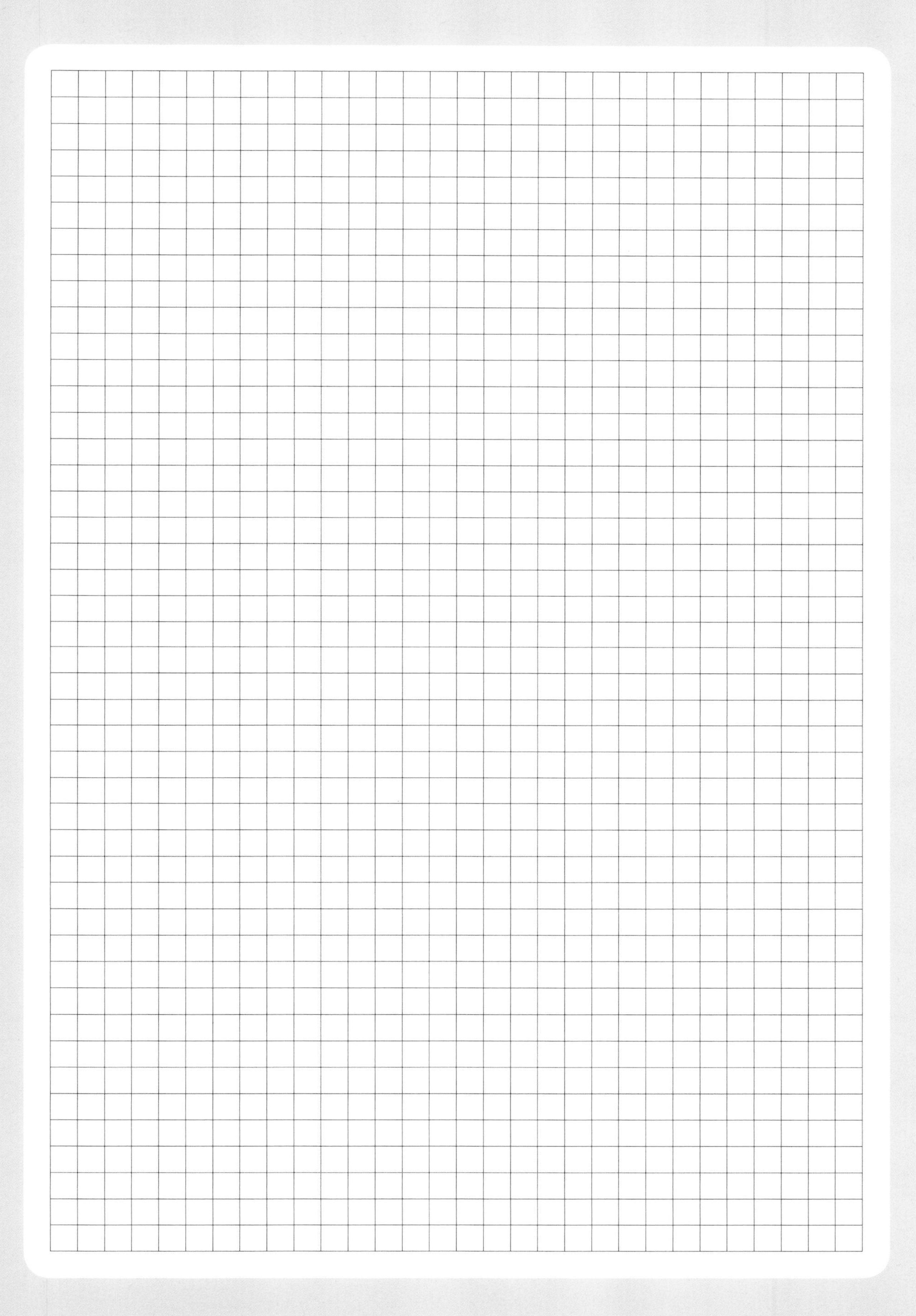

Memo

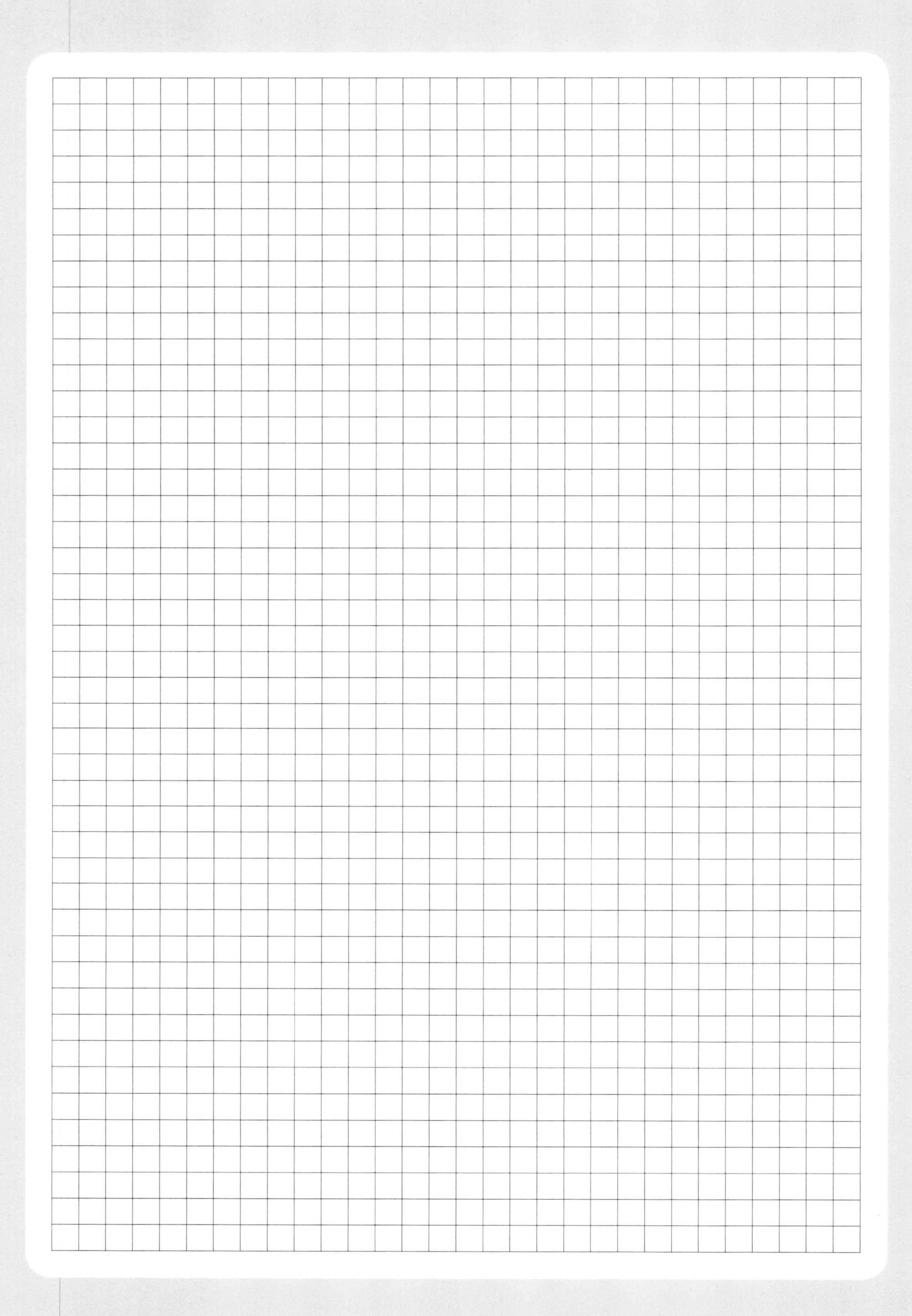

"TRANSIRE SUUM PECTUS MUNDOQUE POTIRI"

"
자신 위로 올라서
세상을 꽉 잡아라
"